INITIATION
À LA
CULTURE FRANÇAISE

Under the editorship
of
F. G. HOFFHERR
Columbia University

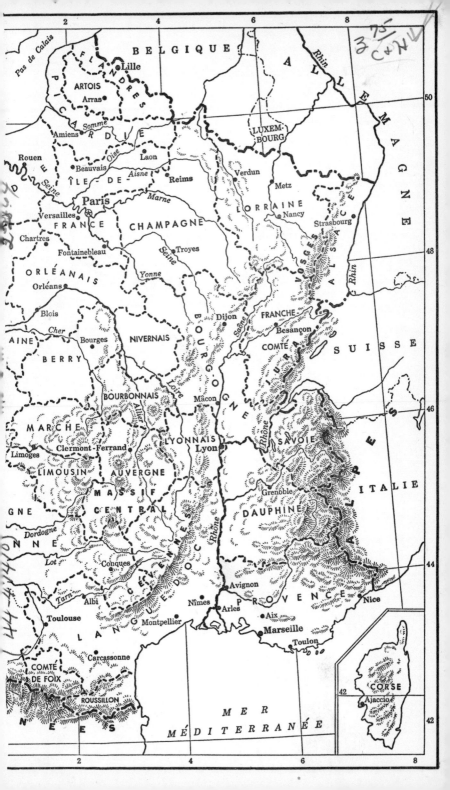

INITIATION
À LA CULTURE
FRANÇAISE

By

Clifford S. Parker

Professor of Languages
University of New Hampshire

and

Paul L. Grigaut

Associate Curator of Western Art
Detroit Institute of Arts

HARPER & BROTHERS

NEW YORK *and* LONDON

INITIATION À LA CULTURE FRANÇAISE

D-L

« C O N T E N T S »

« *ILLUSTRATIONS* »

vii

« PREFACE »

The present volume has been written for the intermediate student of French. In a language that he can understand,[1] there is presented the stream of French history as it flows from 30,000 B.C. down to the present. Interwoven with the political and military history of France are chapters on geography, outstanding personalities, literature, art and architecture, and the sciences. The economic development of the country, its social problems, its music, and its schools are not neglected.

One section of each chapter in the first part of the book describes one of the provinces of France. In the second part, emphasis is placed on either cities or regions. This integration of history and geography is one of the main features of the volume. Unfortunately there has not been space enough to describe all the provinces and all the important cities, but students will obtain an idea of the topographical and cultural characteristics of the France that lies outside of Paris, as well as of the growth and life of the capital.

To cover French civilization in one volume has not been easy. Much of the original material written for the book had to be discarded in order that the essential points could be more emphatically presented. A class can finish the volume in one year and still have time for work in composition and conversation and for the reading of French texts.

The authors do not contend that this volume should entirely supplant the books that now provide reading material for French classes. The study of civilization can be made to enrich the reading of fiction, plays, and poetry and in turn be enriched by them. A procedure has been worked out in the authors' classes whereby students read (for content, not for grammar!) a dozen or more French books in the course of two semesters. This reading is related to the history and geography of France. To illustrate medieval literature, for example, one may read Bédier's modernized version of *Tristan et Iseut*. Capable students may read Hugo's *Notre-Dame de Paris* for its picture of the end of the Middle Ages.

[1] See Note on Vocabulary, page 265.

ix

Alexandre Dumas père has provided inexhaustible material for the sixteenth and seventeenth centuries. The French historical novels are good collateral reading — Vigny's *Cinq-Mars* for the period of Louis XIII, Hugo's *Quatre-vingt-treize* for the Revolution. Musset's short story, *La Mouche*, enlivens Versailles, Maupassant's *Un Coup d'État* gives a humorous touch to the year 1870. Collections of stories are valuable in this connection; Huisman's *Contes et Légendes du moyen âge*, Roth's *Contes des Provinces*, and Parker's *French Stories of the Past and Present* are examples. Students who have completed the latter part of the present volume may be induced to explore contemporary literature in books that have not been subjected to American editing. The texts which the authors have found most valuable are included in the lists of Recommended Readings which form a part of the exercises.

These reading lists, which make no pretense of being exhaustive, include both French textbooks and other books in French and English. The latter should be available in most college and public libraries. In addition to these specific recommendations, students may be referred to such general works as the *Encyclopædia Britannica;* its articles on French history, personages, art, and architecture, for example, are of great value.

In addition to brief bibliographies, the exercises consist of questionnaires and various types of drill material which should help students to recognize and learn the most important points in each chapter.

As it is customary in many schools and colleges to assign to students special topics for independent investigation, the exercises offer lists of suitable topics. These lists can of course be expanded by teachers or by enterprising students.

In the preparation of this volume the authors have become indebted — in many cases unconsciously, perhaps — to other textbooks in the same general field. Among the French works from which they have derived information and ideas, the following deserve particular mention:

E. Lavisse: *Histoire de France*

J. Michelet: *Histoire de France*

J. Reinach: *Francia*

Ravizé-Schön: *Deux mille ans de vie française*

G. Lanson: *Histoire de la Littérature française*

D. Mornet: *Précis de Littérature française*

Petit de Julleville: *Histoire de la langue et de la littérature françaises*

Saillens: *Toute la France*

In the early stages of the writing of this book, the authors' colleague, Professor John A. Floyd, rendered much valuable assistance, for which the authors are extremely grateful.

The authors hope not only that this *Initiation à la culture française* will make the study of French more valuable and hence more popular, but also that it will implant in students admiration and respect for the country that has made such great contributions to the progress of the civilization of the world.

C. S. P.

P. L. G.

Durham, N. H.

INITIATION
À LA
CULTURE FRANÇAISE

PREMIÈRE PARTIE

« I »

Les Premiers Habitants du Pays

TRENTE mille ans environ avant l'ère chrétienne, le territoire qui devait devenir la France d'aujourd'hui était déjà habité. En Champagne, dans la craie de certaines falaises, ou bien en Dordogne, au fond de grottes obscures, on a découvert les traces des premiers habitants du sol français. Os gravés, ivoires sculptés, 5 poteries et ornements naïvement colorés, fresques qui représentent des rennes et des bisons, prouvent que des êtres humains avaient déjà choisi pour y vivre et y mourir les vallées et les coteaux de la France; mais sur ces hommes de l'âge de pierre on a peu de renseignements. 10

Les premiers ancêtres des Français qui aient laissé des traces précises de leur civilisation sont les Ibères et les Ligures. Au quinzième siècle avant Jésus-Christ, ils occupaient déjà une grande partie des rivages de la Méditerranée et de l'océan Atlantique. Ce sont ces deux peuples, venus sans doute d'Asie, 15 qui ont introduit avec eux ces preuves tangibles d'une civilisation déjà avancée: le fer et le bronze.

Vers le cinquième siècle avant Jésus-Christ, un peuple d'une autre race quitta les bords du Danube et les plaines de la Germanie, qui ne pouvaient plus le nourrir, et se dirigea vers l'Océan; 20 c'étaient les Celtes. Malgré leur courage, ni les Ibères ni les Ligures ne purent résister à ces envahisseurs mieux armés et plus nombreux; ils furent obligés de fuir vers les Pyrénées, où leurs descendants, les Basques, conservent encore le langage et un peu de la rudesse de leurs aïeux. 25

Parmi les tribus victorieuses, il n'y avait ni unité politique ni unité de langue. Des centaines de petits états indépendants

1

couvrirent alors la Gaule.[1] Il se forma pourtant des confédéra-
\ions de clans, rapprochées par la religion plutôt que par des
intérêts communs.

Le centre de la Gaule, l'Auvergne, devint le siège de la plus
5 puissante de ces confédérations, celles des Arvernes. C'est sans
doute d'Auvergne que partirent, à la conquête de l'Europe, les
plus audacieuses de ces tribus. Au quatrième siècle avant Jésus-
Christ, les Celtes possédèrent un empire aussi vaste que celui
d'Alexandre le Grand, qui d'ailleurs vivait au moment de leur
10 plus grande puissance.

Carnac

C E N'EST ni en Champagne ni en Dordogne qu'on trouve
aujourd'hui les monuments les plus frappants des races préhistoriques qui occupaient le territoire de la France; c'est en Bretagne, dans la plaine de Carnac. Là, dans un paysage austère,
15 reposent depuis peut-être trois mille ans les chefs des tribus
mystérieuses qui habitaient la Gaule primitive.

Imaginez une immense plaine inculte, dont l'herbe rare ne
parvient pas à cacher la nudité. A travers cette plaine s'étendent
de longues avenues régulières de pierres énormes qui ressemblent
20 un peu à des arbres pétrifiés. Ces pierres sont des tombeaux:
Carnac est la «terre des morts». Dans d'autres parties de la
Bretagne, de même qu'à Stonehenge en Angleterre, on trouve des
exemples de ces monuments primitifs; mais c'est à Carnac qu'on
en rencontre le plus grand nombre. Par exemple, dans un seul
25 champ sont alignées plus de mille pierres. Les unes sont hautes
et étroites: ce sont les *menhirs*. D'autres, supportées par de lourdes
dalles, font penser à d'énormes tables de granit; elles sont appelées
dolmens. Beaucoup de ces pierres ont plusieurs mètres de haut et
pèsent des milliers de kilogrammes. Comment les hommes pri-
30 mitifs ont-ils pu les transporter et les élever? A quelle époque, et

---

[1] Les Romains appelèrent les Celtes du nom de *Galli*, d'où est venu le mot
français Gaulois. La Gaule est le territoire habité par les Gaulois; c'est à peu
près la France d'aujourd'hui.

par qui, ce travail immense a-t-il été accompli? Il est difficile de le dire; c'est là un des points obscurs de l'histoire.

Il se peut que cette plaine de Carnac ait été l'endroit où avaient lieu des cérémonies religieuses. La religion tenait une grande place dans la vie de ces hommes primitifs. C'était une 5 religion cruelle, qui exigeait des sacrifices humains, mais qui était ennoblie par la croyance à la survivance de l'âme. Des temples auraient été inutiles; les dolmens suffisaient sans doute à ces cérémonies, qui se tenaient en plein air. Cette religion n'avait ni art ni littérature. Mais elle constituait le seul lien qui 10 existât entre les différentes tribus.

Ces ancêtres des Français d'aujourd'hui ne vivaient que pour la guerre. Chaque année au printemps, les luttes reprenaient; chaque automne, de longs cortèges funèbres se dirigeaient vers la plaine au bord de l'Atlantique. Les chefs morts sur le champ 15 de bataille, suivis de leurs chevaux et de leurs serviteurs destinés au sacrifice, étaient conduits à Carnac.

Aujourd'hui, il serait facile de ne voir dans ces alignements monotones de rocs informes que des pierres sans beauté. Mais ces pierres couvertes de mousse sont le symbole des commence- 20 ments lents, obscurs, difficiles, de la nation française et de sa civilisation. Il a fallu, pour les déplacer, des efforts continus, beaucoup de patience et de volonté. Carnac est l'un des grands témoignages de l'énergie humaine.

La Bretagne

Nous avons vu que les Celtes ont pénétré en Gaule au cin- 25 quième siècle avant Jésus-Christ. Bientôt ils réussirent à occuper toute la Gaule et à étendre leur domination sur une grande partie de l'Europe. Mais au cours des siècles leur puissance diminua. Ils durent renoncer à une grande partie des territoires qu'ils avaient conquis. Ils abandonnèrent même le centre de la 30 Gaule et se réfugièrent en Bretagne, où ils ont longtemps conservé leur culture et leurs légendes. Au cinquième et au sixième siècles de notre ère, d'autres Celtes, chassés de Grande-Bretagne, se sont joints aux descendants des premières tribus. La Bretagne reste donc encore la terre des Celtes et des légendes celtiques.

Ces légendes sont célèbres. Elles nous font connaître les ex-
5 ploits du roi Arthur et des héros de la Table Ronde, les aventures de Tristan et d'Yseult. Animaux merveilleux, nains cruels, fées bienfaisantes, châteaux enchantés, ces créations de l'imagination celtique remplissent la littérature du moyen âge.

La Bretagne, entourée de trois côtés par l'océan Atlantique
10 et la Manche, est longtemps restée isolée de la France. Il ne faut pas oublier que pendant deux mille ans (500 av. J.-C.–1500 après J.-C.), les Bretons, par leur langue et leurs origines, se rapprochaient plus des habitants de la Grande-Bretagne que des habitants du reste de la France. La province ne fut rattachée
15 que très tard à la couronne royale, et, par conséquent, elle a pu conserver son individualité mieux qu'aucune autre province.

Avec son climat pluvieux et ses champs arides, la Bretagne est un pays triste qui invite à la mélancolie. L'intérieur de la péninsule est couvert de landes et de forêts. Villes et villages y
20 sont éloignés les uns des autres.

La côte est la plus accidentée de France. Les vents et les vagues ont découpé les roches de granit qui donnent à la Bretagne une ceinture d'îles incultes et d'écueils. La pêche est la ressource principale de la côte: pêche lointaine à la morue, pêche locale à la
25 sardine. Les villes qui sont au bord de la mer sont plus animées que celles de l'intérieur: Saint-Malo, en même temps qu'un port de pêche, est aujourd'hui un des grands ports de commerce de la Manche; Brest, situé à l'extrême pointe du Finistère (la « fin de la Terre ») est un des trois principaux ports militaires de France;
30 Nantes était une des villes les plus riches de Gaule et reste aujourd'hui un port de commerce important.

Les Bretons, qui ont conservé intact le type de leurs aïeux, ont hérité des qualités celtiques: courage, ténacité, mysticisme. Au seizième siècle, Jacques Cartier est parti de Saint-Malo pour
35 traverser l'océan et explorer le Saint-Laurent. C'est en Bretagne que naquit Chateaubriand (1766–1848), dont l'œuvre est animée par une foi profonde. Pierre Loti a immortalisé le courage des habitants de la côte dans *Pêcheur d'Islande*, tandis que le

poète Anatole Le Braz a pieusement recueilli des légendes bre-
tonnes qui reflètent bien l'imagination poétique et la ferveur
religieuse de la race.

« **II** »

L'Occupation Romaine

La longue domination des Celtes est marquée en Gaule par
des guerres innombrables: guerres entre tribus rivales, guerres 5
lointaines qui satisfont le goût de ces barbares audacieux pour
les aventures. La civilisation gauloise, cependant, se développe:
l'usage du bronze devient général, les abords des forêts sont
défrichés, des cultures nouvelles sont introduites. Çà et là des
villes s'élèvent et s'enrichissent. Les échanges d'idées surtout se 10
font de plus en plus nombreux.

Il est naturel qu'il en soit ainsi. Par sa situation la Gaule se
prête à ces échanges intellectuels. Car ce pays est en quelque
sorte une impasse. Les sommets des Pyrénées au Midi, les flots de
l'océan à l'ouest, arrêtent les envahisseurs qui s'établissent dans le 15
pays et y introduisent leurs traditions, leurs industries et leurs arts.
La Gaule est en même temps un carrefour où passent déjà, et où
passeront pendant des siècles, la plupart des voyageurs. Pour
ceux qui se dirigent vers le nord de l'Europe, la vallée du Rhône
est la meilleure route à suivre; on traverse le Midi pour aller 20
d'Italie en Espagne; le nord-est de la France est une grande
plaine sans barrières naturelles par laquelle doivent passer tous
ceux qui viennent des plaines de l'Europe centrale. Tous ces
voyageurs ont aidé au développement artistique et intellectuel

du pays. Dans les tombeaux celtiques on découvre souvent, près des poteries primitives, des armes de bronze curieusement ciselées, des vases sacrés aux formes rares qui viennent d'Orient ou des pays scandinaves: ce sont les voyageurs de l'époque qui les ont
5 apportés.

Mais que reste-t-il de cette civilisation gauloise? Bien peu de choses: des légendes, des noms de tribus, et quelques trésors enfouis sous la terre. L'occupation romaine n'a presque rien laissé qui rappelle les Gaulois.

10 Pendant que les chefs gaulois se battaient entre eux, le peuple romain devenait de plus en plus puissant. En 123 av. J.-C., le sud de la Gaule tomba sous la domination des consuls romains: ils voulaient s'assurer une route entre l'Italie et l'Espagne qu'ils venaient de conquérir. Mais ce territoire ne suffisait pas aux
15 Romains; c'est la Gaule entière qu'ils convoitaient. Il fallait un prétexte pour pénétrer dans ce territoire ami. Les barbares de la Germanie ayant attaqué certaines tribus gauloises protégées par Rome, Jules César saisit l'occasion de conquérir la plus grande partie de la Gaule. C'est en 58 av. J.-C. que César
20 commença les guerres célèbres qu'il décrit dans ses *Commentaires*. Lorsque les chefs gaulois se rendirent compte du danger, ils s'unirent sous les ordres d'un jeune chef, Vercingétorix. Mais il était trop tard. Vercingétorix fut vaincu par César à Alésia en Bourgogne (52 av. J.-C.) et toute résistance de la part des Gaulois
25 cessa.

Sous la domination de Rome, les Gaulois devinrent un des peuples les plus civilisés de l'Europe. La langue latine, parlée par les soldats et les colonisateurs romains, supplanta vite les dialectes celtiques. Tout ce que Rome offrait d'admirable — ses monu-
30 ments, ses statues, sa littérature même — tout fut copié ou adapté de la Méditerranée à la mer du Nord.

Le gouvernement de Rome supprima les despotes qui régis-saient les tribus et introduisit des idées nouvelles de justice et de droit. Pendant plus de trois siècles les Romains ont imposé la
35 paix, la «pax romana», et la civilisation a pu se développer librement. Des maisons de pierre remplacèrent les huttes de branchages, les marais desséchés devinrent des pâturages, les fameuses routes romaines s'étendirent d'un bout à l'autre de la Gaule.

Arles

Même avant l'occupation de la Gaule par les Romains, le littoral de la Méditerranée avait subi l'influence des civilisations grecque et romaine. Les Phocéens ont fondé Marseille au sixième siècle avant Jésus-Christ, et les Romains, nous l'avons vu, avaient conquis le sud de la Gaule longtemps avant les 5 guerres de Jules César. Chacune des grandes villes de la Provence — Arles, Orange, Fréjus par exemple — possède des monuments romains, dont les restes sont aussi nombreux et aussi imposants que ceux d'Italie. Rares aussi sont les villages qui n'ont pas conservé dans leurs églises ou sur leurs places publiques quelque 10 chapiteau antique ou quelque fragment de marbre sculpté.

De toutes les villes occupées en Gaule par les Romains, il en est peu qui soient aussi pittoresques qu'Arles. La ville avait une grande importance commerciale et stratégique: c'était un des rares endroits où l'on pouvait traverser le Rhône. Arles com- 15 mandait les routes qui vont d'Italie en Espagne. Sous l'Empire, elle devint donc une des grandes villes d'Europe: cent mille personnes, chevaliers gaulois, marchands grecs, soldats romains, y habitaient. Aussi les ruines antiques y sont-elles plus nombreuses qu'ailleurs dans le Midi. Les étudier, c'est revivre la vie journa- 20 lière des Gallo-Romains. Les Arènes, qui sont les mieux conservées d'Europe, rappellent les luttes sanglantes des gladiateurs et le martyre des premiers chrétiens qui y furent jetés aux fauves; ces arènes sont si grandes qu'au moyen âge, deux chapelles et plus de deux cents maisons y furent construites! Aujourd'hui 25 en ruines, les Thermes, où le peuple se réunissait chaque jour, évoquent les discussions politiques qu'aimaient tant les Romains; l'aqueduc voisin, qui amena longtemps à Arles l'eau d'une source éloignée, fournit la preuve de l'habileté technique des architectes de l'époque. Enfin le théâtre d'Arles est une des œuvres les plus 30 gracieuses que l'antiquité nous a laissées.

Ses portiques majestueux aux proportions élégantes, ses colonnes de marbre rose et blanc, la sobriété de son ornementation, tout y contribue à donner une impression unique de beauté.

Certes, il est bien mutilé, ce théâtre; la plus belle de ses statues,
la Vénus d'Arles, a été transportée dans un musée lointain, et le
marbre de ses murs a servi à bâtir les églises chrétiennes de la
ville. N'importe, il vit encore: quelques pierres dorées, quelques
5 colonnes aux chapiteaux sculptés suffisent à évoquer un passé
glorieux et la grandeur de l'art romain.

Carnac est le symbole des commencements d'une civilisation.
Arles est plus encore: la «Rome gauloise» représente la fusion de
deux races, d'où est née une civilisation qui, presque seule de nos
10 jours, continue les traditions de la Rome antique.

La Provence

LES ROMAINS, aidés par les Gaulois, ont couvert la France de
monuments grandioses; mais nulle part, ces monuments n'étaient
plus nombreux que dans la Provence, dont la noblesse romaine
appréciait le climat et la beauté.
15   La Provence est une des régions les plus célèbres de France.
Son climat est si doux, même en hiver, qu'il est propre à la
culture de l'oranger et des fleurs les plus délicates. Comme en
Italie et en Espagne, tout ici est couleur: le vert des oliviers, les
maisons basses couvertes de tuiles rouges, les paysages encadrés
20 par des cyprès et des pins, le ciel d'un bleu très pur, l'azur de
cette fameuse mer «qui vit naître tant de beauté». Le littoral
de la Provence s'appelle, à juste titre, «la Côte d'Azur». Que nous
sommes loin de la tristesse de la Bretagne!

Comme les derniers contreforts des Alpes viennent ici mourir
25 dans la mer, il y a des baies bien abritées qui sont autant de
ports naturels: Fréjus, dont les Romains avaient compris la
valeur; Toulon, qui, dans sa rade célèbre, abrite une grande
partie de la flotte militaire française; Marseille surtout, le port le
plus riche et le plus pittoresque, la «porte de l'Orient» et la
30 plus grande ville de France après Paris. Nice, Cannes, d'autres
villes encore, voient doubler leur population pendant l'hiver.
La Côte d'Azur, c'est la Floride de la France.

Nous avons vu quelques-uns des traits du Breton; le Provençal n'a rien qui rappelle son compatriote. Il n'y a là rien d'étonnant: la nature lui est favorable et son origine latine lui donne un optimisme que les Celtes n'ont jamais connu. Sentimental, enthousiaste, bruyant même, le Provençal est devenu, aux yeux 5 des étrangers, le Français typique, ce que naturellement il n'est pas. Le Français typique n'existe pas.

« III »

Mérovingiens et Carolingiens

Au cinquième siècle après Jésus-Christ, l'empire romain s'écroula. Il était trop étendu, trop difficile à gouverner; ses frontières immenses et mal définies ne pouvaient plus être pro- 10 tégées par les légions romaines.

De l'autre côté du Rhin, les Barbares veillaient. Le moment venu, ils pénétrèrent en Gaule. Quelques-uns se contentèrent de traverser le pays pour aller en Espagne ou en Italie. D'autres s'établirent dans les plaines gauloises les plus riches. Les Wisi- 15 goths, les Burgondes, les Flamands, d'autres encore, fondèrent des royaumes indépendants et jaloux les uns des autres.

Au milieu du cinquième siècle, seuls les territoires du centre de la France et la vallée de la Seine restaient gallo-romains. Ailleurs tout ce qui avait fait la grandeur de la civilisation ro- 20 maine en Gaule fut bientôt oublié. La plupart des monuments romains furent détruits, et leurs colonnes servirent à élever des fortifications. La force brutale remplaça les lois romaines. A la langue latine elle-même, bien qu'elle fût en grande partie adoptée par les envahisseurs, se mêlèrent des mots germaniques aux sons plus durs.

C'est à cette époque que se produisit une invasion plus redoutable encore. Les Huns, commandés par Attila, le «fléau de
5 Dieu», voulurent à leur tour s'emparer de la Gaule. Ils avancèrent sans grande difficulté jusqu'aux murs de Lutèce, cette petite ville de pêcheurs qu'on commençait à appeler Paris. Telle était la frayeur inspirée par les Huns que les Parisiens songèrent à abandonner leur ville sans combattre. Mais il y avait alors dans
10 la cité une jeune fille, célèbre pour sa bonté, qui s'était donnée au Dieu des Chrétiens. Geneviève était une prophétesse écoutée: le Christ, croyait-on, parlait par sa voix. Déserté, Paris aurait été une proie facile sur laquelle Attila se serait aussitôt jeté, et Geneviève s'en rendait compte. Par sa fermeté et ses exhorta-
15 tions, la jeune fille décida les Parisiens à rester et à se préparer à la résistance. Attila, étonné par tant de courage, s'en alla piller une autre ville, et Paris fut épargné. Les Parisiens n'ont pas oublié que cette jeune fille a sauvé leur cité: encore aujourd'hui, Sainte Geneviève est la patronne de la grande ville. Quelques
20 années plus tard, d'ailleurs, Attila fut vaincu par le roi des Wisigoths et un général romain dans la grande plaine de Châlons, cette plaine qui devait être, par la suite, le théâtre de tant de batailles décisives.

Parmi les tribus germaniques établies en Gaule, il y en avait
25 une qui possédait au plus haut degré les qualités guerrières qui avaient fait la grandeur de Rome. C'était la tribu des Francs, que nous voyons occuper peu à peu les régions de l'est et du nord de la Gaule. Bientôt ses chefs, qui ont le titre de roi, posséderont Paris et, avec Paris, la plus grande partie de la Gaule, à laquelle
30 les Francs donneront leur nom.

La dynastie mérovingienne[1] régna plus de deux siècles. Aucun de ses chefs ne fut plus habile que le roi Clovis (466–511). Grand général et bon diplomate, il soumit les tribus qui lui résistaient et, après s'être fait chrétien, devint le protecteur de la Gaule chré-
35 tienne.

Malheureusement, les successeurs de Clovis ne furent pas dignes de lui; le pouvoir fut bientôt partagé entre les fils d'un

---

[1] Cette dynastie a reçu son nom du roi franc Mérovée, grand-père de Clovis.

même père, les disputes entre parents furent nombreuses. Des luttes atroces divisèrent le pays. Aucun espoir ne serait resté aux Français, si la religion du Christ ne leur avait donné une idée plus noble de la vie et l'espoir d'une vie future.

Au huitième siècle, le roi mérovingien ne conserve plus que 5 l'apparence du pouvoir. Le vrai maître de la France, c'est un fonctionnaire du roi, le «maire du palais»: il gouverne le royaume, il commande l'armée, il domine la cour. Lorsque les Musulmans d'Espagne envahissent la France, c'est un maire du palais, Charles-Martel, qui les repousse (bataille de Poitiers, 732).   10

En 751, le fils de Charles-Martel, Pépin le Bref, renversa sans grande difficulté le dernier roi mérovingien et se fit couronner à sa place. Ainsi fut établie la seconde dynastie française, la dynastie carolingienne[1] qui devait, elle aussi, régner deux siècles. Si ce n'était pour Charlemagne, l'histoire de cette 15 dynastie serait peu intéressante. Mais pendant quelques années, la France a eu une organisation forte et a connu, grâce au grand empereur, la paix à l'intérieur.

Cette paix ne dura pas longtemps. Dès que l'héritage de Charlemagne eut été divisé entre ses trois petits-fils, deux de 20 ceux-ci s'unirent contre leur frère Lothaire. Le traité par lequel les deux frères, Charles et Louis, scellèrent leur union, est célèbre. Jusqu'à ce moment, les clercs ne s'étaient servis que du latin pour rédiger leurs documents. Mais celui qui écrivit l'histoire de cette époque inséra par hasard dans son texte latin les mots 25 exacts du serment que Louis et ses soldats prononcèrent devant Charles et son armée. Le *Serment de Strasbourg* (842) fut écrit en roman, qui était la langue parlée par le peuple carolingien. Ce court passage est le premier témoignage qui subsiste de la langue vulgaire de l'époque. Il nous permet de voir les change- 30 ments qu'avait déjà subis le latin qui, en évoluant, allait devenir la langue française.

En 843, les trois frères, Charles le Chauve, Louis le Germanique et Lothaire, signèrent le traité de Verdun qui divisa l'empire de Charlemagne en trois parties. Charles obtint le territoire qui 35 est devenu la France actuelle, Louis reçut la plus grande partie de l'Allemagne. A Lothaire fut donnée une longue bande de

[1] Cette dynastie a reçu son nom de Charlemagne (en latin, *Carolus Magnus*).

terrain qui s'étendait de la mer du Nord à l'Italie, et qui était
arrosée au nord par ce fleuve-frontière qu'est le Rhin. Situé
entre la France et l'Allemagne, un tel royaume ne pouvait durer.
Attaquée, démembrée, conquise et reconquise, la «Lotharingie»,
5 depuis dix siècles, est le champ de bataille des deux nations
rivales.

Charlemagne

Dès que Charlemagne eut été enseveli dans la crypte d'Aix-la-
Chapelle, la légende s'empara de lui. De son vivant, il avait
déjà les qualités que le peuple demande à ses héros: une haute
10 stature, de la majesté, du courage, de l'habileté. Il est donc
naturel que l'imagination populaire ait fait de lui le personnage
mi-homme mi-dieu que nous admirons encore aujourd'hui. Le
Charlemagne légendaire, c'est un vieillard majestueux, si vieux
qu'à sa mort on le croyait âgé de deux cents ans. Dans les vieilles
15 gravures, son manteau couvert de pierreries et sa couronne font
penser à une idole barbare, alors que sa barbe blanche lui donne
un air patriarcal. Cette apparence vénérable est étroitement
liée à la légende.

Le lieu de naissance de l'empereur est inconnu, et il n'est
20 même pas certain que Charles était français. Son grand-père
était Charles-Martel, son père fut le premier roi carolingien; sa
mère (Berthe aux grands pieds) était née dans l'Île-de-France.[1]
C'est dans l'Île-de-France que Charlemagne lui-même fut
couronné roi et qu'il construisit plusieurs de ses châteaux. Mais
25 c'est dans ses palais des bords du Rhin qu'il réunit ses plus beaux
trésors et c'est au centre de l'Europe, à Aix-la-Chapelle, qu'il
voulut être enterré. En fait, Charles est Européen, avant d'être
français; ce sont les poètes français du moyen âge qui, trois cents
ans après sa mort, ont fait de lui un héros de leur pays et le
30 symbole de la grandeur militaire et religieuse de la France.

Toutes ses expéditions furent dirigées contre les païens: Lom-

---

[1] L «Île-de-France» est le nom du territoire qui entourait Paris.

bards installés dans l'Italie du Nord, Saxons barbares de la Germanie, Musulmans d'Espagne. Puis Charlemagne protégea le pape menacé dans Rome, et, en l'an 800, le pape le couronna empereur d'Occident.[1] Sa puissance fut alors presque illimitée. Il fit protéger les Lieux-Saints et le tombeau du Christ, profanés 5 par les Arabes. Il résista victorieusement aux Danois qui voulaient dévaster les côtes de France. A sa mort, en 814, Charlemagne possédait un empire aussi étendu que celui des Césars romains.

Mais Charlemagne ne fut pas seulement un grand général. 10 Maître de l'Europe, il s'entoura des hommes les plus savants de son temps. Il savait à peine lire, mais il appréciait la valeur de la culture. C'est lui qui fut, en réalité, l'organisateur de l'enseignement au moyen âge. Il créa des bibliothèques, des monastères pour les riches et les pauvres, encouragea l'étude de la grammaire 15 et de la littérature latines. Il fit des lois justes, inspirées par un grand souci d'équité. Il s'intéressa aux arts et fit venir d'Italie des colonnes antiques que ses architectes utilisèrent pour ses chapelles. Sous le règne de Charlemagne, on croit assister à une renaissance intellectuelle et morale. 20

La Lorraine

La Lorraine a été autrefois le centre du grand royaume de Lothaire qui, s'étendant de la mer du Nord à l'Italie, comprenait donc les territoires qui devinrent les Pays-Bas et la Bourgogne. La Lorraine elle-même, cette «contrée qui est une frontière», convoitée par les états voisins, a connu une destinée 25 tragique, dont la tristesse semble s'exprimer dans les paysages lorrains.

En effet, la Lorraine, large plateau calcaire séparé du reste de la France par des coteaux couverts de vignobles, n'est pas une province fertile. Les pâturages et les forêts y remplacent les 30

---

[1] L'empire de Charlemagne s'appelait le Saint Empire Romain.

champs de blé des plaines de France. Le climat est froid, quelquefois pluvieux.

Mais la Lorraine a des ressources considérables. Ses mines de fer sont les plus riches d'Europe, et des mines de charbon peu
5 éloignées favorisent le développement de nombreuses industries, qui font de la province une des régions les plus actives de France.

Les villes sont de deux sortes. Les unes, fort anciennes, sont des villes fortifiées et stratégiques aux noms fameux dans l'histoire européenne: Nancy, capitale de la province, a connu ses plus
10 beaux jours au dix-huitième siècle; Metz est une forteresse; Verdun fut le théâtre d'un des combats les plus sanglants de la première Guerre mondiale. Les autres villes, plus neuves, n'ont pas le charme des premières, mais jouent un grand rôle dans la vie économique de la France: à Longwy et à Briey, par exemple,
15 le minerai de fer est extrait et transformé.

Les Lorrains, on l'a dit, «sont doués d'une énergie qui va jusqu'à l'opiniâtreté». Malgré les tentatives de l'Allemagne pour germaniser ce pays, malgré son histoire douloureuse, la Lorraine est toujours restée fidèle à la France. Charlemagne chassait dans
20 ses forêts et la considérait comme le centre de son royaume. Jeanne d'Arc y naquit, le Maréchal Ney, ami de Napoléon, était fier d'être lorrain. André Theuriet, notamment, a bien décrit le charme du pays et la fidélité des habitants à leurs traditions. Le poète Verlaine, l'auteur dramatique François de
25 Curel, bien d'autres écrivains lorrains, ont enrichi la littérature française. Il est donc logique qu'en 1940 le général de Gaulle ait choisi la croix de Lorraine, superposée sur le drapeau tricolore, comme symbole de la ténacité et du patriotisme français.

« IV »

Le Système Féodal

LES DESCENDANTS de Charlemagne ne surent pas conserver le prestige de la royauté; eux, qui auraient dû représenter l'ordre et la sécurité, se montrèrent faibles devant les exigences des seigneurs et incapables de résister aux nouveaux envahisseurs, Normands ou Sarrasins. Alors, l'histoire répète les scènes — 5 pillages, meurtres, incendies — qui avaient accompagné le déclin de la puissance romaine et de l'autorité mérovingienne.

A mesure que l'importance des Carolingiens diminue, une autre famille, celle des comtes de Blois, gagne peu à peu le respect et la gratitude de la noblesse et du peuple; un demi- 10 siècle après la mort de Charlemagne, quand les Normands osent attaquer Paris, ce n'est pas au roi de France, mais au comte de Blois, que les Parisiens s'adressent pour sauver leur ville; et, en effet, le comte est victorieux. Ses descendants sont courageux, énergiques, habiles, ils protègent les monastères et les villes, ils 15 savent se rendre nécessaires. Enfin, en 987, lorsque le dernier des Carolingiens meurt sans héritier direct, les nobles et les évêques refusent de donner la couronne à l'héritier légitime, et l'offrent à Hugues Capet,[1] chef de la famille.

Le titre de roi était d'ailleurs devenu purement honorifique. 20 Devant les premiers Capétiens se dressait en effet un obstacle presque insurmontable — le système féodal.

Imaginez que vous êtes un homme pauvre, vivant à une époque de guerres continuelles. Vous ne pouvez pas défendre votre terre contre des agresseurs nombreux. Vous allez donc trouver un 25 homme plus riche et plus puissant, vous vous agenouillez devant lui, en mettant vos mains dans les siennes, et vous vous donnez à lui, c'est-à-dire que vous promettez de le servir et de lui obéir

---

[1] Cette nouvelle dynastie s'appelle la dynastie capétienne.

à condition qu'il vous protège. Il devient votre seigneur, votre «suzerain»; si vous portez les armes, vous êtes maintenant son vassal; si vous êtes un paysan, vous êtes son serf.

Mais votre seigneur est relativement faible. Alors, à son tour,
5 il se donne à un autre homme encore plus riche et plus puissant. Ce dernier peut être comte ou duc et se reconnaître vassal du roi lui-même. Les grands seigneurs ont des milliers de vassaux; ils ont des armées, de l'argent, des châteaux-forts. Naturellement, ils refusent souvent de tenir leur promesse de servir le roi.

10 Les seigneurs maintiennent leur autorité sur leurs vassaux par la force; mais comment les vassaux, plus faibles, peuvent-ils obliger leurs seigneurs à les protéger? Le seigneur n'est pas seulement chef militaire de son domaine, il est aussi l'administrateur des finances et le juge suprême. Il ne tarde pas à se
15 considérer comme le propriétaire de tout son territoire. Le vasselage était au début l'acte volontaire de l'homme faible qui cherchait un appui; il devint bientôt héréditaire. Le petit seigneur doit obéir à son suzerain. Le serf n'est plus qu'un esclave.

20 La féodalité nous semble aujourd'hui un système injuste. Un mauvais seigneur, disposant de droits presque illimités, pouvait faire beaucoup de mal. Mais souvent simples chevaliers et grands seigneurs reconnaissaient un guide moral — le sentiment de l'honneur. Le vassal *devait* la fidélité au seigneur, le
25 seigneur *devait* la protection à son vassal. Et tous les deux se sentaient liés par ces devoirs. Ce n'est pas tout. Dès qu'il était d'âge à porter les armes, le jeune noble était armé chevalier. Après une nuit de méditation passée dans la chapelle du château, il recevait au cours d'une cérémonie solennelle la bénédiction
30 religieuse; la chevalerie, en effet, est une des plus belles créations de l'Église. Le chevalier promettait «de défendre et protéger les églises, les veuves et tous les serviteurs de Dieu, et de faire triompher partout les principes moraux que représentait le Christianisme». Au moyen âge, qui fut ensanglanté par des
35 pillages, des meurtres et des guerres sans merci entre seigneurs jaloux, un tel serment avait souvent une grande valeur.

Bientôt une autre force limita la puissance des seigneurs. C'est la royauté. A mesure que le gouvernement central devenait plus fort, la féodalité perdait sa raison d'être. Peu à peu, les

Capétiens substituèrent à l'anarchie féodale une véritable unité politique. Ce fut là leur œuvre principale. A la fin du onzième siècle, les rois n'avaient accompli encore que peu de réformes, à tel point qu'un roi de France n'osa pas traverser ses propres terres, parce qu'un de ses vassaux, le seigneur de Montlhéry, 5 s'était révolté contre lui! Mais les Capétiens ne se découragèrent jamais. Dans le combat entre l'esprit d'unité qu'ils représentaient, et l'individualisme égoïste des grands seigneurs, c'est l'esprit d'unité qui triompha finalement.

Ce ne fut pas sans peine. Au neuvième siècle, le domaine royal 10 ne comprenait que l'Île-de-France et l'Orléanais. Tout le reste de la France était aux mains des grands seigneurs, dont quelques-uns, comme les ducs d'Aquitaine et de Normandie, ou les comtes de Toulouse ou de Flandre, possédaient des territoires immenses. Pourtant, grâce à des mariages avantageux, des héritages, des 15 guerres aussi, les Capétiens purent développer leurs armées, vaincre leurs rivaux et agrandir leurs domaines. Leur œuvre exigea beaucoup d'efforts; mais lorsque le dernier des Capétiens mourut, en 1328, le roi de France était maître absolu d'un royaume vingt fois plus vaste que celui qu'avait connu Hugues 20 Capet. La féodalité était vaincue.

Le Château de Falaise

Quels aventuriers mystérieux, ces Normands, ces hommes du Nord aux cheveux blonds et aux yeux bleus qui furent les adversaires les plus redoutables des rois carolingiens! Ils étaient considérés comme les plus grands navigateurs du moyen âge. 25 Sur de longues barques plates, ornées de dragons aux couleurs vives, ils remontaient les grands fleuves d'Europe et pénétraient loin dans les terres. Les cours d'eau de France, surtout la Seine, bordée de pays fertiles et de riches monastères, les attiraient. Chaque printemps, les populations épouvantées les voyaient 30 s'approcher à l'improviste; semant partout la terreur, les Normands pillaient et brûlaient tout sur leur passage.

La plupart des envahisseurs s'enfuyaient vite avec leur butin; certains, pourtant, finirent par occuper le pays qu'ils avaient ravagé. Sur le territoire qui leur fut habilement offert par un roi de France, et auquel ils donnèrent le nom de Normandie, le
5 chef Rollon et ses soldats s'établirent en 911. Une fois maîtres de cette belle province, les barbares nordiques, sans culture ni religion, adoptèrent non seulement le Christianisme et les mœurs françaises, mais aussi la langue de leur nouveau pays.

Pendant cent ans, les ducs de Normandie se considérèrent les
10 vassaux des rois de France. Mais, au onzième siècle, ils commencèrent à avoir conscience de leur force, qui était en effet égale à celle des rois. Le plus célèbre des ducs de Normandie, Guillaume le Conquérant, ne se contenta pas de garder son duché et d'assurer son indépendance. Après la victoire de
15 Hastings (en 1066), il devint roi d'Angleterre et introduisit dans l'île encore à demi-sauvage la civilisation franco-normande.

Le lieu où vécut un grand homme conserve toujours son souvenir. Les ruines du château de Falaise où Guillaume passa sa jeunesse nous serviront à évoquer le Conquérant.

20 Une légende touchante se rattache à la construction de ce château. Un jour, Robert le Diable, guerrier farouche dont Rollon était l'ancêtre, rencontra près de là une jeune fille qui prenait de l'eau à une fontaine. Les chroniques nous disent, naturellement, que la jeune fille était d'une beauté extraordinaire.
25 En tout cas, le duc Robert tomba amoureux de l'humble paysanne et, afin d'être plus près d'elle, fit élever le château primitif. C'est là que Guillaume, leur fils, le futur conquérant de l'Angleterre, naquit en 1027, et qu'il mena la vie d'un noble du moyen âge.

30 Ses occupations ne différaient pas sensiblement de celles des autres seigneurs de son temps. En les décrivant, nous donnerons donc également une idée des mœurs de la noblesse de l'époque.

Tout d'abord il faut nous représenter le château comme il était en 1066. Ce n'était alors qu'une tour carrée très simple,
35 entourée d'un fossé profond. Certains des murs avaient plus de six mètres d'épaisseur. Les fenêtres étaient rares et étroites, la seule porte était toujours fermée, et, nuit et jour, du haut de sa tour, le guetteur surveillait les environs. La vie au moyen âge n'était qu'une série d'alertes et de batailles.

Le Mont Blanc.

(Left) En Bretagne. Cal-
vaire de Saint-Thégonnec.
(Photo de Miré.)

(Right) Pardon Breton.
(Photo Schall.)

Église de Conques: le Tympan.

Conques. Intérieur de l'Église. (Courtesy, Library of Congress.)

Bayeux.   Tapisserie de la Duchesse Mathilde.

Un Ange.   Exemple de l'art gothique du XVᵉ siècle.

Conques.   Statue de Sainte Foy.

Miniature d'un Manuscrit.

Reliure d'un Manuscrit.

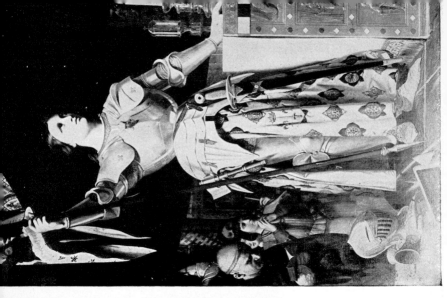

(*Left*) Dürer: Charlemagne. (*Courtesy, Library of Congress.*)

(*Above*) Fouquet: Louis XI. (*By courtesy of Wildenstein & Co., Inc.*)

(*Right*) Jeanne d'Arc. (*Courtesy, Library of Congress.*)

Reims. La Cathédrale.

En Champagne: La Vendange.

Arles. Le Théâtre antique et les Arènes.

Entrons dans la grand'salle, seule pièce habitable du château. Caché par une tapisserie naïve, le lit du duc se dresse dans un coin sur une sorte d'estrade. Il fait froid entre ces murs de pierre; aussi un feu brûle-t-il dans la cheminée immense où cuiront bientôt des bœufs entiers. Les chiens favoris du duc, 5 retenus par des pages, attendent le réveil de leur maître. Pas de tapis sur le sol de pierre, mais des fourrures et de la paille. Peu de meubles, sauf un trône grossier pour le duc et quelques sièges bas pour les femmes et les moines.

Le duc a dormi tout habillé, son épée et son poignard sont 10 près de lui. Il s'éveille. Il entend la messe, puis écoute les rapports des administrateurs et des espions. Chacun des con-seillers du duc, après s'être agenouillé devant lui, est reçu à son tour. L'audience est bientôt terminée: le duché de Normandie est grand, mais il est le mieux organisé de France. Le travail 15 de la journée accompli, les plaisirs vont suivre.

Le reste de la matinée est consacré à la chasse. Sur son beau cheval vigoureux, Guillaume part, suivi de ses nobles, de leurs épouses et des pages nombreux qui apprennent à Falaise leurs devoirs de gentilhomme et leur métier de soldat. Le cortège 20 est fort pittoresque. Les costumes des hommes sont très simples, jaunes, rouges et bruns, tandis que ceux des nobles dames sont plus élégants. Quelques chasseurs, sur leur poing fermé, tiennent un faucon. Les chiens hurlent en courant devant les chevaux, les cors des chasseurs ajoutent une note aiguë aux bruits dis- 25 cordants. La forêt, où se cachent les loups, les ours et les cerfs, apparaît bientôt, sombre et touffue. Rien n'est plus beau qu'une forêt primitive; mais qui songerait à faire attention aux fleurs qui se cachent sous les feuilles mortes du dernier automne? Les parfums et les beautés de la forêt laissent ces guerriers indiffé- 30 rents. La chasse est bien plus passionnante.

Tout à coup, dans une clairière ensoleillée, un ours apparaît, un de ces ours bruns dangereux qui dévastent les champs. On s'arrête. Dès qu'il voit la tache brune se dessiner sur le fond vert des arbres, Guillaume descend de son cheval, s'avance vers 35 la bête traquée que les chiens entourent; l'un de ceux-ci a aboyé trop près et son ventre blanc est déjà ensanglanté. Le duc tient solidement sa lance à la main. La masse brune semble ramper vers lui. Un corps-à-corps est inévitable. La lance devient

inutile, un poignard enrichi de joyaux la remplace. Au centre
de la clairière, les deux lutteurs se contemplent. Puis tout à
coup l'animal se dresse sur ses deux pattes de derrière, veut
retomber sur l'homme qui, alors, saute de côté, revient, et en un
5 clin d'œil, enfonce dans le cou épais la lame aiguë. L'ours est
blessé mortellement: le duc de Normandie est le meilleur chasseur
de sa province. La bête tombe sur le sol qu'elle rougit de son
sang; les chiens hurlent à nouveau, un chant de triomphe éclate.
Et la chasse continue.

10   La chasse est une bonne préparation pour la guerre; mais les
tournois sont plus utiles encore, et, puisque les chasseurs revenus
au château ne sont pas encore fatigués, un combat s'organise sur
une des terrasses. De sa fenêtre, la duchesse, entourée de ses
dames, admire les chevaliers et leurs chevaux nerveux amenés
15 à grand'peine d'Espagne ou d'Arabie. Au onzième siècle, un
tournoi n'est pas la lutte élégante et peu dangereuse qu'on aimera
tant à la fin du moyen âge; c'est au contraire un combat souvent
mortel auquel la plupart des nobles, divisés en deux camps,
prennent part. Couverts de longs draps flottants aux couleurs
20 de leurs maîtres, les chevaux s'élancent sur la piste. Les lances
semblent voler dans l'air, s'abaissent et quelquefois se brisent
contre la cuirasse de l'adversaire ou le font tomber.

Puis vient une autre sorte de lutte. Deux chevaliers aban-
donnent leur cheval, se débarrassent de leur armure, font apporter
25 par leur page la lourde épée dont la noblesse française se sert
depuis des siècles. Les épées, qu'il faut tenir à deux mains,
tournent au-dessus des têtes, se rencontrent sans se briser. Il
n'y a pas de règle pour ce duel; tout moyen est bon, et personne
ne songe à s'indigner. Le sang coule bientôt sur les visages.
30 Enfin, l'un des combattants paraît à bout de force, mais il ne
s'avoue pas encore vaincu. Il faut que le duc lui-même arrête
le duel, avant qu'il ne soit trop tard. L'armée normande aura
bientôt besoin de tous ses chevaliers.

La nuit tombe. On rentre au château et, dans la grande
35 salle, on s'asseoit à table. Le repas est plantureux. On mange
beaucoup et on boit jusqu'à l'ivresse. La soirée est courte. Au
onzième siècle, on n'a aucune des distractions que connaît notre
temps.

La vie à cette époque est active, mais plutôt monotone. Tout, dans la vie d'un noble, le prépare à la bataille. Une guerre contre un autre seigneur français, même contre le roi de France, suffirait à l'ambition d'un seigneur ordinaire. Mais Guillaume, en 1066, pense à un grand projet, la conquête de l'Angleterre. Pendant que l'orgueilleuse et belle duchesse Mathilde et ses 5 dames tissent ou brodent, le duc réfléchit à son expédition prochaine. Il ne se doute pas de ce que l'avenir réserve à sa province. Il ne peut pas prévoir qu'il viendra un moment où la Normandie passera aux mains des rois anglais, que la France la regagnera et qu'au treizième siècle, elle sera définitivement rattachée au 10 domaine royal français.

La Normandie

La Normandie est une des plus anciennes provinces de France; c'est aussi, grâce à la fertilité de son sol, une des plus riches. De plus, la grandeur de son histoire, le génie de ses écrivains, l'audace de ses soldats et de ses marins, la beauté et le nombre de 15 ses monuments l'ont rendue célèbre dans le monde entier. Il y a vraiment peu de provinces aussi favorisées que celle-ci.

Entre l'Île-de-France et la Manche, la Normandie étend ses champs et ses vergers, ses forêts et ses pâturages. Pas un pouce de terrain n'est perdu en Normandie: ses habitants sont les 20 plus économes de France. Son climat est adouci par la proximité de la mer et l'influence du Gulf Stream; ses hivers sont donc moins longs, ses étés moins chauds, que ceux des environs de Paris. A cause de ce climat, la vigne ne peut guère mûrir en Normandie, mais les pommiers y sont nombreux et donnent le fameux cidre 25 de Normandie. Des rivières innombrables arrosent les champs de blé et les pâturages: la Normandie est essentiellement une région agricole, et l'industrie y a accompli comparativement peu de progrès. Pourtant, depuis des siècles, l'industrie textile a fait la richesse de la vallée de la Seine: les draps d'Elbeuf et les coton- 30 nades de Rouen étaient déjà célèbres au moyen âge.

Les provinces françaises, qui ont été le plus souvent délimi-

tées par l'administration romaine, possèdent assez rarement une grande unité géographique. Les Normands, par exemple, ont depuis longtemps reconnu le caractère différent du nord et du sud de leur province et l'ont divisée en Haute-Normandie et en
5 Basse-Normandie.

La Haute-Normandie, dont le sol est de craie et de limon, dresse ses falaises très élevées au-dessus de la Seine et le long de la Manche. Elle est constamment en contact avec le dehors, soit par mer, grâce à ses ports (Le Havre, Dieppe), soit par terre,
10 grâce à ses centres agricoles, où se tiennent chaque semaine des marchés et des foires. Rouen, capitale de la province, est une des grandes villes de France et une des plus pittoresques. Le conservatisme de ses habitants y a préservé plus qu'ailleurs en France le goût et le respect des choses anciennes. La Seine
15 traverse la Normandie d'un bout à l'autre avant de se jeter, au Havre, dans la Manche. Elle arrose de grandes villes, comme Rouen, et des bourgs historiques — Jumièges, avec son abbaye mérovingienne, Château-Gaillard, dont la forteresse fut bâtie par Richard Cœur-de-Lion lorsque la Normandie était anglaise.
20 La Basse-Normandie a moins de grands ports: ses côtes souvent sablonneuses et basses ont favorisé, au contraire, l'établissement de stations balnéaires, à Deauville par exemple. L'élevage se fait en grand dans la Basse-Normandie, et la chair de ses agneaux est fameuse en Europe. Les villes sont nombreuses, sans qu'au-
25 cune soit aussi importante que Rouen: Caen, avec son université; Bayeux, avec sa cathédrale et sa fameuse tapisserie où la duchesse Mathilde broda le récit de l'expédition du duc Guillaume; Cherbourg, l'un des grands ports militaires de France.

Le paysan normand est célèbre: sa méfiance, son esprit de
30 chicane, sa lenteur, son esprit d'économie (son avarice parfois) lui donnent parmi les paysans de France une place à part — et qui serait peu enviable si son esprit laborieux et sérieux n'expliquait ses défauts. Ce sérieux, cette ardeur au travail se retrouvent chez les grands hommes de la Normandie: ses écrivains, Corneille,
35 Flaubert, Maupassant, ou bien ses artistes célèbres, les peintres Poussin, Millet, Boudin.

Les œuvres, littéraires ou artistiques, des Normands, ont, a-t-on dit, deux autres qualités: la raison et la clarté. Ce sont aussi les deux qualités par excellence de l'esprit français. C'est pourquoi la

Normandie, peuplée à l'origine de Saxons, puis de Normands et d'Anglais, est malgré tout une province bien française, et dont la France peut être fière.

« V »

L'Église au Moyen Age

C'EST sans doute par les soldats et les marchands de Rome, gens du peuple, que le Christianisme fut introduit en Gaule. 5 Cette religion eut tout de suite beaucoup de fidèles et ne tarda pas à être adoptée par les classes supérieures de la société. Clovis lui-même, quand il se convertit, voulut s'assurer l'appui de l'Église.

L'Église s'inspira des principes d'administration que Rome avait appliqués à ses provinces impériales. Les consuls furent 10 remplacés par les évêques, comme l'empereur le fut par le pape. Grâce à son organisation et à ses doctrines, l'Église a joué pendant tout le moyen âge un rôle moral et politique sur lequel on ne saurait trop insister.

L'Église offrait aux pauvres sa protection et ses consolations 15 spirituelles. En temps de guerre elle faisait sentir son influence modératrice par la «trêve de Dieu», qui défendait aux nobles de se battre du mercredi soir au lundi matin. Elle dominait les grands seigneurs par la crainte du châtiment éternel; l'excommunication servait à vaincre ceux qui osaient lui résister. Rares, 20 d'ailleurs, étaient ceux qui se révoltaient. De plus, le clergé possédait le privilège de l'enseignement. Il attira dans les monastères et les universités tous ceux qui s'intéressaient à l'éducation. Il put, par suite, donner à ses élèves une formation chrétienne et développer en eux de profonds sentiments religieux.

La puissance matérielle de l'Église était énorme. Les dons et les impôts augmentaient continuellement les possessions et les trésors ecclésiastiques. L'Église était un état dans l'état; elle possédait ses biens en toute indépendance, ne payait pas d'impôt,
5 jugeait sans pouvoir être jugée et avait sa propre armée. Elle pouvait s'opposer au pouvoir royal; c'est ce qu'elle fit à plusieurs reprises. Mais elle ne domina jamais entièrement le pays. Au contraire, plus d'un roi sut faire servir à ses propres fins sa puissance matérielle et spirituelle.

10 Rien ne montre mieux que les Croisades ce que furent au moyen âge l'influence de l'Église et le sentiment religieux de l'époque. A l'origine, le but de ces expéditions était de délivrer le tombeau du Christ: les Turcs, aux mains desquels le Saint Sépulcre était tombé, avaient refusé aux Chrétiens la permission
15 d'aller adorer à Jérusalem les reliques sacrées.

Les Croisades ne furent pas entreprises seulement par des Français, mais la France y a joué un très grand rôle. C'est, par exemple, en Bourgogne et en Auvergne, que Pierre l'Hermite a prêché la première des huit croisades. Ce sont des seigneurs
20 français qui, quittant la France en 1096, ont conquis Jérusalem. Ils y établirent un royaume d'où ils devaient être chassés peu après. Un Français, Villehardouin, fut à la fois l'un des chefs et l'historien de la quatrième croisade. Sa *Conquête de Constantinople*, qui est considérée comme le premier chef-d'œuvre de la prose fran-
25 çaise, évoque les rivalités des chefs et les incidents de l'expédition. C'est un roi de France, Louis IX, qui en 1270 commanda la dernière croisade.

Les Croisades ne furent pas toujours entièrement désintéressées. Bientôt des considérations pratiques animèrent aussi les Croisés.
30 Le pape et les souverains européens étaient inquiets de l'expansion musulmane en Méditerranée. Les rois favorisèrent le départ des seigneurs qui voulaient satisfaire leurs goûts belliqueux: ils espéraient profiter, et ils profitèrent en fait, de leur absence pour consolider leur propre pouvoir. Les marchands, toujours à la
35 recherche de produits et de débouchés nouveaux, virent dans les Croisades l'occasion de s'enrichir.

Par leurs résultats, les Croisades sont un des événements les plus importants du moyen âge. Leur but primitif — enlever aux Musulmans le tombeau du Christ — ne fut pas atteint, puisque

!es Croisés ne réussirent jamais à s'établir d'une façon permanente à Jérusalem. Mais l'influence de ces expéditions d'outre-mer ne peut être exagérée. Les marchands rapportèrent en Europe les produits de l'Orient et donnèrent aux classes supérieures le goût d'une vie raffinée. Les Croisés admirèrent la civilisation arabe; 5 ils revinrent avec des idées nouvelles qui influencèrent les arts et les sciences, surtout les mathématiques, la chimie et la médecine. Enfin, les nobles, afin de pourvoir aux dépenses de ces longs voyages, avaient souvent été obligés de vendre leurs terres; revenus chez eux, appauvris et vaincus, ils durent reconnaître 10 l'autorité royale. Ainsi les Croisades contribuèrent à l'affaiblissement de la féodalité et fortifièrent le pouvoir royal.

Pendant les Croisades, l'Église ne perdit rien de son influence. Elle resta riche et puissante. «Qui ne voit Dieu et son Christ partout, n'entend rien au moyen âge», a-t-on pu dire avec 15 raison.

L'Abbaye de Conques

LA FRANCE du onzième siècle, comme l'a dit un des chroniqueurs du temps, «se couvrit d'une blanche robe d'églises et d'abbayes,» mais il y a peu de monastères qui aient été plus admirés que la célèbre abbaye de Conques. Si le château de 20 Falaise symbolise la féodalité, l'abbaye de Conques, elle, symbolise l'Église.

Dans une vallée du Languedoc, l'abbaye de Conques garde les reliques de Sainte Foy, qui fut une humble paysanne martyrisée au sixième siècle. Des générations de pèlerins, au moyen âge, 25 allaient y prier.

Au cours des siècles, l'abbaye s'enrichit des présents des fidèles et des rois. Il arriva un moment où les bâtiments qui la composaient ne furent plus assez grands pour accueillir la foule des chrétiens ni assez beaux pour être dignes de renfermer les restes 30 de Sainte Foy. C'est alors que, vers la fin du onzième siècle, on vit s'élever lentement l'église qui est l'un des monuments les plus parfaits de l'art roman.

Cet art, inspiré par l'architecture latine, se caractérise par des murs épais, des blocs énormes de pierre, des fenêtres étroites, des toitures de briques rouges. L'ensemble d'une église romane donne une impression de lourdeur, mais aussi de majesté.

5 Les architectes de Conques étaient naturellement des moines, car seuls ceux-ci connaissaient les secrets d'un art presque oublié. Mais Conques est l'œuvre de toute une province. Les paysans et les bourgeois aidèrent tous par leur travail à agrandir le monastère. Un demi-siècle après la pose de la première pierre, les 10 reliques de Sainte Foy et une magnifique statue de la jeune martyre furent placées dans le chœur de l'église.

Au-dessus du portail de cette église, des sculptures encore raides racontaient les joies du Paradis et les tortures de l'enfer; des personnages innombrables s'agitaient autour de Dieu im- 15 passible, et des anges pesaient dans des balances les bienfaits et les vices des âmes éperdues. Ainsi, dès l'entrée, le voyageur était saisi d'une crainte mystique et d'un espoir vers lequel toute sa vie tendait. A l'intérieur, ce qui attirait surtout l'attention, c'était la statue dorée, couverte de pierreries et d'émaux, qui 20 brillait sur l'autel; Sainte Foy tendait vers le pèlerin ses bras alourdis de bracelets précieux, tout en le regardant fixement de ses yeux d'émail.

L'abbaye se composait non seulement de l'église, mais aussi de nombreux bâtiments: des réfectoires pour les moines et pour 25 les pèlerins qui venaient par milliers, des cellules fraîches et sombres où les moines pouvaient méditer et dormir, enfin un cloître aux arcades sculptées.

Les jours et les années passaient vite pour les moines de Conques. Quel contraste entre leur vie et celle des guerriers de 30 Falaise! Ceux-ci étaient occupés surtout à s'entre-tuer ou à chercher au loin une gloire passagère; ceux-là, au contraire, élevés à l'ombre de l'église, ou bien pécheurs repentants ou seigneurs fatigués du monde, trouvaient dans l'abbaye une paix qui n'existait que là.

35 Réveillés au point du jour par les cloches qui les appelaient à la prière, ils s'assemblaient dans l'immense église. Leurs chants étaient savants et subtils, car le douzième siècle est l'époque d'une renaissance de la musique, que l'on appréciait beaucoup et que l'on considérait comme l'un des sept arts libéraux.

Quand les moines se dispersaient, les uns s'en allaient copier et recopier sans fin sur des peaux d'âne ou d'agneau les textes transmis par leurs prédécesseurs; les autres complétaient les manuscrits par des miniatures qui, sur un fond d'or, imitaient les dessins de coffres byzantins ou d'étoffes orientales rapportés 5 par les pèlerins. Rien n'est plus beau qu'un manuscrit du moyen âge, avec sa reliure couverte de joyaux et ses miniatures aux couleurs vives. D'autres moines essayaient de reproduire, sur la pierre tendre du Midi, la beauté des bas-reliefs romains trouvés dans les ruines païennes. C'était un long travail, ce 10 travail des moines. Une nuit de six siècles était passée sur le monde, et il fallait tout créer à nouveau.

Centres artistiques du moyen âge, les abbayes et les monastères en étaient aussi les centres intellectuels. La plupart des écoles du onzième et du douzième siècles étaient des écoles de couvents. 15 L'éducation était réservée à quelques privilégiés, fils de seigneurs ou futurs moines. A cette époque, on croyait que l'instruction était une arme trop dangereuse pour être mise entre les mains de beaucoup d'hommes.

Le latin était la seule langue parlée dans les écoles; ce n'était 20 plus le latin des auteurs classiques, mais un latin peu élégant, bizarre et simplifié à l'extrême. Les sujets étudiés étaient peu nombreux; les moines s'intéressaient surtout à la grammaire et à la théologie.

Les bibliothèques des monastères, les plus riches pourtant du 25 moyen âge, ne renfermaient le plus souvent que quelques douzaines de manuscrits (l'imprimerie n'était pas encore inventée), et, même au quatorzième siècle, une bibliothèque d'une centaine d'ouvrages sera exceptionnelle. D'ailleurs, pourquoi aurait-il fallu plus de livres? C'était l'heureux temps où toute la science 30 humaine était renfermée sans effort dans quelques ouvrages, l'heureux temps où le savant pouvait absorber en une vie la somme des connaissances humaines.

Le Languedoc

Le Languedoc s'étend du Rhône à la Garonne et du Massif Central aux Pyrénées. C'est surtout dans la région où régnaient les comtes de Toulouse, princes cultivés et intelligents, que se développa la civilisation provençale.[1]

5   Le comté de Toulouse était au douzième siècle le plus prospère et le plus actif des fiefs de France. Les foires, si importantes au moyen âge, y étaient nombreuses; «l'on y rencontrait, dit un chroniqueur, des Arabes, des marchands de Lombardie, de Rome, de la Gaule, de l'Espagne, de l'Angleterre, de Gênes et
10 de Pise, de toutes les parties de l'Égypte, de la terre d'Israël». Grâce à la richesse du pays et à des contacts à la fois commerciaux et intellectuels, grâce aussi à l'influence des traditions de l'antiquité latine qui ne s'étaient jamais complètement effacées dans le Midi, la délicate civilisation provençale put fleurir.

15 C'est à la fin du onzième siècle et pendant le douzième siècle que cette civilisation atteignit son apogée. Dans tous les châteaux du Midi la poésie provençale fut chantée par ces personnages pittoresques qu'on appelle les troubadours. Les poètes provençaux donnèrent une grande importance à l'amour courtois,
20 amour délicat et gracieux, souvent mystique. «Je ne chante ni pour oiseau, ni pour fleur, ni pour neige, ni pour gelée, ni pour chaleur, . . . je ne chante pas, je n'ai jamais chanté pour nulle joie de ce genre, mais je chante pour la dame à qui vont mes pensées, et qui est la plus belle du monde», dira un de ces trouba-
25 dours. Cette littérature provençale eut un succès énorme en Europe et contribua à adoucir les mœurs encore grossières des nobles féodaux. En Italie, Dante la connut et Pétrarque l'imita, alors qu'en Allemagne les minnesingers lui empruntèrent certains de leurs thèmes.

30 Au commencement du treizième siècle éclata la catastrophe

---

[1] L'adjectif «provençal» a deux significations: (1) dans un sens limité, il s'applique seulement aux choses de Provence; (2) dans un sens plus large, il décrit la langue, la littérature et la civilisation de tout le Midi.

qui devait amener la destruction de cette civilisation du Midi: la croisade des Albigeois (1209–1229).

Cette croisade est un des plus tristes événements du moyen âge. Un mouvement hérétique, connu sous le nom de Catharisme, s'était répandu dans le Midi, et, malgré les efforts énergiques de 5 l'Église, était sur le point de triompher. Les hérétiques étaient protégés par les nobles et même par certains évêques. Le pape appela à son secours les seigneurs du nord de la France. Sous la conduite de Simon de Montfort, une croisade s'organisa, aidée par le roi Philippe-Auguste, qui voulait détruire la puissance des 10 grands seigneurs du Midi. L'expédition, d'abord religieuse, devint vite une guerre de conquête; et une lutte décisive entre les deux civilisations, celle du Nord et celle du Midi, s'engagea. Après vingt ans de combats, de meurtres et de pillages, le Nord triompha, et le comté de Toulouse fut si complètement ruiné que 15 la civilisation provençale ne put se relever. Le roi rattacha la plus grande partie du comté à la couronne, et la culture du nord de la France prit la place que la civilisation du Midi avait occupée.

Le Languedoc est aujourd'hui une des provinces les plus intéres- 20 santes de France. Les monuments anciens y sont nombreux. Partout, dans les villages et dans les villes, on rencontre le souvenir des luttes du moyen âge. Les églises elles-mêmes ressemblent à des châteaux-forts. La cathédrale d'Albi, par exemple, conserve une tour qui était un donjon. L'entrée des villages est souvent 25 fortifiée, les maisons sont serrées les unes auprès des autres, les jardins sont rares, les rues sont étroites et propres à la défense; tout fait penser aux combats de village à village, de province à province. Les remparts de Carcassonne, avec leurs quarante-cinq tours, sont les plus complets et les mieux conservés de France. 30

Presque toutes les villes du Languedoc sont très anciennes. Les unes, dans la paix mélancolique de l'indolence provinciale, se sont lentement assoupies; les autres, au contraire, mieux placées au confluent de rivières ou au centre de plaines fertiles, ont conservé leur ancienne importance et sont de grands centres de 35 la France d'aujourd'hui. Nîmes prospère grâce à la culture de la vigne; Montpellier, qui se trouve, comme Nîmes, sur la vieille route d'Italie en Espagne, n'est pas seulement une ville commerçante; elle a une université célèbre, qui doit sa renommée à sa

faculté de médecine. Toulouse, dans la partie la plus fertile de la vallée de la Garonne, est la ville la plus progressive du Langue-doc; ses monuments anciens, palais, églises, cathédrale, ne lui permettent pas d'oublier sa gloire ancienne; en même temps, ses
5 édifices nouveaux, écoles, maisons privées, banques, témoignent de l'activité et de la richesse de sa vie intellectuelle et indus-trielle. Ce que Marseille est pour la Provence ou Rouen pour la Normandie, Toulouse l'est pour le Languedoc.

« VI »

Les Communes et la Bourgeoisie

O<small>N</small> peut dire, sans trop simplifier, que le dixième siècle fut le
10 siècle où la noblesse, affirmant sa puissance, développa à son plus haut point le système féodal; qu'au onzième siècle, à l'époque des grandes abbayes, le prestige de l'Église fut plus grand qu'il ne l'avait jamais été; et que le douzième siècle vit l'avènement d'une classe nouvelle, la bourgeoisie.
15   Pauvre, sans droits politiques, sans culture, sans idéal, la bourgeoisie n'avait joué pendant le haut moyen âge aucun rôle important dans la vie européenne. A la fin du onzième siècle et pendant le douzième siècle, en face des pouvoirs établis, noblesse, clergé, royauté, on la vit se dresser pour la première fois.
20   Cette importance nouvelle de la bourgeoisie coïncide avec le développement des villes. Ce développement est dû à plusieurs circonstances. D'abord, l'époque des invasions était passée; les Normands avaient trouvé en Angleterre de quoi satisfaire leurs ambitions, tandis que les Allemands étaient retenus chez eux par
25 des dissensions intérieures. De plus, la paix régnait en France

depuis assez longtemps; beaucoup de seigneurs, revenus affaiblis des Croisades, s'étaient soumis à l'autorité de l'Église et du roi.

Les Croisades, d'ailleurs, favorisaient le commerce; les rapports entre nations, entre provinces et entre villes, devenaient plus fréquents. De grands centres commerciaux, des marchés, des 5 foires, se multiplièrent. Leur sécurité étant assurée, les marchands osèrent voyager davantage et trouvèrent des débouchés nouveaux. Les banques, qui se multiplient surtout au treizième siècle, jouèrent un rôle primordial. Les banquiers ne se contentèrent pas de prêter de l'argent: ils achetèrent et vendirent les 10 marchandises des particuliers dans des pays lointains. Pour toutes ces raisons, le commerce prospéra et les commerçants s'enrichirent.

A l'époque féodale, les bourgeois souffrirent moins que les serfs. Ils étaient protégés par des «corporations», groupements 15 des membres d'une même profession, qui s'alliaient pour veiller à leurs propres intérêts. Seuls, les ouvriers, les «artisans», qui faisaient partie d'une corporation pouvaient devenir «patrons», et cela après un long apprentissage, un «Tour de France» qui leur permettait de se perfectionner, et un «chef-d'œuvre» qui 20 les rendait dignes d'appartenir à la corporation. Ainsi, chaque métier avait une sorte de «standard» souvent très élevé; le tisserand ne tissait que du bon drap, le cordonnier ne faisait que de bonnes chaussures.

De même que les ouvriers, les marchands avaient leurs cor- 25 porations; les «guildes» protégeaient leurs membres d'une manière efficace par des règles fort strictes. Leur puissance fut si grande au moyen âge qu'elles se révoltèrent quelquefois contre les nobles et le roi.

En même temps qu'ils s'enrichissaient, les bourgeois, en effet, se 30 rendirent compte de leur force. Ils supportèrent plus difficilement les vices de l'organisation féodale — armée permanente à entretenir, impôts trop élevés, justice trop partiale. Ils oublièrent vite ce que les ancêtres des seigneurs avaient fait pour leurs propres ancêtres — la protection que les nobles leur avaient 35 accordée, la défense de leurs terres.

Les villes se révoltèrent donc contre les nobles et exigèrent des chartes qui devaient assurer leur liberté et faire d'elles des communes indépendantes. Le mouvement s'étendit très vite, surtout dans les provinces riches: en trente ans, par exemple, plus de dix villes de Picardie obtinrent leur indépendance.

Les bourgeois libérés étaient fiers de leurs villes. Ils construisirent des hôtels de ville, des halles, des cathédrales, des fontaines
5 ornées de statues, d'autres monuments qui témoignaient de leur richesse. Pour se défendre, ils élevèrent des fortifications imposantes.

Les communes, riches et fières, fortes et bien défendues, pouvaient devenir dangereuses. Les rois s'en rendirent compte.
10 L'indépendance des communes était incompatible avec la politique d'unité poursuivie par les rois capétiens. Peu à peu l'autorité du maire et de ses aides fut remplacée par celle des envoyés du roi. Les communes ne jouirent pas longtemps de leur liberté politique: à la fin du quinzième siècle, il n'y avait plus de
15 «villes libres» en France.

Tout en perdant leurs libertés communales, les bourgeois conservèrent leur importance sociale et économique. Ils possédaient déjà de grandes qualités, ambition, patience, sagacité, finesse; ils s'étaient familiarisés avec les problèmes de gouvernement, de
20 finance et d'administration. C'est dans la bourgeoisie que les rois de France vont trouver pendant des siècles leurs conseillers les plus habiles. Les rois pouvaient bien se couvrir de gloire dans les guerres, les nobles pouvaient s'enorgueillir de leur naissance et conserver leurs privilèges. Mais les bourgeois, eux, possédaient,
25 grâce au commerce, un pouvoir réel qui les plaçait dans une position avantageuse. Du commerce, ils avaient le monopole et connaissaient seuls les secrets. Leur fortune les séparait des serfs; ils commençaient à former une nouvelle classe sociale avec laquelle il fallait compter. La bourgeoisie allait devenir la classe la plus
30 utile de la nation.

La Cathédrale de Reims

Au treizième siècle, les bourgeois de Reims étaient plus que jamais fiers de leur ville. Bien placée entre deux provinces riches — les Flandres et la Bourgogne — Reims prospérait, grâce aux fameuses foires de Champagne et à l'industrie du drap qui la rendait célèbre dans toute l'Europe. Les Rémois avaient obtenu leur charte (en 1137), et de cela, aussi, ils étaient justement fiers, car il leur avait fallu beaucoup de courage et un grand don de diplomatie. Enfin, c'est au treizième siècle qu'ils bâtirent leur 5 fameuse cathédrale, la cathédrale du couronnement des rois.

Depuis Clovis, les souverains français s'étaient fait sacrer à Reims. Ceint de la couronne de Charlemagne, oint de l'huile sainte que l'on croyait avoir été apportée du ciel par une colombe miraculeuse, chaque nouveau roi y était proclamé par les pairs du 10 royaume et reconnu par l'Église. Lorsque le pouvoir des Capétiens grandit, le sacre devint une belle cérémonie à laquelle des milliers de nobles venus des quatre coins de l'Europe participaient, et la vieille basilique ne suffit plus.

L'archevêque de Reims décida donc d'élever une nouvelle 15 cathédrale. Il fit appel aux meilleurs architectes du temps, aux meilleurs sculpteurs, aux meilleurs maîtres-verriers. Le roi envoya des dons magnifiques, les paysans et les nobles aidèrent de leur mieux. Les bourgeois de Reims, eux, firent plus. Ils donnèrent leur argent; mais ils donnèrent aussi leur travail; ils aidèrent les 20 maçons à transporter les pierres, les maîtres-verriers à mélanger les couleurs. La cathédrale fut «leur» cathédrale. D'autres communes avaient de plus beaux hôtels de ville, des fortifications plus compliquées, des maisons privées plus opulentes, mais aucune ne posséderait jamais une cathédrale plus gracieuse et plus majes- 25 tueuse; les bourgeois de Reims y veillèrent. En effet, à Reims, l'art du temps, l'art «gothique» à son apogée, trouve sa plus complète expression.

C'est dans l'Île-de-France, au milieu du douzième siècle, que naquit l'art gothique. De là, il se répandit très vite dans les pro- 30 vinces voisines et dans toute l'Europe: l'art gothique est l'apport de la France à l'art du moyen âge. Les cathédrales gothiques témoignent du profond sentiment religieux de cette époque; ce sentiment devait s'affaiblir graduellement, de telle sorte que la plupart des cathédrales qui n'étaient pas encore achevées au 35 milieu du quatorzième siècle ne le furent jamais.

Au moment où l'on commença à élever les premières cathédrales, l'art roman dominait encore. Aussi les fondations des cathédrales ressemblent-elles souvent à celles des abbayes ro-

manes: elles sont massives et lourdes, leurs lignes sont souvent horizontales. Les principes de l'art gothique une fois acceptés, les architectes s'en inspirèrent complètement et, sur des bases romanes, construisirent les bâtiments que nous admirons; Notre-
5 Dame de Paris offre un exemple de ce mélange des styles. La cathédrale de Reims, commencée en 1212, c'est-à-dire un demi-siècle après les premières cathédrales, est purement gothique.

Ce qui frappe d'abord à Reims, c'est à la fois la légèreté des murs, l'importance donnée aux fenêtres, la hauteur de la nef, et
10 la grâce des piliers qui s'élancent vers le ciel. Quel défi aux lois de la pesanteur!

Des voûtes trop épaisses, dont le poids reposait sur les murs, avaient entravé le développement de l'architecture romane. Il fallait que les murs fussent fort solides. Mais «voici qu'un jour
15 un maçon anonyme s'avisa de lancer d'un pilier à un autre deux nervures qui se croisaient.»[1] C'était une découverte capitale. Grâce à ces nervures croisées, le poids du toit était réparti entre des piliers légers qui, eux-mêmes, étaient renforcés à l'extérieur par des arcs-boutants. Ainsi, dans l'architecture gothique, les
20 murs seuls ne supportent plus le toit; ils peuvent donc être rem-placés en grande partie par des fenêtres, dont les arcs en ogive reproduisent les arches formées par les nervures croisées. Les murs devinrent si légers, les fenêtres si nombreuses, qu'on a pu dire que les cathédrales sont souvent de simples cages de pierre
25 entre des murs de verre. Rien n'empêchait les architectes de mettre le toit à une hauteur inattendue: la nef de Reims a 38 mètres de haut.

La richesse de la décoration correspond aux proportions colossales de l'architecture gothique. Reims a perdu beaucoup
30 de ses vitraux. Mais au treizième siècle, les verrières, les roses faisaient penser à des mosaïques lumineuses d'un bleu profond, d'un rouge sombre aux reflets de rubis, d'un violet dont on a perdu le secret.

Les portails de Reims forment une «Bible de pierre», la seule
35 que le peuple illettré du moyen âge pût comprendre. Des cen-taines de statues sculptées dans une pierre admirable représentent les personnages de l'Ancien et du Nouveau Testaments. Là en-

[1] A. Schneider.

core, l'art a fait des progrès. Au lieu des bas-reliefs souvent naïfs et grossiers de la sculpture romane, on voit des saints qui sont vivants par leurs attitudes et leurs costumes. Ils font penser aux chevaliers et aux dames de la noble cour de Champagne, ils ont leur dignité et leur grâce. Aux chapiteaux, les «imagiers» ont 5 copié de vraies fleurs, cueillies dans les champs de France. L'art gothique a redécouvert la nature.

La Champagne

Ce n'est pas dans ses paysages ou dans l'architecture de ses villes qu'il faut chercher l'intérêt de la Champagne: les rivières boueuses coulent sans grandeur dans des vallées qui, quoique fer- 10 tiles, sont sans beauté, les maisons sont le plus souvent laides ou sans charme. Pourtant, il y a des exceptions à ces règles: chef-d'œuvre de grâce et de goût, la plus délicate des cathédrales françaises se dresse à Reims, et, sur certains coteaux ensoleillés, la vigne mûrit, donnant un vin célèbre dans le monde entier. 15 Mais, en général, la Champagne n'est pas belle; le centre de la province, la «campania» des Romains, n'est qu'une large plaine monotone qu'on oublie facilement; il y a en France peu de régions plus prosaïques que celle-ci.

L'histoire de la Champagne, au contraire, doit retenir notre 20 attention. Placée à mi-chemin entre Paris et la frontière alle-mande, la province est en effet une des plaines de passage de la France. Elle a donc joué un rôle important dans l'histoire écono-mique et nationale du pays. Au moyen âge, pendant les périodes de paix, les foires de Champagne attiraient d'un bout de l'année 25 à l'autre les marchands de l'Europe. En temps de guerre avec l'Allemagne, la Champagne devient logiquement le champ de bataille sur lequel se joue la destinée de la France. Il y a quinze siècles, Attila et ses Huns ont été vaincus dans la plaine de Châlons; pendant la première Guerre mondiale, l'armée alle- 30 mande a été repoussée à Château-Thierry, alors qu'elle n'était plus qu'à quelques kilomètres de Paris (Bataille de la Marne, septembre 1914).

La Champagne jouit de sa plus grande prospérité au douzième et au treizième siècles. Alors, les foires, celles de Provins, de Troyes, de Reims, enrichissaient la province et ses comtes. La cour de Troyes était le centre d'une culture brillante, à laquelle
5 contribuaient trouvères et troubadours, conteurs et historiens. Les légendes peu connues, les idées nouvelles, surtout celles qui flattaient l'esprit satirique et précis des Champenois, trouvèrent à Troyes un terrain tout préparé: Chrétien de Troyes, le premier des «poètes romanciers», y vivait; Villehardouin et Joinville, les
10 premiers historiens français, qui ont raconté longuement les croisades auxquelles ils avaient participé, étaient de grands seigneurs champenois. Les comtes de Champagne eux-mêmes daignèrent imiter leurs poètes de cour. En somme, la Champagne a joué dans les pays du Nord le rôle que le Languedoc joua dans le Midi.
15 Même après que le comté de Champagne eut été rattaché au domaine royal (à la fin du treizième siècle), la province conserva sa réputation de «province intellectuelle». De grands poètes y sont nés: ne citons ici que Jean Racine et La Fontaine.

Aujourd'hui, la vraie richesse de la Champagne ne vient plus
20 du commerce ou de l'industrie. Troyes a depuis longtemps oublié la gloire de ses comtes et la renommée de ses foires. La Champagne est surtout une région agricole. Reims, sa plus grande ville, est située au milieu de vignobles et de champs fertiles.

« VII »

Les Capétiens

Sous les derniers Carolingiens, la couronne royale était devenue
25 élective. Les seigneurs et les évêques assemblés choisissaient le roi. Ils avaient toujours nommé un prince de la dynastie régnante.

c'est vrai, mais, puisque le roi devait le trône à ses vassaux, ceux-ci se considéraient supérieurs à lui. Le fondateur de la dynastie capétienne, Hugues Capet, lui, eut l'habileté de faire sacrer roi son fils alors que lui-même était encore vivant. En restaurant ainsi le principe d'hérédité, la royauté se rendit indépendante: ce 5 fut un grand avantage moral pour les descendants de Hugues Capet.

Les successeurs de Hugues Capet furent pour la plupart de bons administrateurs qui surent arrondir leur héritage et augmenter peu à peu leur puissance; ils n'accomplirent rien de re- 10 marquable, mais, se succédant de père en fils pendant deux siècles, ils accrurent et consolidèrent le prestige de la dynastie.

Puis vint un très grand roi, Philippe-Auguste (1180–1223). Tout d'abord, il vainquit les comtes de Flandres et de Champagne. Ses ennemis les plus dangereux, toutefois, furent les rois 15 d'Angleterre. Descendants des ducs de Normandie, ces rois possédaient en France, non seulement la Normandie, mais aussi les plus riches provinces de l'Ouest — l'Anjou, le Maine, la Touraine, le Poitou et l'Aquitaine. Bien qu'ils fussent théoriquement vassaux du roi de France, ils semblaient être beaucoup plus 20 puissants que lui.

Pendant la première partie de son règne, Philippe-Auguste se battit, sans résultats décisifs, contre deux rois d'Angleterre, Henri II et le successeur de celui-ci, le fameux Richard Cœur-de-Lion. La mort de Richard en 1199 donna l'Angleterre à son 25 frère Jean, à qui Philippe-Auguste enleva rapidement toutes ses provinces françaises sauf l'Aquitaine. Alors, il se forma contre le roi de France une coalition formidable. Plusieurs grands seigneurs français s'étant révoltés, le roi d'Angleterre et l'empereur d'Allemagne s'allièrent à eux. A Bouvines (1214), dans une des 30 grandes batailles de l'histoire de France, Philippe-Auguste vainquit ses ennemis coalisés.

Pendant que le roi lui-même étendait son royaume au nord et à l'ouest, son vassal, Simon de Montfort, commençait la cruelle croisade des Albigeois, dont nous connaissons déjà les consé- 35 quences — la destruction de la puissance des comtes de Toulouse, la soumission du Languedoc.

Philippe-Auguste fut non seulement un grand soldat, mais aussi un sage administrateur. Il créa une armée royale permanente, réorganisa les finances et le système judiciaire, fonda 40

l'université de Paris (1200), et envoya dans ses provinces des
sénéchaux qui, obéissant au roi, s'efforcèrent de diminuer l'influence des grands seigneurs.

Le fils de Philippe-Auguste, Louis VIII, ne régna que trois ans.
5 A sa mort, l'héritier du trône, Louis IX (1226–1270), n'avait que
douze ans. Les nobles voulurent profiter de sa jeunesse. Heureusement, sa mère, Blanche de Castille, était une femme énergique et habile qui, pendant sa régence, empêcha les nobles de
se révolter. Elle fit épouser à son fils l'héritière de Provence, de
10 sorte que cette belle province fut bientôt ajoutée au domaine
royal.

Louis IX fit voir de bonne heure qu'il allait être une des plus
grandes figures du moyen âge. Quand la force était nécessaire,
il se montrait bon soldat: il vainquit les Anglais à la bataille de
15 Taillebourg (1242). Mais il aimait mieux la justice que la force.
En 1259 il conclut avec Henri III d'Angleterre un traité remarquable par son équité; le roi anglais renonçait à tous ses
titres aux provinces de Normandie, d'Anjou, de Touraine, du
Maine et du Poitou, tandis que Louis restituait aux Anglais
20 vaincus quelques parties du sud-ouest du royaume que la France
aurait pu conserver.

Dans ses rapports avec son peuple, aussi bien que dans ses
relations avec les puissances étrangères, Louis IX donna un bel
exemple de justice et de bonté, et mérita bien le nom de Saint
25 Louis qui lui fut conféré après sa mort. En plein air, sous un chêne
de la forêt de Vincennes, il écoutait les plaintes de tous ceux,
nobles ou serfs, qui se présentaient devant lui, et ses décisions
s'inspirèrent toujours d'un idéal chrétien.

L'enthousiasme religieux commençait à diminuer en Europe.
30 Louis IX, néanmoins, organisa la septième croisade en 1244.
Son armée fut vaincue en Égypte et ne put aller jusqu'à Jérusalem.
Le roi rapporta de la Terre Sainte un morceau de la Croix; pour
lui donner un asile convenable, il fit bâtir à Paris la Sainte-
Chapelle, exemple délicat de l'architecture gothique.

35 Malgré l'insuccès de cette croisade, Louis IX en organisa une
autre qui, pour lui comme pour l'Europe, devait être la dernière.
Arrivé devant Tunis, il mourut de la peste (1270).

Les grandes qualités de Louis IX le firent aimer par son peuple
et respecter par ses ennemis. Le sire de Joinville, ami fidèle du

roi, décrit «les saintes paroles et les bonnes actions de Saint Louis» dans un livre qui est un chef-d'œuvre de la littérature française.

Lorsque le dernier des Capétiens mourut (1328), la France était riche, plus riche qu'elle ne l'avait été depuis dix siècles. 5 Seuls quatre fiefs importants n'appartenaient pas à la couronne — la Bretagne, la Flandre, la Bourgogne et la Guyenne. Le roi était le maître absolu d'un domaine qui s'étendait des plaines de Flandre à la Garonne, de la Manche à la Méditerranée. Par une administration forte et équitable, et par une tradition de justice 10 et de charité, les rois avaient gagné l'amour de leurs sujets. Ils allaient en avoir grand besoin.

La Littérature du XIIe et du XIIIe Siècles

La littérature du moyen âge est extraordinairement riche et variée. Il faudrait un livre entier pour analyser et juger toutes les œuvres qui ont été composées au douzième et au treizième siècles 15 en France. Nous ne pouvons en mentionner ici que quelques-unes, mais elles serviront à indiquer la variété des genres.

La première chose à remarquer, c'est que les grandes œuvres littéraires commencèrent à apparaître au moment où les esprits des hommes furent réveillés par le grand mouvement religieux 20 qui inspira les Croisades et la construction des cathédrales. La renaissance spirituelle était accompagnée par une renaissance intellectuelle.[1] Du onzième siècle, il ne reste que quelques poèmes qui racontent la vie de saints. Presque toute la littérature de l'époque fut écrite en latin par des moines. Mais après 1100, 25 la littérature sortit des couvents; des œuvres écrites en français furent composées par des laïques — en ancien français naturellement, dans une langue qui ne ressemble guère au français d'au-

---

[1] Il ne faut pas confondre cette renaissance du XIIe et du XIIIe siècles avec la grande Renaissance qui aura lieu au XVIe siècle.

jourd'hui. C'est surtout dans les provinces du nord de la France que le mouvement intellectuel se développa au début. Aussi les premières œuvres furent-elles écrites dans les dialectes de ces provinces — francien, normand, picard ou champenois. Ces dialectes
5 étaient les plus importants du groupe qui formait la *langue d'oïl*.[1]

Pour comprendre la *Chanson de Roland*, qui est le premier chef-d'œuvre de la littérature française, il faut revenir au temps de Charlemagne, car l'action du poème se passe à l'époque du grand souverain. En 778, Charlemagne envahit l'Espagne. Quand il
10 rentra en France, son arrière-garde, commandée par son neveu Roland, fut attaquée par des Basques à Roncevaux dans les Pyrénées. Roland et d'autres chefs furent tués. Environ trois cents ans plus tard, un poète anonyme écrivit un poème de 4000 vers pour raconter cette aventure tragique.

15 Comment l'histoire de Roland s'est-elle transmise de 778 à 1100? Par des documents écrits? Par des traditions orales? C'est un des mystères de la littérature française. Ce qui est certain, c'est qu'il y a des différences frappantes entre l'événement historique et le récit de la *Chanson de Roland*. Par exemple, nous
20 savons aujourd'hui que Charlemagne ne resta que quelques mois en Espagne; mais, d'après le poème, il y resta sept ans. L'histoire nous dit que ce sont des Basques qui ont tué Roland; d'après le poème, ce sont des Sarrasins. En réalité, quelques milliers de Basques ont attaqué l'arrière-garde de Charlemagne; notre
25 poète nous dit que cent mille Sarrasins attaquèrent les vingt mille Français sous les ordres de Roland. Pour excuser la défaite d'une armée française, le poète a inventé un traître, Ganelon, ennemi de Roland. Quand Roland meurt, il sonne trois fois de son cor pour rappeler Charlemagne qui revient et vainc une
30 armée de quatre cent mille Sarrasins. Il y a beaucoup d'autres modifications ou inventions de ce genre. Qui était le poète dont nous admirons tant l'imagination épique, le patriotisme, la piété et le langage sobre et émouvant? Personne ne le sait. Où est le manuscrit qu'il a écrit? Il est perdu. Nous n'en connaissons que
35 des copies dont la plus ancienne fut écrite vers le milieu du douzième siècle.

La *Chanson de Roland* est une *chanson de geste*, c'est-à-dire un

---

[1] La langue d'*oïl* dérive son nom du mot «oïl» qui en ancien français, voulait dire «oui».

poème qui raconte une action basée sur des faits historiques. On a conservé environ quatre-vingt-dix de ces poèmes épiques. Chacun soulève des problèmes difficiles à résoudre quant à l'origine, les personnages, la transmission. Ils n'ont pas tous la valeur poétique de la *Chanson de Roland*, mais ils méritent l'atten- 5 tion des savants et des étudiants. Ce sont ces poèmes, écrits par des «trouvères» et chantés par des «jongleurs», qui ont passionné les seigneurs et les dames du douzième et du treizième siècles dans leurs châteaux.

Les chansons de geste racontent les grands exploits des cheva- 10 liers au service de l'Église et de la patrie. Leur ton est surtout héroïque. On y trouve des batailles sans nombre. Il y a peu de place pour les femmes et pour l'amour. Au milieu du douzième siècle, des poètes ont écrit des «romans antiques» qui racontent en vers français les légendes de Thèbes, d'Énée, de Troie et 15 d'Alexandre le Grand, transmises par des narrateurs latins. Ces romans, eux, font une grande place à l'amour. C'est dans le *Roman de Troie*, par exemple, que nous trouvons pour la première fois la touchante histoire de Troïlus et de Briseïde, qui sera reprise par d'autres poètes français et anglais: il suffit de mentionner ici 20 les grands noms de Chaucer et de Shakespeare (*Troilus and Cressida*). Les poètes du moyen âge n'avaient aucun sens historique. Ils décrivent les batailles d'Hector ou d'Alexandre de la même manière que la *Chanson de Roland* décrit les duels et les exploits de son héros. Le *Roman d'Alexandre*, écrit en vers de 25 douze syllabes, a donné son nom au vers «alexandrin», dont les poètes français se sont le plus souvent servis.

Dans la deuxième moitié du douzième siècle, un grand écrivain, Chrétien de Troyes, vécut en Champagne. Il nous a laissé cinq longs poèmes. C'est lui qui, le premier en France, s'inspira des 30 légendes celtiques du roi Arthur et des chevaliers de la Table Ronde. Il a aussi écrit le premier poème sur le Saint-Graal, un sujet qui a pris depuis un développement immense et a connu une popularité extraordinaire.

De deux poètes, l'un français (Bérol), l'autre anglais (Thomas), 35 il nous reste deux fragments de manuscrits qui contiennent en sa forme la plus ancienne l'histoire de deux amants, Tristan et Yseult. Nombreux sont les poètes français, anglais, italiens, allemands, scandinaves, américains, qui ont raconté cette histoire tragique.

La «matière» des poèmes de Chrétien, de Bérol et de Thomas
et de leurs imitateurs est née dans l'imagination des Celtes du
pays de Galles, de la Cornouaille ou de la Bretagne. On y fait
une grande place au merveilleux ou au surnaturel et aussi à
5 l'amour. Roland n'était qu'un guerrier; mais les héros des
légendes celtiques, Lancelot, Gauvain, Yvain, Perceval, Tristan,
sont surtout des amoureux, qui obéissent au code de l'amour
courtois. D'où est venu ce code? Il arriva qu'au moment où
Chrétien de Troyes écrivait ses romans, une jeune princesse, née
10 dans le Midi, devint comtesse de Champagne. Elle aimait la
poésie des troubadours. Elle imposa donc leur idéal d'amour
chevaleresque aux poètes du nord. Ainsi l'esprit courtois des
troubadours se mêla à la «matière de Bretagne» pour produire
ces romans bretons qui ont enchanté tant de générations.

15 Du douzième siècle il reste aussi des romans d'aventures, comme
Flore et Blanchefleur, qui peuvent intéresser les lecteurs d'aujour-
d'hui par leurs fictions souvent naïves et invraisemblables, leurs
événements merveilleux, leurs histoires d'amour. Vers l'an 1200,
un poète anonyme s'est inspiré des romans de chevalerie et des
20 romans d'aventures pour écrire une œuvre en vers et en prose, la
délicate chantefable d'*Aucassin et Nicolette*.

Au treizième siècle, la popularité des chansons de geste s'affaiblit, mais celle des romans bretons et des romans d'aventures
continua. Le *Roman de la Rose*, pourtant, représente un nouveau
25 genre de poème — une longue histoire allégorique où les personnages représentent des abstractions, telles que Vertu, Pauvreté,
Joie, et où l'amour est finement analysé. La première partie, qui
comprend quelque 4000 vers, fut composée en 1230 par Guillaume
de Lorris.

30 Toutes les œuvres que nous avons étudiées jusqu'ici étaient
aristocratiques. Pendant le douzième siècle, la bourgeoisie, on
l'a vu, prit peu à peu conscience de son importance. Naturellement elle voulut une littérature à elle. Des écrivains bourgeois,
pour la plupart nés en Picardie, se moquèrent de l'idéal cheva-
35 leresque dans les *fabliaux*, poèmes de 17 à 1300 vers. Ils s'y
moquaient aussi des femmes, des prêtres, des paysans et des bourgeois eux-mêmes. L'esprit satirique, irrévérencieux, souvent
vulgaire, des fabliaux est l'*esprit gaulois*, qu'on va retrouver dans
bien des œuvres de la littérature française. On le rencontre au

treizième siècle dans le *Roman de Renard*, qui raconte la vie du sournois Maître Renard, tantôt trompé par des animaux plus faibles, tantôt trompant les animaux plus forts que lui, comme le loup, l'ours et le lion. Est-il nécessaire d'ajouter que ces animaux sont allégoriques? Le renard, c'est le bourgeois; le loup représente 5 le seigneur féodal, l'ours, l'Église; et le lion n'est autre que le roi.

L'esprit gaulois se retrouve dans la deuxième partie du *Roman de la Rose*. En 1270, Jean de Meung, le «Voltaire du moyen âge», érudit, audacieux, satirique, ajouta 18000 vers à l'œuvre délicate de Guillaume de Lorris. Le *Roman de la Rose*, qu'on trouve en- 10 nuyeux aujourd'hui, fut cependant l'ouvrage le plus populaire du moyen âge, car il dépeint les deux aspects opposés de cette période; la première partie reflète l'idéal chevaleresque, aristocratique et raffiné; la deuxième partie montre l'esprit réaliste, satirique et «gaulois». 15

Dans ce bref résumé de la littérature ancienne, il reste à parler du théâtre sérieux, qui se développa dès le dixième siècle, dans l'Église. A Pâques et à Noël, en effet, les prêtres ajoutèrent aux textes latins de la liturgie des traductions en français et jouèrent les rôles des Maries et des soldats romains à la Résurrection, ou 20 des Bergers et des Rois Mages à la naissance du Christ. Ce fut le drame liturgique. Quand ces drames commencèrent à attirer la foule, on les représenta devant le portail des églises sur des estrades. Plus tard, on récita les rôles entièrement en français et on trouva des sujets, non seulement dans la Bible, mais aussi dans 25 les vies des saints. Mentionnons parmi les meilleurs de ces drames religieux le *Jeu d'Adam* (vers 1150), dont la première scène se passe dans le Paradis terrestre, le *Jeu de Saint Nicolas* (vers 1200), qui raconte, avec un réalisme inattendu, un des miracles de ce saint, et le *Miracle de Théophile* (1265 environ), qui ressemble beaucoup 30 à la légende de Faust.

Le théâtre comique, dont les origines sont obscures, n'apparut qu'au treizième siècle. Comme les fabliaux et le *Roman de Renard*, la comédie attendit le développement de la bourgeoisie, qui lui fournit ses auteurs. Le vrai créateur du théâtre comique fut un 35 bourgeois de la ville d'Arras, capitale de l'Artois. Vers 1275 il fit représenter une œuvre satirique, le *Jeu de la Feuillée*. Quelques années plus tard, il écrivit son chef-d'œuvre, une pastorale dramatique, le *Jeu de Robin et de Marion*, qu'on représenta aussi

dans sa ville natale. Au treizième siècle aussi, on joua des farces,
qui ressemblent à bien des égards aux fabliaux. Écrites pour les
bourgeois par des bourgeois, elles devaient connaître aux siècles
suivants une très grande popularité.

5   L'époque qui a vu fleurir toute cette littérature fut celle des
grands Capétiens. Toutes les provinces du nord ont contribué à
cette renaissance intellectuelle; la littérature aristocratique trouva
la plupart de ses poètes en Normandie, dans l'Île-de-France et
en Champagne, tandis que la littérature bourgeoise se développa
10 surtout dans la plaine de Flandres, dont la Picardie est la partie
la plus célèbre.

La Picardie

Sous les Romains, la Picardie était habitée par plusieurs tribus
celtes dont les noms se sont préservés dans les noms des villes. Au
cinquième siècle, elle devint le centre du royaume mérovingien:
15 Clovis eut son château à Soissons avant de s'établir à Paris. Les
Carolingiens occupèrent la province à leur tour; Charlemagne
vécut quelque temps à Noyon. Quelques-uns de ses descendants
habitèrent la ville de Laon.

Un fait montre bien l'esprit ambitieux et progressif des habi-
20 tants de cette région: c'est en Picardie, à Beauvais (1096), à
Saint-Quentin, à Amiens, qu'apparurent les premières communes.
Indépendance de courte durée: ces communes, comme les autres,
tombèrent finalement sous la domination royale: Amiens, capitale
de la Picardie, appartenait au roi de France dès la fin du treizième
25 siècle. Les changements politiques eurent peu d'influence sur la
civilisation des villes; au treizième siècle, les bourgeois picards
étaient les plus riches de France. C'est à cette époque que la
littérature bourgeoise fleurit parmi eux.

Mais cette région prospère a tenté bien des souverains ambitieux
30 — le duc de Bourgogne, le comte de Flandres, le roi d'Angleterre,
le roi de France. La Picardie a souvent changé de mains; un
traité la donne à la France, un autre la lui reprend. C'est seule-

ment à la fin du moyen âge (1477) qu'elle revient définitivement à la France.

Son histoire, toutefois, ne fut pas terminée. La Picardie a toujours été une province-frontière. Elle a souffert surtout pendant la première Guerre mondiale; ses champs fertiles furent 5 dévastés, les villes de Laon, de Saint-Quentin, de Soissons furent à peu près détruites par les obus. La bataille de la Somme fut un des combats les plus sanglants de la guerre.

Les Picards sont intrépides et énergiques. Quelques-uns des hommes qui changèrent le destin de l'humanité naquirent en 10 Picardie. Pierre l'Hermite qui prêcha la première croisade; Calvin, chef de la Réforme en France; Robespierre, un des grands chefs de la Révolution; le naturaliste Lamarck qui révolutionna la zoologie, tous ces hommes étaient picards.

Malgré leur courage, les Picards n'aiment pas à émigrer. Ils 15 sont attachés au sol de leur province. Dans cette grande plaine, arrosée par la Somme et l'Oise, le sol est fertile. On y cultive toutes les céréales. Les Picards savent adapter, mieux que les paysans des autres parties de la France, les nouveaux procédés agricoles. Dans les villes, ils ont montré la même intelligence en 20 développant l'industrie. La fabrication du drap de laine et de coton se répandit de Flandres en Picardie au moyen âge, et les villes picardes sont encore aujourd'hui parmi les principaux centres industriels de France.

Les Picards, enfin, aiment leur province à cause de son charme 25 subtil. Il n'y a pas de montagnes élevées, pas de grandes forêts épaisses, pas de grands espaces vides; mais on y trouve des collines aux pentes douces, des rivières paresseuses, des villages paisibles, des champs cultivés, des pâturages. Surtout, visibles de loin à travers les plaines, s'élèvent les grandes cathédrales majestueuses, 30 produits de la foi et de la fierté communale de la bourgeoisie picarde.

« VIII »

La Guerre de Cent Ans

La sœur de Charles le Bel, le dernier Capétien direct, avait épousé le roi d'Angleterre, Édouard II, dont elle eut un fils, Édouard III. Ce mariage aurait dû garantir la paix entre les deux pays. Au contraire, il fut la cause immédiate de la guerre
5 de Cent ans; lorsque Charles le Bel mourut sans enfant mâle, Édouard II, puis Édouard III, réclamèrent pour eux-mêmes le trône de France en héritage. Le régent français, Philippe de Valois, se basant sur la loi salique (par laquelle les princesses de France et leurs enfants étaient exclus du trône) ne voulut pas
10 reconnaître leurs droits, et se fit sacrer à Reims sous le nom de Philippe VI. Français de naissance, consacré par Dieu, Philippe fut reconnu par les Français comme leur roi légitime. Édouard III, cependant, n'acceptant pas le fait accompli, voulut s'emparer du trône de France.
15   La guerre de Cent ans, qui en fait a duré plus d'un siècle (1337–1453), et qui fut coupée de nombreuses trêves, est une des guerres les plus complexes de l'histoire, mais elle pourrait se résumer ainsi: la France allait-elle devenir anglaise? Plus d'une fois, le triomphe de l'Angleterre sembla certain. Finale-
20 ment, grâce à leurs généraux, grâce surtout à l'enthousiasme patriotique soulevé par Jeanne d'Arc, les Français l'emportèrent. La dynastie des Valois gouverna la France jusqu'en 1589, et put ainsi achever l'œuvre des Capétiens directs.
   Voici les principaux faits de la guerre:
25   En 1337 il semblait que l'armée française dût être facilement victorieuse. Selon toute probabilité, la cavalerie, «la fleur de la noblesse française», allait vaincre sans grande difficulté la lourde artillerie anglaise. Mais à Crécy (1346), les Anglais décimèrent la chevalerie française, courageuse mais indisciplinée. Les
30 désastres continuèrent. A la bataille de Poitiers, dix ans plus

tard, Jean le Bon, fils de Philippe VI, fut fait prisonnier. La France, en proie à des difficultés intérieures, vaincue pour la première fois depuis trois siècles, perdit quelques-unes de ses plus belles provinces, notamment le Poitou et le Limousin.

Le fils de Jean le Bon, Charles V le Sage (1364–1380), un des 5 grands rois de l'histoire de France, sut réorganiser le royaume, dévasté à son avènement par des bandes de soldats errants. Il diminua les impôts, fortifia les villes, s'allia à l'Écosse, ennemie de l'Angleterre, et fit de l'armée française une armée moderne. La guerre pouvait recommencer. Cette fois-ci la France fut 10 victorieuse. Elle avait de bons chefs, tels que Du Guesclin, et l'armée avait profité des erreurs passées. En 1380, à la mort de Charles V, les Anglais ne possédaient plus que cinq ports sur le Continent.

Ni la paix intérieure ni la paix extérieure ne durèrent long- 15 temps. Le successeur de Charles V, Charles VI le Fol, très jeune à la mort de son père, devait mourir fou. Son règne fut le plus triste de toute l'histoire de France. Les querelles de la famille royale divisèrent bientôt le pays en deux partis politiques, celui des Armagnacs et celui des Bourguignons. Chacun de ces partis 20 appela à son aide le roi d'Angleterre, en lui promettant le retour des provinces qu'il avait perdues. En même temps, les Parisiens se révoltaient, les provinces se soulevaient et prenaient parti, tantôt pour le roi, tantôt contre lui. Le moment était propice à une attaque de la part des Anglais. Henri V d'Angleterre, aidé 25 par le puissant duc de Bourgogne, fut vainqueur à Azincourt (1415) et envahit tout le nord de la France. La reine de France, Isabeau de Bavière, crut que tout était perdu. Par le traité de Troyes (1420) elle fit du roi d'Angleterre l'héritier du trône de France. Lorsque Charles le Fol mourut (1422), Henri V prit le 30 titre de roi de France et d'Angleterre. Du royaume de France cette reine allemande avait presque fait une province anglaise.

Pourtant, il y avait encore un héritier légitime de la couronne, le fils du roi fou, qui s'était proclamé roi sous le nom de Charles VII. Il ne possédait pas Paris et il ne pouvait pas se faire sacrer à 35 Reims, puisque la Champagne était aux mains des Anglais et de leurs alliés, les Bourguignons. Tout le nord de la France jusqu'à la Loire étant anglais, Charles s'était réfugié à Bourges, dans le centre de la France. Là, il vécut dix ans, entouré de tous côtés

par ses ennemis. Quel contraste entre le «petit roi de Bourges»,
comme on appelait Charles par dérision, et le riche et puissant
duc de Bourgogne! Peu à peu les Français, pourtant si fidèles à
la royauté, s'éloignaient de ce souverain que Dieu n'avait pas
5 reconnu comme roi. Le Parlement de Paris et l'Université
acceptèrent le roi d'Angleterre.

Orléans, ville stratégique qui protégeait le Midi de la France
de l'invasion anglaise, était assiégée et allait se rendre. C'est alors
que parut Jeanne d'Arc, envoyée, semblait-il, par la Providence.
10 Jeanne, la Bonne Lorraine, délivra Orléans, fit couronner
Charles VII à Reims, et rendit confiance au royaume tout entier.

Jeanne d'Arc avait sauvé la France. Même après sa mort,
l'exemple qu'elle avait donné fut suivi par les capitaines français.
L'une après l'autre, les provinces anglaises revinrent définitive-
15 ment à la France. En 1453, une seule ville, le port de Calais,
restait anglaise. La guerre était terminée; mais elle laissait le
royaume ruiné, la civilisation appauvrie. Heureusement, comme
il est arrivé si souvent dans l'histoire de France, un souverain de
génie allait bientôt rétablir la prospérité et rendre sa grandeur
20 au pays.

Jeanne d'Arc

Depuis cinq siècles, on a représenté Jeanne d'Arc tantôt comme
un personnage réel dont les actions furent déterminées par sa
propre volonté, tantôt, au contraire, comme un être surhumain
inspiré par Dieu. La légende s'est emparée de ses actions, elle
25 les a transformées et les a embellies de telle sorte que nous ne
savons plus très bien où la fiction commence et où l'histoire se
termine. Et pourtant, bien que son œuvre tienne du miracle,
Jeanne d'Arc elle-même reste un personnage authentique et
touchant.
30   La vie de la Bonne Lorraine fait penser à une de ces tragédies
classiques dans lesquelles le destin conduit irrésistiblement l'héroïne à la mort.

Le premier acte de la tragédie évoque la jeunesse de Jeanne d'Arc. La Sainte naquit en Lorraine, au moment le plus sombre de l'histoire de France (1412). Le royaume tout entier allait être livré aux Anglais. La jeune fille entendit les récits des soldats qui passaient par Domrémy, son village natal; elle 5 souffrit elle-même des horreurs de la guerre, de la «grande pitié qui était au royaume de France». Humble bergère qui ne savait ni lire ni écrire, qui ne connaissait rien aux affaires politiques, elle crut pourtant qu'il était de son devoir de sauver la France. Des voix lui avaient dit, pendant qu'elle gardait ses moutons, 10 qu'elle seule pouvait le faire. Saint Michel, raconta-t-elle plus tard, lui était apparu dans une lumière éblouissante et lui avait ordonné d'abandonner ses troupeaux et de chasser les Anglais de France. Profondément croyante, vraie fille du moyen âge mystique, elle obéit. N'avait-il pas été dit que la France, perdue 15 par une femme, Isabeau de Bavière, serait sauvée par une jeune Lorraine?

Au deuxième acte, nous voyons la pauvre paysanne se rendre auprès du roi Charles, le «petit roi de Bourges», pour lui demander l'armée dont elle a besoin. Son odyssée commence. 20 Nous suivons Jeanne sur les dangereuses routes de France; d'abord elle marche, puis des paysans qui ont pitié d'elle lui offrent un cheval. C'est l'hiver. Elle, qui n'avait jamais quitté son village, elle traverse maintenant la Lorraine, la Champagne, l'Orléanais, infestés de soldats. Enfin, elle arrive aux bords de 25 la Loire, à Chinon, où Charles VII s'est réfugié. La bergère se présente devant le roi. Pour éprouver la ténacité de la jeune fille, le roi se cache parmi ses courtisans, mais elle le reconnaît. Elle trouve des mots qui touchent le cœur sec du souverain. «Le Roi des Cieux vous mande par moi, lui dit-elle, que vous serez 30 sacré et couronné en la ville de Reims, et vous serez alors lieutenant du Roi des Cieux, qui est roi de France.» Et le jeune homme indolent, maladif, semble croire en elle. Il la fait interroger par des théologiens qui s'étonnent de son intelligence lucide et de sa foi profonde. Le roi, enfin, lui donne les soldats 35 qu'elle demande.

Le troisième acte nous fait assister à ses triomphes. Dans toute la France, on parle de Jeanne, on reprend courage. «Cette fille nous est envoyée par Dieu, disent les femmes. Dieu, enfin, est avec nous!» L'armée nouvelle grossit de jour en jour. La confiance revient. Trois mois après son départ de Domrémy, la Pucelle délivre Orléans, qu'on croyait perdu. Cette paysanne qui ne veut pas tenir une épée, que fait-elle donc pour être 5 victorieuse? Plus tard, elle indiquera naïvement la raison de ses succès: «Je suis entrée parmi les Anglais et j'ai dit à mes gens de me suivre.» Montée sur un cheval blanc, vêtue d'une armure étincelante, tenant une bannière à la main, elle s'est exposée vingt fois aux coups ennemis. Ses soldats la suivent partout, 10 partout l'ennemi effrayé s'enfuit.

Par sa victoire à Orléans, elle sauve les provinces qui sont au sud de la Loire. Puis, aussi vite que possible, Jeanne conduit Charles à travers les parties de la France qui sont encore anglaises. Les portes des villes ennemies s'ouvrent devant elle. Jeanne 15 arrive à Reims; dans la cathédrale, elle fait couronner le petit roi de Bourges. Ainsi, elle rend son prestige à la royauté; la France enfin a un roi sacré selon les rites, le roi d'Angleterre n'est plus qu'un usurpateur. La délivrance d'Orléans et le sacre du roi à Reims sont les deux grands triomphes de Jeanne d'Arc.

20 Au quatrième acte, notre héroïne lutte contre un sort contraire. On la garde à la cour, on lui fait perdre un temps précieux. Les courtisans du roi sont jaloux de ses succès et laissent aux ennemis le temps de réorganiser leurs armées. Mais Jeanne veut «bouter les Anglais hors de France». Enfin, elle mène une armée vers 25 Paris qui est encore aux mains des Bourguignons. La chance l'abandonne. D'abord, en attaquant la ville, elle est blessée. Puis, trouvant Paris imprenable, elle va à Compiègne, assiégé par les Anglais et leurs alliés. Là, pendant un combat inégal, elle est faite prisonnière par les Bourguignons.

30 On la conduit à Rouen, où se jouera le dernier acte de la tragédie. Jeanne d'Arc est jugée par un tribunal ecclésiastique français dont les décisions sont dictées par les Anglais. Ceux-ci ordonnent au tribunal de la déclarer coupable de sorcellerie. Jeanne est gardée prisonnière dans le donjon de la ville, elle 35 est menacée de la torture, elle subit les questions perfides de ses juges. Le procès n'est qu'une parodie de la justice. Ses réponses sont des merveilles de lucidité et de finesse; elle repousse les attaques en disant toujours la simple vérité. Les vieillards du tribunal sont forcés de se servir de ruses infâmes pour venir

Dans la Forêt de Fontainebleau (tableau de Corot).

Un Intérieur du XVᵉ siècle.

Paris. L'Île de la Cité.

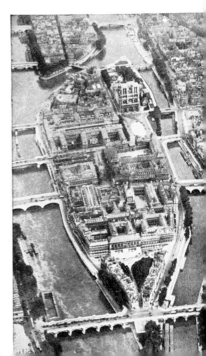

Notre-Dame de Paris. (Courtesy, Life Magazine.)

François Ier.

Fontainebleau.   Le Palais.

Palais de Fontainebleau.   La Galerie de François Ier.

Henri IV.

Houdon: Franklin.

Richelieu.

Versailles. Le Palais et les Jardins. (Courtesy, Life Magazine.)

Paris. Un Coin du Marais (la Place des Vosges).

à bout de cette jeune fille de dix-neuf ans. Enfin, le tribunal se prononce: Jeanne est une sorcière inspirée par le Diable; elle doit être brûlée vive. Abandonnée par Charles à qui elle a rendu son royaume, abandonnée par les «voix» qu'elle implore en vain, elle meurt sur un bûcher dressé sur la place du Marché à 5 Rouen, le 30 mai 1431. Le sacrifice est consommé, la tragédie est terminée.

Dijon

Pendant la guerre de Cent ans, la vie intellectuelle et artistique de la France aurait pu disparaître complètement. Beaucoup de nobles étaient tombés à Crécy, à Poitiers et à Azincourt; or, ils 10 avaient été les principaux protecteurs des arts. Quant aux rois, ils tenaient plus à sauver leur couronne qu'à encourager les artistes. Les grandes villes du nord furent longtemps aux mains des Anglais et de leurs alliés. L'Église elle-même avait perdu une partie de sa force: le temps des cathédrales était passé. 15

Le royaume de France, pour un temps, ne pouvait plus nourrir ses artistes: l'opulente province de Bourgogne, enrichie par son commerce avec les Flandres et la politique de ses ducs, offrit un refuge aux arts. Au quatorzième et au quinzième siècles, la cour de Bourgogne fut la plus somptueuse du nord de l'Europe, et 20 Dijon, la capitale, devint un des grands centres artistiques du monde civilisé.

L'histoire de Dijon est, dans ses grandes lignes, celle de la plupart des villes françaises. Dijon, petit village au temps de César, se développa rapidement, car sa position stratégique dans 25 la plaine de Bourgogne était favorable. Bientôt le Christianisme y pénétra, et la ville, comme tant d'autres villes françaises, eut son martyr, le fameux Saint Bénigne. Lorsque les tribus germaniques entrèrent en Gaule, l'une d'elles, la tribu des Burgondes, occupa la région. Ses chefs en firent, au temps des Mérovingiens, 30 un véritable royaume qui compta parmi les plus importants d'Europe.

Les siècles passèrent. Sous les Capétiens, le royaume des Burgondes, bien diminué, ne fut plus qu'un duché, mais Dijon resta sa capitale. Comme les villes du nord, Dijon voulut conquérir son indépendance: en 1182, après bien des luttes, les 5 Dijonnais obtinrent une charte qui assurait leur autonomie. La ville se trouvait sur la route qui reliait la Méditerranée au nord de la France: il fut donc facile à Dijon de devenir un centre commercial important. Les premiers ducs de Bourgogne y établirent leur cour, et, près du palais ducal, à l'ombre de la 10 vieille église Saint-Bénigne et de la cathédrale, les hôtels des nobles et les maisons privées des bourgeois rivalisèrent de richesse.

Au quatorzième siècle, la première famille ducale s'étant éteinte, les Valois donnèrent le duché à un membre de leur propre famille. Ce fut l'époque la plus glorieuse de la province 15 et de la ville. Tous les Valois étaient de grands amateurs d'art; mais les ducs de Bourgogne, devenus les seigneurs les plus riches d'Europe lorsqu'ils eurent acquis les Pays-Bas, s'entourèrent d'un luxe que les autres Valois ne connurent pas.

Élégante et raffinée, l'atmosphère de la cour attira les sculp- 20 teurs, les architectes et les peintres du reste de la France. Les chefs-d'œuvre de l'art bourguignon ne sont pas uniquement d'inspiration française: des artistes hollandais et flamands y ont collaboré.

Nous avons vu à Falaise ce qu'était le château d'un grand 25 seigneur féodal du onzième siècle. Le palais des ducs de Bourgogne présente un contraste frappant. Grâce aux croisades, le luxe est entré depuis deux siècles dans la vie des nobles. Les dalles de marbre et les planchers de bois précieux sont couverts de tapis épais, les murs sont cachés par des tapisseries tissées d'or. 30 De larges fenêtres laissent passer la lumière; les ouvertures étroites et les murs épais de Falaise sont devenus inutiles depuis l'invention de la poudre. Dans la bibliothèque ducale, les premiers tableaux à l'huile que l'on connaisse pendent aux murs, et sur les tables sculptées se trouvent de nombreux manuscrits. 35 Les ducs sont fiers de leur «librairie», la plus riche du royaume depuis l'époque où Charles V, dans sa tour du Louvre, avait réuni huit cents manuscrits.

Le palais des ducs a disparu en grande partie, mais, malgré les guerres et les ravages du temps, un grand nombre d'œuvres exécutées par des artistes bourguignons nous sont parvenues. Les plus célèbres sont les tombeaux des ducs, qui sont conservés aujourd'hui dans l'ancien palais. Ces tombeaux, d'un réalisme nouveau à l'époque, comptent parmi les grandes œuvres de la sculpture européenne. Même dans la mort, ces seigneurs orgueil- 5 leux voulaient être glorifiés, et quelques-uns des artistes les plus fameux du temps, hollandais, français ou espagnols, furent chargés de sculpter les «gisants» aux mains jointes et les «pleurants» qui leur font cortège.

Après la mort de Charles le Téméraire, le duché fut rattaché 10 à la couronne. Dijon conserva, cependant, une partie de son importance. Sous les rois, la ville reste capitale de la Bourgogne, un parlement y siège, une université s'y développe. Près de la vieille ville, une nouvelle ville naît, bourgeoise et commerçante.

Malgré le «progrès», Dijon reste provincial et respecte les 15 conventions et les belles traditions. Derrière les hauts murs de pierre qui cachent de vieux hôtels vivent encore aujourd'hui les descendants souvent appauvris des familles nobles; de la ville neuve, active et bruyante, les marchands expédient dans toute la France les produits de la Bourgogne. Cette histoire de Dijon — 20 une lente évolution, une courte période brillante, et enfin une existence commerciale — c'est bien l'histoire d'une ville fran- ̧aise typique.

La Bourgogne

O̤N connaît le rôle que jouent les plaines comme liens de civilisation à civilisation. La Bourgogne, «plaine de passage 25 à la rencontre de France, Italie et Allemagne» est la plus importante des plaines de France: sans elle, le territoire français n'aurait pas pu être ce qu'il fut si souvent, le creuset des races et des civilisations de l'Europe. Resserrée entre deux chaînes de montagnes, les Vosges à l'est, le Morvan (qui fait partie du 30 Massif Central) à l'ouest, la vallée de la Saône a vu passer depuis vingt siècles caravane après caravane, pèlerinage après pèlerinage,

armée après armée. Les voies romaines, les belles routes de
pierre du dix-septième siècle, les canaux, les lignes de chemins
de fer, la traversent de bout en bout et font de la province une
des régions les plus prospères de France.

5   Aujourd'hui, il est peu de provinces françaises plus paisibles,
plus insouciantes que la Bourgogne. Les paysages, sans montagnes abruptes ni plaines monotones, y sont délicats et subtils;
les collines, couvertes de riches vignobles, descendent doucement
vers la Saône lente et majestueuse. Les villes riches et nom-
10 breuses respirent le confort, les gens y semblent plus heureux
qu'ailleurs en France. Dans la plaine, se trouvent les grands
centres d'aujourd'hui, Dijon, Mâcon.

Lorsqu'on se rapproche des collines du Morvan, tout devient
calme et recueillement; il est naturel que les abbayes, trouvant
15 là, comme le dit un moine du onzième siècle, «l'image de la
solitude céleste», s'y soient établies en grand nombre: Clairvaux,
Cluny, Autun, Vézelay, furent parmi les plus grands centres
religieux d'Europe. Leur influence s'étendit d'Angleterre jusqu'en
Espagne ou en Autriche; l'abbé de Citeaux était le maître absolu
20 de plus de trois mille monastères.

C'est en Bourgogne que sont nés quelques-uns des plus grands
écrivains religieux français: Saint Bernard, qui prêcha la seconde
croisade, vécut dans le monastère de Clairvaux dont il fut l'abbé;
Bossuet, le prédicateur de la cour de Louis XIV, passa son enfance
25 à Dijon; Lamartine, «le poète de l'âme religieuse et solitaire»,
est né à Mâcon.

« IX »

Louis XI et la Fin du Moyen Age

Les premières années du règne de Charles VII, le petit roi de
Bourges, avaient semblé annoncer un règne sans grandeur.
Pourtant, sous ce roi, qui, «vieux à vingt ans, devint presque
jeune à quarante», l'ordre fut vite rétabli. A son fils, le dauphin
Louis, il laissa un trône respecté.   5

Louis XI (1461–1483), ce roi superstitieux, cruel, chétif et
laid, ce souverain économe dont l'habit de gala ne valait pas
vingt francs, fut un des grands rois de France. Lorsqu'il monta
sur le trône, le moyen âge tirait à sa fin, des idées nouvelles
apparaissaient, des traditions inutiles s'effaçaient. Vivant à une 10
époque de transition, Louis XI en profita pour faire de la France
une nation moderne. Il s'intéressa plus aux questions économiques qu'à la guerre. Il encouragea les bourgeois français à
devenir les rivaux des marchands de Venise et de Gênes, qui
semblaient avoir le monopole du commerce de la Méditerranée. 15

Le désir d'unité, qui avait été en quelque sorte instinctif chez
ses ancêtres, fut pour Louis XI une règle absolue. Lorsqu'il
mourut, ce «roi-araignée» laissait une France compacte, sans
terres féodales séparant une province royale d'une autre.

Le règne de Louis XI n'a pas la majesté de celui de Louis IX. 20
La force et la justice furent remplacées par la diplomatie et
l'intrigue. Pour se débarrasser de ses ennemis, le roi les suborna,
ou même n'hésita pas, dit-on, à les faire empoisonner. Le fait
principal de son règne, la défaite de Charles le Téméraire, le
dernier duc de Bourgogne et le dernier des grands seigneurs 25
féodaux, s'accomplit sans que Louis XI ait eu à combattre.
Charles mourut assassiné.

Le génie de Louis XI a été longtemps méconnu. Rien dans

son règne, qui fut sans faste, ne retint l'imagination des foules.
Son œuvre s'accomplit en silence: «Pour Louis XI, a-t-on dit,
le résultat seul comptait; il mettait loin en arrière l'orgueil et
l'amour-propre. . . . A des moments difficiles, il avait su s'hu-
5 milier. Il n'avait eu que des ambitions modestes, réalisables:
s'arrondir, donner ou rendre à la France ce qui était français».
Louis XI était digne de clore la période de formation de la nation
française. En même temps que le dernier roi du moyen âge, il
est le premier roi de la France moderne.

La Littérature du XIVe et du XVe Siècles

10 E<small>N PARLANT</small> de la littérature française du douzième et du
treizième siècles, nous n'avons presque rien dit des œuvres en
prose. Il ne faut pas oublier, cependant, l'œuvre de Villehardouin (la *Conquête de Constantinople*) et celle de Joinville
(*Histoire de Saint Louis*). Froissart, «prince des chroniqueurs»,
15 fut au quatorzième siècle le successeur de ces deux historiens.
Il passa la plus grande partie de sa vie à voyager, à regarder et
à bavarder; il a décrit tout ce qu'il a vu, entendu et appris. Il
s'intéressait surtout à la vie des nobles; il raconte leurs tournois,
leurs combats, leurs aventures. Bien qu'il méprisât les petites
20 gens, il ne put s'empêcher de voir leur misère. Ses *Chroniques*
nous donnent un tableau vaste, curieux, vivant de la France à
l'époque de la guerre de Cent ans.
      La guerre ne fit pas négliger le théâtre. Il nous est parvenu du
quatorzième siècle un groupe d'une quarantaine de pièces, les
25 *Miracles de Notre Dame*. Dans ces drames, le style est simple, les
idées sont peu profondes. Les mêmes situations dramatiques
reviennent souvent; la Vierge, par exemple, sauve au dernier
moment un pécheur repentant. Les *Miracles* témoignent de la
piété naïve du peuple français.
30   Le quinzième siècle fut le siècle des *Mystères*. Alors qu'une

pièce ordinaire se joue en deux ou trois heures, il fallait quelquefois quatre jours pour représenter les *Mystères*, que l'on jouait en plein air sur des scènes immenses. Des centaines d'acteurs étaient nécessaires. Comme dans les drames liturgiques, les sujets étaient tirés de la Bible ou des vies des Saints. Mais 5 les *Mystères* avaient des épisodes comiques, quelquefois même vulgaires; pour cette raison, au seizième siècle, ils furent interdits à Paris. Mais, dans d'autres villes, les représentations continuèrent, et les Drames de la Passion, tel celui qu'on a représenté de nos jours à Oberammergau, sont tirés précisément des parties 10 sérieuses et édifiantes des *Mystères*.

Au quatorzième et au quinzième siècles, on a joué plus de mille farces; cent cinquante environ nous sont parvenues. Elles nous révèlent les tendances de la bourgeoisie et du peuple. Même en temps de guerre, on aimait à rire et on attachait peu d'importance 15 à la valeur morale des pièces. Les coups donnés et reçus dans les farces sont innombrables, et l'esprit gaulois y prend trop souvent sa forme la plus grossière. Cependant, quelques farces sont très amusantes; elles ne sont pas plus vulgaires que certaines comédies cinématographiques. Citons la *Farce du Cuvier* et la *Farce du* 2? *Pâté et de la Tarte*. Le chef-d'œuvre du genre, *Maître Pathelin* (1470), pourrait être comparé à plus d'une comédie moderne. Les farces sont restées longtemps populaires et ont influencé certains écrivains classiques, tels que Molière.

Parmi les poètes de l'époque que nous étudions, il convient de 25 mentionner Christine de Pisan, qui défendit son sexe contre les attaques dont il était l'objet, et surtout Charles d'Orléans et François Villon.

Charles d'Orléans, frère du roi Charles le Fol et père de Louis XII, fut fait prisonnier à Azincourt et resta vingt-cinq ans 30 captif en Angleterre. Pendant son exil, et après son retour en France, il écrivit de charmants poèmes sur les tristesses de l'exil, sur les bienfaits de la paix, sur le printemps et l'amour.

Charles était un grand personnage. Tout différent fut François Villon, le poète du peuple, ami des voleurs et voleur lui-même; 35 il fut «un bohême délicat et triste». Né en 1431 (l'année de la mort de Jeanne d'Arc), il fit des études à l'Université de Paris. Mais il n'aimait pas le travail. Il se donnait aux plaisirs (il était «tout aux tavernes et aux filles»). Chez lui, on retrouve

l'esprit gaulois: il se moque des bourgeois et des femmes. Ses vols le firent arrêter plusieurs fois; dans les cellules froides et humides, il pensa à la mort qui l'attendait. Il écrivit une ballade où, tout en semblant mépriser la mort, il frémit à l'idée de la
5 corruption de la chair et à l'évocation du spectacle horrible des pendus. Il aimait la vie qui passe si vite, les belles femmes qui disparaissent comme «les neiges d'antan»; s'il avait profité de sa jeunesse, il «aurait maison et couche molle». Son idéal, c'est une vie douce et agréable; mais son destin fut de connaître la
10 pauvreté et la prison. Il avait foi en Dieu, et pour sa mère, il écrivit une remarquable *Ballade pour prier Notre Dame*. François Villon est le plus grand poète français du moyen âge. Il est en même temps le premier poète moderne, car il est personnel et sincère. «Pour la première fois, on trouve dans la poésie de
15 Villon la vie d'une âme».

L'historien Commines, qui vécut aussi au quinzième siècle, nous révèle les intrigues compliquées et la personnalité complexe de Louis XI. C'est surtout à Froissart et à Commines que les historiens et les romanciers modernes doivent leur connaissance du
20 quatorzième et du quinzième siècles. Froissart est resté populaire. Mais si l'on veut aujourd'hui connaître Louis XI et son époque, on trouvera que les *Mémoires* de Commines sont un peu secs. On préférera lire des romans historiques, tels que celui de Victor Hugo, *Notre-Dame de Paris*, qui nous dépeint d'une manière
25 magistrale la vie en France à la fin du moyen âge.

Paris au XVe Siècle

L_E PARIS de Louis XI était une bien belle ville. Dix siècles avaient passé depuis l'époque où Sainte Geneviève avait défendu Lutèce contre Attila et ses Huns. Alors, la cité n'avait guère été qu'une petite île perdue au milieu de marais. Paris, au
30 quinzième siècle, est déjà une très grande ville, la plus célèbre d'Europe après Rome, peuplée, bruyante, et intellectuelle.

L'histoire de Paris avait été celle de la monarchie. De l'ancienne Lutèce, Clovis avait fait sa capitale. Les comtes de Blois

avaient protégé la ville contre les Normands et s'y étaient établis.
Son importance grandit en même temps que celle des Capétiens.
Philippe-Auguste y bâtit un donjon et Saint Louis, dans son
palais de la Cité, dans l'Île qui est le centre de la ville, construisit cette merveilleuse Sainte-Chapelle qui devait abriter un 5
morceau de la croix du Christ. Le plus beau des palais de
Charles V, le grand roi de la guerre de Cent ans, c'est le Louvre,
cette immense forteresse au bord de la Seine que les souverains
vont transformer et reconstruire pendant quatre siècles. Paris
est la «bonne ville» des rois de France; ils la protègent, l'embel- 10
lissent. Mais en même temps ils en ont un peu peur: les Parisiens
sont impulsifs et osent, le cas échéant, se révolter contre le roi.

Paris est traversé par la Seine, fleuve étroit et lent, qui n'est
ni très beau ni très majestueux par lui-même. Mais c'est le
fleuve de la capitale. Les pêcheurs de Lutèce y trouvaient leur 15
subsistance; maintenant, c'est une route navigable qui fait la
richesse des marchands parisiens.

L'Île de la Cité est le cœur de la ville et le centre de la vie
parisienne. C'est là que s'est élevée à la fin du douzième siècle
une des premières cathédrales gothiques. Notre-Dame de Paris 20
est encore un peu lourde, mais noble et digne d'une capitale.
Tout près de là se trouve le Palais, où les rois ont longtemps vécu.
Formé de toutes sortes de bâtiments ajoutés les uns aux autres,
il sert surtout aux réunions du puissant Parlement de Paris; on y
rend la justice, on y reçoit les princes et les rois, on y représente 25
les *Mystères*. Ses hautes tours et ses toits pointus ne réussissent
pas à cacher la Sainte-Chapelle, où scintillent les plus beaux
vitraux de Paris.

Des ponts couverts de maisons relient la Cité aux deux rives de
la Seine. La Rive droite, c'est la Ville, où vivent les commerçants 30
et les seigneurs. La Rive gauche, c'est l'Université, le quartier
des étudiants, le Quartier Latin.

Le Quartier était la partie la plus pittoresque de la capitale.
Attirés par la renommée de la vieille université (elle avait été
fondée en l'an 1200 par Philippe-Auguste), les étudiants venaient 35
de tous les pays de l'Europe; ils conservaient le plus souvent leurs
habitudes nationales et leurs costumes étranges. Ils parlaient le
latin, seule langue qu'on comprît partout au moyen âge. Futurs
moines et notaires, futurs trouvères et vagabonds, ils se rencon-

traient dans les classes et dans les cabarets, toujours prêts à
attaquer ou à soutenir un point de théologie ou bien à livrer un
combat mortel. Le Quartier Latin leur appartenait: leurs ennemis, les bourgeois de la Ville, qui les craignaient avec raison, leur
5 laissaient le champ libre. Malheur au gendarme qui osait arrêter un étudiant, même si celui-ci était coupable: les étudiants,
armés de dagues ou de pierres, libéraient aussitôt leur camarade.
Maîtres et écoliers avaient leurs propres tribunaux, plus indulgents que les tribunaux royaux. L'Université était donc une
10 puissance qui avait ses lois, ses traditions et sa langue.

Qu'enseignait-on à l'Université? Peu de chose, en somme, si
nous pensons à ce que l'on offre aux étudiants d'aujourd'hui.
Du latin, beaucoup de latin. La Philosophie aussi, terme vague
qui, au moyen âge, comprenait la Musique, la Géométrie,
15 l'Astronomie, l'Arithmétique, étudiées dans des textes acceptés
aveuglément. La Logique et la Théologie surtout. La Logique
donnait à l'étudiant le goût des belles phrases et des arguments
spécieux. La Théologie, elle, étudiée par les étudiants plus
âgés, faisait la gloire du plus célèbre des collèges de l'université de
20 Paris, la Sorbonne: les docteurs en théologie de l'université de
Paris étaient considérés comme les plus grands savants de leur
époque. C'est grâce à eux qu'on pouvait dire, dans le langage du
temps, que «la Gaule était le four où cuisait le pain intellectuel du
monde entier».

25 La Ville se trouve de l'autre côté du fleuve. Les rues, aux noms
curieux — rue de l'Homme Armé, rue du Pot de Fer — sont
étroites et sombres; souvent un ruisseau d'eau sale coule au centre.
La nuit, des chaînes en ferment les extrémités: Paris n'est pas sûr
après le coucher du soleil. Les maisons, de bois presque toujours,
30 sont serrées les unes contre les autres. Des enseignes peintes se
balancent au vent, près des lanternes d'ailleurs rares, près du
linge qui sèche. Chaque rue a tendance à n'abriter que les
membres d'une même profession; il y a la rue des Bouchers, la
rue des Merciers, la rue des Boulangers.

35 Dans leurs boutiques aux plafonds bas, les marchands travaillent dur, douze, quatorze heures par jour, et s'enrichissent
lentement. Ils ont une grande individualité, un grand orgueil de
leur état, ces bourgeois prudents et raisonnables, et ils occupent une
place de plus en plus grande dans la vie politique de leur capitale.

Pendant la guerre de Cent ans, la capitale avait beaucoup

souffert. La Peste Noire l'avait ravagée et lui avait enlevé le
tiers de sa population. Deux fois Paris s'était révolté. La ville
n'avait jamais été commune; les rois s'étaient contentés de lui
accorder de nombreuses libertés. Mais les Parisiens profitèrent
de la guerre pour réclamer des réformes. Le roi refusa, et la lutte 5
dura longtemps. Au début du quinzième siècle, Paris s'était
donné au parti bourguignon, ennemi du roi; il s'était offert
ensuite au parti rival, le parti des Armagnacs; puis il était revenu
aux Bourguignons. Le roi d'Angleterre y était entré, s'était
même fait couronner dans la cathédrale. Mais Notre-Dame 10
de Paris ne possédait pas l'huile sainte de Clovis: le vrai roi,
même pour les Parisiens, c'est Charles VII, sacré à Reims grâce à
Jeanne d'Arc.

A la fin de la guerre, Paris redevint français. La ville se releva.
Les boutiques se rouvrirent, les bateaux reparurent sur la Seine, 15
les changeurs d'or revinrent. Les artistes qui avaient tant fait
pour la gloire de la ville se remirent à sculpter les statues de la
Vierge et des Saints, à peindre les tableaux de piété.

La ville attire les savants et les écrivains; presque tous, ils
viennent à Paris à un moment ou à un autre de leur vie. Ils se 20
rencontrent, ils échangent des idées, ils lisent les livres nombreux
qu'on publie à Paris dès 1470. Il n'y a pas encore de vie de cour
très développée, mais déjà les manières de Paris ont un poli,
un charme qui sont célèbres. Paris est déjà, comme le dira
Montaigne, un grand écrivain du seizième siècle: «la gloire de la 25
France et l'un des plus nobles ornements du monde».

L'Île-de-France

AU DOMAINE primitif des rois de France on a donné le nom
d'Île-de-France. Ce fut longtemps une «île», en effet, limitée par
certains cours d'eau qui devaient devenir célèbres dans l'histoire
de France: la Seine, l'Oise et la Marne et quelques-uns de leurs 30
affluents. Mais, à ce territoire assez réduit, les rois ont peu à peu
ajouté les régions voisines. Au quinzième siècle, l'Île-de-France
était déjà une des provinces les plus étendues du royaume.
Traversée d'un bout à l'autre par la Seine, donc reliée à deux

autres riches provinces, la Bourgogne et la Normandie, elle avait
prospéré. Puisqu'elle était placée au centre politique du royaume,
l'Île-de-France était la province royale par excellence: c'est là
qu'on parlait le dialecte (le francien) destiné à devenir le français
5 moderne; c'est là qu'est apparu l'art gothique, là que les rois
bâtirent leurs châteaux favoris.

Le climat, assez humide et changeant, est cependant très
agréable. La Seine ne gèle jamais et les fruits délicats de sa
vallée sont célèbres. Partout on respire cet air subtil, d'un gris
10 transparent et lumineux, qui donne à l'Île-de-France un charme
unique.

Dans cette province habitée depuis si longtemps, les forêts,
protégées par les rois et leurs vassaux, sont encore nombreuses
et épaisses: la forêt de Rambouillet, la forêt de Fontainebleau,
15 la forêt de Compiègne, d'autres encore, où les souverains chas-
sèrent longtemps les sangliers et les cerfs.

Mais, plus émouvantes encore, les marques de l'activité humaine sont innombrables: l'Île est le plus beau musée de l'histoire de France. Châteaux et cathédrales nous disent l'ancienneté
20 et la richesse de la province: palais royaux, comme ceux de
Versailles, de Compiègne ou de Fontainebleau au centre de
leurs forêts: forteresses de grands vassaux, comme Pierrefonds ou
Coucy, qui furent démantelées par des rois jaloux; maisons de
plaisance des grands financiers parisiens du dix-huitième siècle,
25 pleines de goût et plus intimes que les palais des rois. Les grandes
cathédrales de l'Île-de-France, celles de Chartres, de Mantes,
de Beauvais, celle de Paris surtout, sont parmi les premiers
exemples de l'art gothique et restent parmi les plus imposants.
C'est à Chartres qu'il faut aller pour voir les plus beaux vitraux
30 d'Europe.

Autour de la capitale, les villes sont nombreuses et prospères:
villes royales comme Fontainebleau, Saint-Germain et Versailles;
centres agricoles, comme Melun et Chartres; centres industriels,
à la fois anciens et modernes, comme Saint-Denis, où la fumée des
35 usines noircit les tombes des rois de France enterrés dans la
vieille abbaye.

Mais la gloire de l'Île-de-France, aujourd'hui comme du
temps de Sainte Geneviève et de Louis XI, est l'ancienne Lutèce,
le Paris moderne, centre de la nation la plus centralisée du monde.

DEUXIÈME PARTIE

« X »

La France et l'Europe au XVIe Siècle

A LA fin du quinzième siècle et au début du seizième, il s'est passé de grands événements qui ont profondément modifié les mœurs et les idées des Français. Les années qui vont de l'avènement de Louis XI (1461) à l'avènement de François Ier (1515) forment une période de transition entre le moyen âge qui se ter- 5 mine et la Renaissance qui commence. Puis le réveil intellectuel qui suit l'apathie causée par les malheurs de la guerre de Cent ans se manifeste clairement. L'invention de l'imprimerie, les grandes découvertes géographiques, le développement du capitalisme et surtout la «découverte» de l'Italie en sont la cause. 10

L'imprimerie, inventée par Gutenberg en Allemagne, fut introduite en France — à Lyon en 1460, à Paris en 1470. En même temps le papier, dont on s'était peu servi jusqu'alors, devint abondant et rendit la nouvelle invention profitable. Le livre remplaça le manuscrit, le nombre des lecteurs et des écrivains 15 augmenta fortement, la vie intellectuelle des Français subit une révolution.

Après le premier voyage de Christophe Colomb en 1492, d'autres grandes découvertes se succédèrent rapidement: en 1497, Vasco de Gama alla aux Indes, en passant par le Cap de Bonne- 20 Espérance; en 1513, Balboa découvrit l'océan Pacifique; huit ans plus tard, Magellan traversa le détroit qui porte son nom; en 1524, Verazzano, au service d'un roi français, explora les côtes de l'Amérique du Nord; en 1534, Jacques Cartier découvrit le Saint-Laurent et deux ans plus tard remonta ce fleuve jusqu'à 25 l'emplacement de Montréal. Tels sont quelques-uns des voyages qui élargirent les horizons géographiques du monde.

Les commerçants suivirent de près les explorateurs. Bien que l'Espagne ait essayé de garder pour elle-même les richesses du
5 Mexique, du Pérou et de ses autres possessions américaines, les autres nations de l'Europe, surtout les Pays-Bas, l'Angleterre et la France, ont pu profiter de l'or et de l'argent envoyés d'Amérique. Les Croisades, on se le rappelle, avaient favorisé le commerce et introduit en Europe une nouvelle conception du luxe. Le
10 même phénomène suivit les grandes découvertes. L'abondance de l'or américain posa les fondations du capitalisme moderne; l'industrie se transforma; les bourgeois cultivés apprécièrent autant que les nobles les artistes et les écrivains de leur temps.

La «découverte» de l'Italie, cause principale de la Renaissance
15 en France, est due à l'ambition de Charles VIII, de Louis XII et de François Iᵉʳ. Ces successeurs du vieux et prudent Louis XI étaient des hommes jeunes, audacieux et épris d'aventures, qui voulurent étendre leur autorité au delà des limites traditionnelles de leur royaume. L'un après l'autre, ils entreprirent plusieurs
20 expéditions qui en fin de compte n'ajoutèrent aucun territoire au domaine royal, mais qui firent découvrir aux Français l'Italie, si proche et pourtant si peu connue.

Charles VIII, fils de Louis XI, épousa très jeune la duchesse Anne de Bretagne; c'est ainsi que la Bretagne, si longtemps indé-
25 pendante, fut réunie au domaine royal. Le jeune roi, cependant, ne fut pas satisfait. Dès qu'il eut quinze ans, il forma le projet de conquérir le royaume de Naples, auquel il avait quelques droits, puis de reprendre Constantinople aux Turcs, enfin de se faire couronner empereur du Saint Empire Romain! Jamais rêve ne
30 fut plus insensé.

L'armée française que Charles mena en Italie fut accueillie chaleureusement et traversa la péninsule sans difficultés. Le jeune roi s'empara de Naples. Bientôt, cependant, des revers éclatèrent. Les hommes politiques italiens, les plus rusés de leur temps,
35 trompèrent les Français. Le peuple italien se révolta contre l'étranger. Loin de son pays, entouré d'ennemis, incapable de résister longtemps, le roi dut, s'enfuyant presque, retourner en France. Là, jeune encore, il mourut dans un accident.

Son cousin Louis XII, le nouveau roi (1499–1515), réclamant

non seulement le royaume de Naples, mais encore le Milanais, continua la guerre. Malgré un système d'alliances habilement conclues avec des princes italiens, malgré de bons généraux, la France fut encore vaincue. L'une après l'autre, Louis mena trois armées en Italie, mais sans pouvoir réaliser ses desseins. 5

François Iᵉʳ (1515–1547) ne comprit pas la leçon de ces défaites. Marignan, la célèbre victoire qu'il remporta en Italie la première année de son règne, sembla lui donner raison. En 1518 un traité lui livra une grande partie de l'Italie. Le pape et les princes italiens reconnaissaient la suprématie de la France. 10 Toute l'Europe vivait en paix.

Jamais calme n'avait été plus trompeur. En face de la France se dressa tout à coup un adversaire redoutable. Don Carlos, roi d'Espagne, fut élu en 1519 empereur du Saint Empire Romain sous le nom de Charles-Quint. L'Espagne, l'Autriche, l'Alle- 15 magne, les Pays-Bas, une partie de l'Italie, des colonies très riches en Afrique et en Amérique, tous ces domaines étaient réunis sous un chef unique, ennemi irréconciliable de François Iᵉʳ, qui avait été son rival pour le trône impérial. Le destin de toute l'Europe occidentale était aux mains de deux jeunes hommes: en 20 1519, François Iᵉʳ n'avait que vingt-cinq ans, Charles-Quint dix-neuf! Celui-là convoitait l'Italie, qui appartenait à l'Empereur; celui-ci voulait la Bourgogne et la Picardie, que son grand-père Charles le Téméraire avait possédées, mais qui avaient été confisquées par Louis XI. 25

La lutte commença en 1521. Comme la guerre de Cent ans, cette lutte fut coupée de trêves et la balance pencha tantôt d'un côté, tantôt de l'autre. Les forces des combattants étaient à peu près égales. La France était encerclée par ses ennemis, mais elle avait la paix à l'intérieur, alors que l'immense empire de 30 Charles-Quint, aux états dispersés, était souvent en proie à des révoltes. On pouvait se transporter assez facilement d'un bout à l'autre de la France; mais il fallait des mois pour envoyer une armée, ou même un ordre, d'Espagne aux Pays-Bas. Il arrivait parfois que Charles-Quint ne savait pas où se trouvaient ses 35 armées.

A cause de la Réforme,[1] l'Europe était déjà divisée entre

---

[1] Nous parlerons de la Réforme au chapitre suivant.

catholiques et protestants. François Ier, bien qu'il fût catholique, s'allia aux princes protestants d'Allemagne. Charles-Quint, lui, sut s'attirer l'amitié du roi Henri VIII d'Angleterre.

La première grande bataille de la guerre se livra en 1525 à
5 Pavie en Italie. Malgré les efforts de Bayard, «le chevalier sans peur et sans reproche», malgré le courage du roi, les Français furent vaincus. François Ier fut fait prisonnier, envoyé à Madrid, et obligé de verser une énorme rançon. De plus, par le traité de Madrid (1526), la France perdit Naples, Milan et la Bourgogne;
10 ces conditions étaient si dures que le Parlement de Paris refusa de les exécuter.

Une fois libéré, le roi de France voulut sa revanche. Il s'allia aux Turcs, acheta pour deux millions d'or l'amitié d'Henri VIII et obtint l'appui du pape. Toute l'Europe prit parti pour ou
15 contre un des combattants. La diplomatie avait trouvé le principe de «l'équilibre européen».

En 1536, la lutte reprit. Une fois de plus, Henri VIII changea de camp; la France fut envahie. Les intrigues, les batailles, les alliances se poursuivirent jusqu'à un nouveau traité qui fut signé
20 en 1544.

Trois ans plus tard, François Ier mourut. Henri II, qui lui succéda, réorganisa l'armée et resserra ses alliances. Quand la guerre recommença, la France fut victorieuse. L'empereur Charles-Quint, épuisé moralement et physiquement, abdiqua
25 en 1555 et termina sa vie dans un couvent; son empire fut divisé entre son frère et son fils. Ainsi, la France n'était plus entourée par des états appartenant à un seul souverain. En 1557, la paix de Cateau-Cambrésis mit fin aux longs et inutiles efforts des rois de France pour posséder l'Italie.

30   Que d'hommes tués, que d'argent dépensé, que d'énergie perdue! Mais au delà des Alpes, les Français avaient admiré une nouvelle civilisation, une civilisation qui devait donner l'essor au mouvement artistique de leur propre Renaissance.

La Cour de Fontainebleau

C'EST surtout pendant le règne de François Ier, et en grande partie grâce au roi, que la Renaissance s'est développée en France. L'exemple qu'il a donné et la protection qu'il a offerte aux écrivains et aux artistes ont rendu son nom immortel et ont fait oublier ses défaites, son orgueil et ses dérèglements. Tous les 5 rois de France ont eu la «folie des bâtiments», mais le plus prodigue de tous, c'est sans doute François Ier. Au Louvre, il ajouta une aile somptueuse; il dépensa vingt millions de livres à la construction de Chambord, rebâtit à l'italienne les «maisons» royales qu'il jugeait démodées, éleva dix châteaux; surtout, de 10 Fontainebleau, modeste pavillon de chasse, il fit le plus beau palais de France.

La reconstruction de Fontainebleau commença en 1527. Deux ans auparavant, François avait été fait prisonnier par les armées de son grand rival Charles-Quint. Revenu en France, 15 malade, humilié, il voulut tout oublier, l'Italie perdue, ses fils retenus en otages à Madrid, la France vaincue et appauvrie. Dans la création d'un nouveau palais caché au cœur d'une des grandes forêts de France, il crut trouver l'oubli.

En Italie, il avait senti la beauté de la Renaissance italienne. 20 Il avait admiré les fresques des grands peintres, Léonard de Vinci, Botticelli, les statues des grands sculpteurs, Michel-Ange, Verrochio, Donatello. Devant lui, une forme nouvelle d'expression était apparue, où la joie de vivre, le plaisir des yeux et de l'esprit, semblaient triompher. Mais ce qu'il avait le mieux compris, 25 c'était l'architecture italienne, avec sa décoration sobre, la nudité dorée de ses pierres, les rangées de hautes fenêtres sur de longues façades, les sveltes colonnes qui rappellent les temples antiques. En Italie, «les châteaux-forts étaient des palais, les cours étaient des jardins riants». Et François voulut faire de 30 Fontainebleau un *palazzo* florentin.

Un tel palais aurait été déplacé dans l'Île-de-France. Heureusement, les architectes italiens ou français qui ont bâti le palais ont conservé les murs épais, les beaux toits pointus, les hautes cheminées de brique rouge, la forme irrégulière des châteaux français. Malgré eux, les italianisants les plus résolus restaient français sous le ciel français.

5 A l'intérieur du palais, les décorateurs, peintres et sculpteurs italiens attirés par la générosité de François Ier, ont laissé des traces plus visibles de leur passage. Le Rosso et Le Primatice sont loin d'égaler Michel-Ange ou Raphaël, mais c'étaient de bons peintres consciencieux et délicats; grâce à eux, les Français ont redécouvert l'Antiquité, une antiquité de rêve, peuplée de héros mythologiques, Jupiter, Vénus ou Vulcain, tout un Olympe italianisé, frêle et aimable. Benvenuto Cellini et ses élèves ont su faire apprécier aux Français la beauté de la matière pure — marbre nu ou pierre à peine travaillée; les architectes de Fontainebleau ont su leur faire comprendre la grâce des galeries lumineuses recouvertes de bois précieux, la majesté des tribunes de marbre d'où le roi et ses favoris surveillaient les danseurs. Dans la bibliothèque de Fontainebleau, de merveilleux tableaux italiens étaient accrochés: la *Mona Lisa* de Léonard de Vinci, des déesses du Titien, des Vierges de Raphaël. Les fenêtres hautes et larges s'ouvraient comme à Florence pour faire admirer les longues perspectives, les pièces d'eau qui reflétaient des statues; en même temps que l'antiquité, les Français, toujours à l'imitation des Italiens, sentirent la beauté de la nature.

25 L'influence italienne transforma non seulement l'art français, mais aussi la vie de cour. Sous François Ier, la cour sévère des souverains du moyen âge, formée de prêtres et de conseillers austères, fit place à une assemblée joyeuse de quelque vingt mille personnes, nobles, ministres, serviteurs et bouffons. Alors grandit, avec tous ses bienfaits, la vie de société, qui avait à peine existé au moyen âge.

Les femmes, surtout, jouèrent un grand rôle dans cette transformation de toute une classe de la société. Intelligentes, instruites, telles que la duchesse d'Étampes, «la plus savante des belles et la plus belle des savantes», ou Marguerite, la sœur du roi, elles donnèrent à la cour un ton raffiné auquel les guerriers revenus d'Italie s'habituèrent vite.

La vie de cour eut une forte influence politique. Au lieu de rester dans leurs châteaux lointains, où il était facile de conspirer contre le roi, les nobles furent attirés en foule à la cour, où ils pouvaient être surveillés de près. En partie grâce à la nouvelle vie de cour, François Ier put être un roi absolu.

Ce cadre nouveau d'une société nouvelle n'était pas limité à Fontainebleau. Par toute la France, les murs des châteaux se 5 couvrirent de tapisseries à sujets païens. Mille objets d'art — broderies, coffrets d'argent, émaux qui reproduisaient à la française les fresques italiennes, reliures dont le cuir rouge était caché sous des dessins dorés — répandirent partout une joie de vivre que le moyen âge n'avait pu connaître. Cet «amour intense de 10 la vie, de tout ce qu'elle offre de beau et de bon»,[1] c'est un des traits caractéristiques de la Renaissance.

« XI »

Les Guerres de Religion

Au moment où la Renaissance transformait le goût artistique des hommes du seizième siècle, un événement d'une gravité extrême — la Réforme — déchaîna leurs passions et troubla leurs 15 âmes.

Depuis longtemps, une réforme de l'Église semblait nécessaire. Certains papes, tels que Jules II ou Léon X, paraissaient «plus occupés de politique ou des beaux-arts que des intérêts spirituels de la chrétienté».[2] Une partie du clergé, riche et corrompue, 20 suivait leur exemple. La simplicité de l'Église primitive trop souvent semblait oubliée. Au début du seizième siècle, les idées de réforme trouvèrent en Martin Luther, un moine allemand, un

[1] D'après Chamard.
[2] Malet.

porte-parole énergique et belliqueux. Ses idées pénétrèrent
très vite en France. François Ier toléra les premiers protestants;
Marguerite, sa sœur, les protégea. Il y avait deux groupes parmi
les réformateurs; l'un était composé de ceux qui désiraient
5 supprimer les abus de l'Église tout en restant fidèles au Pape;
l'autre était composé de ceux qui, à l'exemple de Luther, voulaient se séparer de l'Église catholique et établir une religion
nouvelle. C'est ce dernier groupe qui se développa le plus rapidement en France.
10   Jusqu'en 1534, il n'y eut pas de grands éclats. Il est vrai que
l'Église faisait de son mieux pour combattre la propagation des
idées luthériennes et la formation de sectes protestantes. Par
exemple, la faculté de théologie de l'Université de Paris, la
Sorbonne, condamna tous les livres qu'elle trouva dangereux.
15 Pourtant, sous François Ier, souverain libéral, allié aux princes
protestants d'Allemagne et occupé par ses guerres contre Charles-
Quint, la Religion Réformée continua à gagner des adhérents
nombreux.
    Le roi chercha même à diminuer l'autorité de la Sorbonne.
20 Pour encourager l'étude du grec, du latin et de l'hébreu, il fonda
à Paris un établissement rival où l'on enseignait ces trois langues;
cet établissement est devenu depuis le Collège de France.
    En 1534, les Huguenots[1] commirent une grosse faute. Sur les
murs de Paris et même sur la porte de la chambre du roi, ils
25 affichèrent des «placards» qui dénonçaient l'Église catholique.
François Ier, effrayé par la témérité des Huguenots, permit aux
Catholiques d'essayer de supprimer leurs ennemis. Il y eut alors
des persécutions cruelles, et beaucoup de protestants durent
s'enfuir de France. Parmi ces fugitifs était Jean Calvin (1509–1564).
30   Calvin était né en Picardie, où les idées de la Réforme avaient
pénétré très tôt. Il étudia dans les universités provinciales, plus
tolérantes que la Sorbonne, et aussi à Paris; bientôt il se fit une
réputation de savant et d'humaniste. L'«affaire des placards» le
força à se réfugier à l'étranger. A Strasbourg il publia en latin
35 son *Institution Chrétienne* (1536), qui devait exercer une influence
profonde sur les idées religieuses de l'époque. Quelques années
plus tard, il s'établit à Genève, dont il fit la capitale protestante

---

[1] On ne connaît pas l'origine du nom «Huguenots» donné aux protestants
français

de l'Europe. Ses livres et ses lettres encouragèrent ses disciples qui devenaient de plus en plus nombreux en Angleterre, en Écosse et en France. Au siècle suivant, les premiers colons de la Nouvelle-Angleterre introduisirent le calvinisme en Amérique.

De Genève, Calvin prêcha la révolte contre l'autorité de 5 l'Église catholique. Or, François Iᵉʳ, par suite d'un concordat avec le pape, était à la tête de l'Église catholique en France; il fallait donc que le roi défendît l'Église pour se défendre lui-même. Édits, emprisonnements, supplices, furent cependant inutiles. Les idées calvinistes pénétrèrent dans le peuple. Des temples 10 protestants s'élevèrent, surtout dans le Midi et dans l'ouest de la France. De grands seigneurs aidèrent leurs coreligionnaires. Bientôt l'intolérance des protestants fut aussi forte que l'intolérance des catholiques.

Henri II, qui termina par un traité favorable à la France les 15 longues guerres contre Charles-Quint, ne put pas supprimer le mouvement protestant. Après sa mort les protestants osèrent se révolter ouvertement: les guerres de religion, préparées par trente ans de disputes, commencèrent en 1562. Elles durèrent jusqu'en 1598. Pendant cette époque douloureuse, la France 20 revit toutes les horreurs de la guerre de Cent ans.

Il y eut huit guerres successives séparées par des trêves, marquées par des assassinats, des intrigues politiques et de fausses réconciliations. Il n'est pas nécessaire d'en étudier tous les détails. Les exemples de perfidie et de cruauté furent nombreux 25 des deux côtés.

A la mort de Henri II, sa femme, Catherine de Médicis, devint régente. Son fils aîné, François II,[1] ne régna qu'une année (1559–1560). Le frère de celui-ci, Charles IX (1560–1574), resta sous la domination de sa mère. Son règne est marqué par l'événement le 30 plus tragique des guerres de religion, le Massacre de la Saint-Barthélemy, au cours duquel plus de vingt mille protestants furent assassinés (24 août 1572). Les historiens ne savent pas qui fut responsable de ce massacre affreux. Il se peut que Catherine elle-même, ambitieuse et sans scrupules, l'ait préparé; en tout cas, 35 Charles IX ne l'a pas empêché. Malgré leurs pertes, les Huguenots continuèrent la lutte.

---

[1] La veuve de François II était la célèbre Marie Stuart — Mary, Queen of Scots.

En 1574, Charles IX mourut, peut-être fou de remords. Son frère cadet, Henri III, lui succéda. Henri III était plus faible encore que son prédécesseur; lâche, hypocrite, dominé par sa mère, Henri III a laissé dans l'histoire de France la réputation 5 d'un meurtrier. Jaloux du puissant chef catholique, le duc de Guise, il le fit assassiner. L'immoralité de sa vie scandalisa même ses partisans. Les catholiques se révoltèrent contre lui: Paris lui fut fermé. Il se tourna vers son cousin protestant, le roi de Navarre. Rendu furieux par cette apparente perfidie, un moine 10 fanatique l'assassina en 1589.

Henri III n'avait ni enfant ni proche parent; le roi Henri de Navarre, descendant de Saint Louis et de la famille toute française des Bourbon, réclama la couronne de France et prit le nom de Henri IV. Mais il était protestant; les Français, pour la plu-15 part catholiques, refusèrent de l'accepter pour roi.

Sans grandes ressources financières ou militaires, menacé par le roi d'Espagne qui, lui aussi, réclamait la couronne, Henri IV entreprit de conquérir son royaume. Courageux et énergique, il remporta deux grandes victoires sur les catholiques, à Arques 20 (1589) et à Ivry (1590). «Si vous perdez vos enseignes, dit-il à ses soldats avant cette dernière bataille, ralliez-vous à mon panache blanc; vous le trouverez toujours au chemin de l'honneur et de la victoire.»

Paris, aux mains des catholiques, lui résista. Henri se rendit 25 compte que son armée n'était pas assez forte pour saisir la capitale. Il décida de se faire catholique. «Paris vaut bien une messe», dit-il. Une fois catholique, le roi entra sans résistance dans la ville (1594).

La France, enfin, avait un roi digne d'elle. Il était temps; 30 jamais, même après la guerre de Cent ans, le royaume n'avait connu pareille misère. L'autorité royale ébranlée, le trésor royal dissipé, quatre millions de Français tués par des Français, l'existence même de la France menacée par l'Espagne, tel était le bilan des trente années de guerre.

35 Henri IV avait devant lui une tâche plus dure encore que celle de Louis XI après la guerre de Cent ans; mais il fut, lui aussi, un très grand roi. Il sut inspirer confiance à son peuple, et voulut améliorer son sort. «Je veux, disait-il, qu'il n'y ait si pauvre paysan en mon royaume qu'il n'ait tous les dimanches sa poule au

pot». Il sut oublier le passé et pardonner à ses ennemis. Enfin, la paix régnait entre catholiques et protestants. Par l'Édit de Nantes (1598), Henri IV proclama en France la liberté de conscience. Ainsi c'est un roi de France, qui, le premier en Europe, fit de la liberté religieuse un principe de gouvernement. S'en- 5 tourant de bons conseillers, tels que Sully, le célèbre ministre, Henri IV réorganisa les finances et le commerce du royaume, et rendit enfin au pays sa prospérité passée.

Au dehors, la politique de Henri IV fut aussi heureuse. Les premières colonies françaises permanentes furent établies; c'est en 10 1608 que Champlain fonda la ville de Québec. Il est probable que Henri IV a conçu le grand dessein de former les États-Unis d'Europe ou une Société de Nations. Mais il n'eut pas le temps de réaliser ce grand projet. En 1610, il fut assassiné par un fanatique.

Les pauvres de France, «ivres d'amour pour leur souverain», 15 les bourgeois, pour qui il avait été «le plus grand roi de la terre et le meilleur», le pleurèrent. Aujourd'hui encore, après trois siècles, aucun des souverains français n'est plus populaire. Henri IV mérite bien le nom de Henri le Grand.

Une Grande Ville au XVIe Siècle: Lyon

APRÈS Paris, il n'est pas de ville française mieux située que Lyon. 20 Placée au confluent de la Saône et du Rhône et reliant, grâce à ces deux cours d'eau, les plaines du Midi aux plaines du nord de la France, elle a toujours joué un grand rôle dans la vie de la nation; de plus, à mi-chemin entre Paris et Florence, peu éloignée de la Suisse et des grandes villes d'Allemagne, elle est devenue 25 un des carrefours de l'Europe. Par sa population (six cent mille habitants), Lyon est aujourd'hui la troisième ville de France, Paris et Marseille seuls étant plus peuplés. Mais par son importance dans la vie économique et intellectuelle de la France, elle n'est inférieure qu'à Paris. 30

Au temps de l'occupation romaine, la ville de Lyon, déjà puissante, devint la capitale de la Gaule, celle où l'on célébrait les sacrifices nationaux aux dieux latins; quatre empereurs romains y sont nés, les premiers martyrs chrétiens de France y
5 furent suppliciés. Mais c'est surtout au moyen âge que la ville se développe. Lyon est déjà au quinzième siècle le grand centre commercial qu'il est resté: toutes les marchandises débarquées à Marseille d'Afrique ou d'Asie, tous les produits d'Italie expédiés en France doivent être examinés à Lyon, ville douanière.
10 Quatre fois par an, des foires célèbres attirent les marchands et les acheteurs européens. Londres, Augsbourg, Gênes, Venise, Bruges, les grandes villes industrieuses du moyen âge, y envoient et y échangent leurs meilleurs produits. A l'imitation des banques italiennes, les plus anciennes d'Europe, des banques sont établies
15 très tôt à Lyon.

Enfin, dans la seconde moitié du quinzième siècle, deux industries nouvelles achèvent d'établir la suprématie commerciale de la ville: les soieries et les livres imprimés de Lyon ont peu de rivaux en Europe.
20 Lyon devint un centre d'imprimerie plus important encore que Paris: à la fin du quinzième siècle, il s'y trouvait plus de soixante-dix imprimeurs, chiffre énorme pour l'époque. Au siècle suivant, la plupart des bons imprimeurs français habitaient Lyon, et un grand nombre des meilleurs livres de la Renaissance y furent
25 publiés. Or, les imprimeurs du seizième siècle furent le plus souvent des savants: Lyon devint donc, grâce à eux et à ses contacts continus avec l'Italie, le premier centre français de la Renaissance. Une société raffinée d'érudits et de poètes se forma à Lyon. Tous ces italianisants convaincus répandirent en
30 France les idées nouvelles. Lyon, «cité très noble et très antique», devint vraiment le «second œil de la France».

Ville riche, dont les impôts augmentaient sensiblement le trésor royal, Lyon est respecté, protégé par tous les souverains, qui y sont reçus en grande pompe par les bourgeois. D'ailleurs,
35 les Lyonnais, très indépendants, ont leur propre gouvernement, le Consulat, dont les membres n'obéissent au roi que s'ils le veulent, et se révoltent au besoin contre l'autorité centrale.

Dans une telle ville, ouverte à toutes les idées étrangères et peu éloignée de la Suisse calviniste, les théories de la Réforme devaient se répandre vite. Pendant longtemps, les protestants ne furent pas inquiétés par le Consulat. Il arriva pourtant un moment où, à Lyon comme ailleurs, une réaction eut lieu: presque du jour au lendemain, les Huguenots furent persécutés. Mais bûchers ou échafauds furent impuissants: Lyon devint la plus grande ville 5 protestante, la capitale calviniste de la France, et se transforma presque en une autre Genève. Le gouvernement tomba aux mains des Réformés: ils interdirent la célébration de la messe, brûlèrent les bibliothèques, pillèrent les églises, violèrent les tombes —ne faisant d'ailleurs qu'imiter en cela la conduite de leurs 10 ennemis dans les villes où ceux-ci étaient le plus puissants. Après un an d'un tel gouvernement, sans foires, sans commerce, la ville était presque ruinée; Lyon n'était plus qu'un centre militaire d'où les chefs protestants envoyaient par tout le Midi leurs armées. Un tel état de choses ne pouvait pas durer. Aussitôt que le roi 15 Charles IX envoya ses représentants pacifier la ville, tout sembla rentrer dans l'ordre.

Mais la paix entre protestants et catholiques ne fut que momentanée: le massacre de la Saint-Barthélemy à Paris (1572) eut ses répercussions à Lyon: en un jour, huit cents personnes furent 20 massacrées et leurs cadavres jetés dans le Rhône. Alors, pendant quinze ans, c'est la débâcle. Le roi même ne peut pas maintenir l'ordre: Henri III est trop faible, les dissensions religieuses sont plus fortes que l'esprit monarchique. Puis la peste arrive, qui achève de dévaster la malheureuse ville. Il faudra l'autorité 25 de Henri IV, à qui le petit peuple s'est offert, pour rétablir la paix. Mais l'orgueil de Lyon est brisé, et le Consulat, symbole d'indépendance, est remplacé par des agents du roi.

Puis la ville recommence à vivre; lentement, les horreurs de la guerre civile sont oubliées, le commerce reprend, les étrangers 30 reviennent. La leçon a été dure, mais les Lyonnais l'ont comprise: pour eux, plus de révoltes, plus de luttes fratricides. Lyon redevient la ville profondément religieuse et en même temps libérale qu'elle avait été. Et, à côté de ses églises, les métiers à tisser enrichissent la grande cité, la plus active peut-être du 35 dix-septième siècle. Malgré bien des entraves, Lyon, comme Paris qui lui ressemble tant, va rester un des centres industriels les plus importants d'Europe, et un des grands marchés du monde.

« XII »

Trois Grands Écrivains du XVIe Siècle

Nous avons vu que les artistes italiens et leurs imitateurs français avaient représenté dans la décoration de Fontainebleau les dieux et les déesses de l'Olympe. L'art de la Renaissance, en effet, s'est inspiré de l'art classique. Mais ce n'était pas une imita-
5 tion servile; il s'y montrait une délicatesse et une fantaisie nouvelles. Il en fut de même de la littérature française de la Renaissance: les écrivains, comme les artistes, cherchèrent leur inspiration dans l'antiquité, mais ils voulurent, eux aussi, faire preuve d'originalité.

10   A beaucoup d'égards, Rabelais (1494?–1553?) montre bien l'esprit de son époque. Destiné dès l'enfance à l'Église, il se fait moine. L'étude du grec l'attire invinciblement, mais ses supérieurs la lui interdisent. Il change donc d'ordre monastique, visite les universités provinciales et l'université de Paris, apprend
15 à Montpellier la médecine et devient médecin. La passion du savoir lui fait lire avec une ardeur fiévreuse toutes les œuvres grecques et latines qu'il peut obtenir.

Nommé médecin d'un hôpital à Lyon, il respire l'atmosphère libérale de cette ville. Toute sa vie, il restera catholique, mais il
20 attaquera violemment les abus de l'Église. Quand la Sorbonne condamne ses livres, il se réfugie en Italie, en Savoie ou en Lorraine. On trouve chez Rabelais les qualités de l'homme de la Renaissance: désir de tout savoir, audace, libéralisme.

Rabelais, pourtant, n'a pas osé exprimer ouvertement ses idées;
25 c'eût été trop dangereux. Aussi a-t-il donné prudemment à ses ouvrages la forme de romans. Il raconte la vie et les aventures de deux géants, Gargantua et Pantagruel, et il répand sur tout ce

qu'il écrit un vernis d'exagération comique. Il faut soulever le masque pour voir le vrai Rabelais. A première vue, on dirait que les «horribles et épouvantables faits et prouesses du très renommé Pantagruel» ne sont qu'un conte absurde, une parodie des romans d'aventures du moyen âge. Mais les géants de Rabelais 5 sont des monarques bienfaisants qui donnent aux lecteurs des leçons de tolérance et de magnanimité. Il faut à Pantagruel quatorze ans pour apprendre l'alphabet à rebours, nous dit Rabelais; c'est une manière discrète de se moquer du système d'éducation, qui produisait trop souvent des esprits bornés et des 10 sots. Dans un chapitre célèbre de son *Troisième Livre*, il semble admirer un juge qui décide tous les procès en jetant des dés; c'est une satire de la justice de l'époque. Derrière le masque, Rabelais attaque les superstitions du moyen âge, les causes futiles des guerres, l'orgueil d'un roi qui veut conquérir le monde, l'ad- 15 ministration de la justice, l'oisiveté des moines, l'ambition tem- porelle des papes, bref, tous les abus dont il a été témoin au cours de sa vie.

Rabelais, pourtant, ne se contente pas de critiquer. Il présente un idéal et un système d'éducation qui annoncent les théories 20 modernes. Dans le cadre de sa célèbre «abbaye de Thélème» il loue la vie que mènent les moines et les nonnes — une existence qui ressemble beaucoup à la vie élégante telle qu'elle existe à la cour de François Ier. La seule règle qu'on doit observer, «Fais ce que voudras», montre la confiance de Rabelais dans la nature 25 humaine. Autant qu'un homme du vingtième siècle, Rabelais aime tout ce qui peut rendre la vie plus agréable, le luxe, les exercices physiques, la liberté.

Rabelais a malheureusement la réputation d'être immoral, difficile à lire et fatigant. L'adjectif «rabelaisien» est devenu 30 synonyme de choquant ou grossier. Il est vrai que les cinq livres de *Gargantua* et *Pantagruel* ont des passages fort vulgaires, que l'auteur s'y sert d'un vocabulaire immense, et que quelques-unes des questions qui passionnaient Rabelais ne nous intéressent plus. Un lecteur paresseux, pressé ou délicat ne peut apprécier les 35 œuvres de Rabelais. Mais ce robuste auteur offre à qui est perspicace et patient de rares satisfactions. Sa verve, son érudi- tion, ses idées libérales et la profondeur de sa pensée font de Rabelais un géant intellectuel.

De tous les poètes qui, au seizième siècle, ont cherché à faire œuvre originale en s'inspirant des modèles grecs et latins, Ronsard (1524–1585) est le plus important. Il fut le chef de la Pléiade. Les poètes qui faisaient partie de ce groupe voulaient réformer la
5 poésie française en renouvelant les thèmes poétiques et en transformant le style. Le manifeste de ce groupe, *Défense et Illustration de la Langue française*, fut publié par un ami de Ronsard, Joachim du Bellay, lui aussi poète de talent, sinon de génie. Les idées exprimées dans cet ouvrage — dédain du moyen âge, imitation
10 des écrivains de l'antiquité, enrichissement de la langue par l'invention de mots nouveaux empruntés au grec et au latin — ces idées se retrouvent dans les poèmes de Ronsard.

De son vivant, Ronsard jouissait d'une réputation immense. On l'appelait «le roi des poètes et le poète des rois.» Au dix-
15 septième siècle, il fut l'objet de violentes attaques de la part de deux critiques célèbres, Malherbe et Boileau; au dix-huitième siècle, il tomba presque dans l'oubli. Mais aujourd'hui, son génie est à nouveau admiré, et il est probable qu'on aimera toujours ses meilleures odes et ses plus beaux sonnets, où, avec grâce et
20 dans des vers harmonieux, il invoque les dieux antiques, loue Homère et Horace, chante les femmes qu'il a aimées, et témoigne d'un sentiment profond de la nature. Ronsard aimait la vie et la gloire; il mêla aux souvenirs de l'Antiquité ses sentiments personnels. Ce sont bien là les caractéristiques de la poésie
25 de la Renaissance.

Pendant les guerres de religion, on s'intéressait naturellement plus à la politique qu'aux beaux-arts. La littérature de l'époque n'aurait peut-être rien laissé de remarquable, si Michel de Montaigne (1533–1592), après s'être mêlé quelques années à la
30 vie de son temps, ne s'était retiré dans la tour de son château pour lire, méditer et écrire. Dans la solitude de sa bibliothèque, il composa ses fameux *Essais*. D'abord il écrit ce que ses livres lui suggèrent, ensuite tout ce qui lui vient à l'esprit. Par exemple, il traite de la mort, l'éducation, l'amitié, il commente aussi bien
35 les livres classiques que les mœurs des cannibales. Il analyse tout, il cherche les causes de tout. Sa fameuse devise, «Que sais-je?», résume son scepticisme. C'est un homme de la Renaissance: il rejette ce qui n'est pas dicté par le bon sens ou la raison. Mais, tandis que Rabelais voulait que l'éducation reposât sur la mé-

moire et sur une activité intellectuelle constante, Montaigne, lui,
préférait la formation du jugement. Plus qu'aucun homme de
son époque, il est impartial, tolérant, charitable.

Dans ses *Essais*, Montaigne parle surtout de lui-même. Mais
l'étude de sa propre nature ne le rend pas indifférent à la pensée 5
des autres. Il fait de la philosophie introspective. En s'étudiant,
il cherche les caractères fondamentaux de la nature humaine.

Montaigne parle, nous l'avons dit, de tout ce qui lui vient à la
pensée; de là, des digressions innombrables, un manque d'ordre
et de clarté qui sont souvent déconcertants. Mais de là aussi 10
vient une richesse d'idées et de suggestions qui fait des *Essais* un
des livres les plus profonds et les plus influents de toute la littérature française.

A première vue, le vigoureux Rabelais, l'harmonieux Ronsard
et le sage Montaigne étaient bien différents. Il y eut pourtant un 15
lien non seulement entre ces trois auteurs, mais aussi entre tous les
écrivains et tous les savants du seizième siècle. Ce lien fut l'*humanisme* — l'étude fervente et l'admiration enthousiaste de tout
ce qui avait été écrit en grec et en latin. Des savants, tels que
Guillaume Budé et Érasme, développèrent l'étude du grec. 20
Rabelais et Ronsard furent en quelque sorte les disciples de ces
grands hommes. Les auteurs favoris de Montaigne étaient Plutarque, Sénèque et Virgile, mais les *Essais* sont pleins de citations
d'un grand nombre d'ouvrages latins. Au seizième siècle on
trouva dans les littératures anciennes des modèles et des idées. 25

Les humanistes firent des critiques de textes grecs et latins.
L'imprimerie mit ces textes entre les mains de tous les lettrés. Il
y eut alors des traducteurs de talent; Amyot, par exemple, qui fit
des *Vies* de Plutarque un chef-d'œuvre de la prose française.
On s'intéressa sérieusement à la grammaire et on composa de 30
nombreux dictionnaires. On étudia la civilisation de la Grèce et
de Rome. Le grand respect que les écrivains français ressentirent
pour les auteurs classiques les conduisait à rechercher pour eux-
mêmes la célébrité littéraire. L'humanisme éveilla chez les
hommes de la Renaissance un esprit de critique, d'analyse et 35
d'émulation qui fit faire de grands progrès à la vie intellectuelle
en France. L'influence de la Réforme sur les idées religieuses ne
fut pas plus grande que celle de l'humanisme sur la littérature, la
philosophie et les arts.

Les Bords de la Loire

Chacune des grandes régions de la France, à un moment de
son histoire, a connu une période glorieuse: un comte ou un duc
artiste, une famille noble enthousiaste, établit pendant quelques
années ou quelques générations un foyer d'art près de son château:
5 peintres et écrivains étaient invités, accueillis, protégés; inspirés
par la vie de la petite cour, ils créaient un style nouveau, ils
développaient des idées nouvelles. Mais, le plus souvent, cette
période fut de courte durée; la famille noble s'éteignait ou s'af-
faiblissait, et bientôt la province retombait en quelque sorte
10 dans l'oubli. C'est ce qui est arrivé, nous l'avons vu, dans la plupart des régions que nous avons étudiées — par exemple, dans le
Languedoc, en Champagne, en Bourgogne.

Pourtant, il y a en France toute une région, le Val de Loire, où
le goût des arts et des lettres s'est conservé longtemps et sans
15 interruption. Pendant deux siècles en effet — le quinzième et
le seizième — les rois de France ont habité les bords de la Loire.
Au quinzième siècle, chassés par les Anglais de leur capitale et
de l'Île-de-France, ils ont vécu, un peu en fugitifs, à Chinon ou à
Blois. Mais, au seizième siècle, lorsque la paix fut revenue, c'est
20 de leur plein gré que les rois et les seigneurs choisirent cette
région pour y vivre. Alors que la France était déchirée par les
guerres de religion, la cour des derniers Valois y préserva et y
développa à son plus haut point la culture de la Renaissance.
Ce que le Dijon des Ducs de Bourgogne avait été pour la civilisa-
25 tion pendant la guerre de Cent ans — le refuge des arts — le Val
de Loire tout entier le fut pendant les guerres entre catholiques
et protestants.

Il est naturel que les grands aient désiré habiter le Val de
Loire, qu'on appelle à juste titre le «Jardin de la France». Les
30 provinces qui bordent le fleuve — les deux principales sont la
Touraine et l'Anjou — jouissent du climat le plus agréable de
France. La vigne et les arbres fruitiers y mûrissent facilement sur
les coteaux et dans les vallons; une lumière douce et dorée, des

horizons lointains, des rivières lentes qui reflètent le ciel clair, donnent à l'Anjou et à la Touraine un charme aristocratique unique. Pendant toute la période de la Renaissance, les riantes vallées de la Loire et de ses affluents se sont couvertes de châteaux et de gentilhommières. 5

Visitons quelques-uns des châteaux célèbres du Val de Loire.

De Plessis-lès-Tours, où mourut Louis XI, et de Chinon, où Charles VII reçut Jeanne d'Arc, il ne reste presque plus rien. Mais Blois, ville illustre dans l'histoire de France, est dominé depuis des siècles par son château. Ce palais est devenu, comme on 10 l'a dit, «une vivante leçon d'architecture». Il montre bien à quel point l'idéal français s'est pénétré de l'art italien, tout en conservant son individualité. Des bâtiments tout gothiques sont entourés par le gracieux logis construit par Louis XII, alors que dans la cour centrale, la salamandre, emblème de François Ier, 15 orne un immense escalier de pierre qui est sans doute le chef-d'œuvre de l'architecture de l'époque. Près de là, une aile bâtie au dix-septième siècle s'harmonise, malgré tout, aux constructions environnantes.

Près de Blois, au milieu d'une belle forêt, se dresse un autre 20 château, celui-ci bâti tout entier par un seul roi, François Ier. C'est Chambord, «maison de campagne de la royauté», le plus grand des châteaux de la région, masse énorme de pierre à laquelle deux mille maçons travaillèrent plus de quinze ans. La façade à l'italienne, trop symétrique, est un peu froide. La 25 décoration, bien française, elle, semble s'être réfugiée sur la terrasse, d'où les dames de la cour pouvaient suivre les chasses. A l'intérieur, il y a un merveilleux escalier double en spirale, construit de telle sorte que le seigneur qui montait ne pouvait pas voir le seigneur qui descendait. Les meubles étaient sans 30 doute magnifiques. Mais depuis longtemps les quelque trois cents salles du château sont vides et nues. Chambord, en effet, est presque inhabitable. Il ne possède ni eau potable ni chauffage central! La «folie» de François Ier ne plut guère aux rois de France, pas même à son fondateur qui s'en fatigua vite et n'y 35 demeura que quelques mois. Louis XIV, pourtant, y séjourna plus d'une fois et Molière y représenta pour lui quelques-unes de ses comédies.

A une heure de Blois se trouve un autre château, celui de

Chaumont, où vécut Catherine de Médicis. Puis, quelques kilomètres plus loin, le château d'Amboise se reflète dans la Loire, ce fleuve qui, traversant toute la région, est un «miroir à châteaux». Là encore, l'histoire de France revit pour nous.
5 Le château repose, dit-on, sur des fondations taillées dans le roc par les soldats de Jules César et refaites par les comtes de Blois et les premiers Capétiens. Charles VIII, qui y est né, embellit la résidence, Louis XI y enferma ses ennemis dans des cages de fer; François Ier y passa son enfance, Léonard de Vinci y fut enterre,
10 et, pendus aux balcons, les corps des martyrs y pourrirent au commencement des guerres de religion.

Le plus beau château de Touraine, c'est sans doute Chenonceaux, pont gracieux élevé au-dessus d'une rivière paisible et recouvert d'une galerie qui fut décorée par les grands artistes du
15 seizième siècle. Bâti pour sa femme par un riche bourgeois, agrandi par une favorite royale et par Catherine de Médicis, habité par deux reines, le château a une grâce toute féminine, un charme familier et intime. C'est, au bout d'une longue allée de platanes, une vision de rêve qu'il est impossible d'oublier.

20 Les châteaux ne sont pas le seul titre de gloire de la région. «Ce pays est propre à nourrir de beaux esprits», a dit un écrivain du dix-septième siècle. C'est à Tours, la capitale, qu'a vécu et qu'est mort Saint Martin, peut-être le plus grand saint du moyen âge. Les ancêtres des Capétiens étaient comtes de Blois. Rabelais
25 naquit près de Chinon. Descartes, «père de la philosophie moderne», et Alfred de Vigny, poète et philosophe, sont nés à Tours. Balzac, également né à Tours, a décrit sa ville natale et sa province dans des romans célèbres.

La vallée de la Loire est donc une des régions les plus attra-
30 yantes de la France. Harmonie du paysage, histoire glorieuse, centre artistique unique, rien ne manque pour faire de la région «le jardin intellectuel et moral» de la France. Pour la plupart des touristes revenus dans leur pays, la Touraine reste, plus que toute autre province, le symbole de la «Belle France».

« XIII »

Louis XIII et Richelieu

Henri IV s'était marié avec une princesse italienne, Marie de Médicis, dont il eut un fils né en 1601. Louis XIII, le nouveau roi, avait donc neuf ans à la mort de son père. Pendant sa régence, Marie de Médicis, faible et peu intelligente, fut dominée par ses favoris et ses favorites. Une fois de plus, semblait-il, l'œuvre d'un 5 grand roi allait être détruite par un successeur indigne. Lorsque les Français virent cette femme frivole à la tête du gouvernement, ils s'écrièrent, avec Sully, le ministre de Henri IV, que «le temps des rois était passé, celui des princes et des grands était venu!» Pendant six longues années, les événements leur donnèrent raison. 10

Les grands seigneurs et les chefs protestants se révoltèrent contre la régente, qui ne put les apaiser qu'en leur offrant d'énormes sommes d'argent et des charges importantes. Mais, au fond, ces révoltes n'étaient pas aussi dangereuses qu'on pourrait le croire; pendant le règne du bon roi Henri, le peuple avait appris à avoir 15 confiance dans la royauté; les rebellions des grands de la cour et les intrigues des aventuriers italiens qui entouraient la reine ne provoquèrent pas de soulèvement dans le peuple.

Un des protégés de la reine était un ecclésiastique ambitieux, Armand du Plessis de Richelieu, d'une famille plus bourgeoise 20 que noble. Lorsque Louis XIII fut en âge de régner, il apprécia la grande intelligence du cardinal; et en 1624, Richelieu devint premier ministre. Alors la France eut à sa tête le plus grand homme politique du siècle. A sa tête en effet: Louis XIII laissa une complète liberté d'action à son ministre, pour qui il n'eut 25 jamais d'amitié, mais dont il reconnaissait la supériorité. Pour la première fois dans l'histoire de France, le roi passe au second plan. La royauté n'en souffrit pas.

En quelques mots, les mots mêmes de Richelieu, voici quel fut le programme du ministre: «J'ai promis à Votre Majesté d'em- 30

ployer toute mon industrie et toute l'autorité qu'il lui plairait de me donner, pour ruiner le parti huguenot, rabaisser l'orgueil des grands et relever son nom dans les puissances étrangères au point où il devrait être». Ce triple programme, Richelieu l'avait
5 accompli lorsqu'il mourut en 1642.

Richelieu s'attaqua d'abord aux protestants, qui, malgré les termes généreux de l'Édit de Nantes, s'étaient révoltés contre l'autorité de la reine-mère. Richelieu qui, avant de devenir évêque et plus tard cardinal, avait appris le métier des armes, prit la
10 direction de la guerre contre les protestants. La lutte dura plusieurs années. C'était dans le Midi que les Réformés étaient le plus nombreux et le plus puissants: de La Rochelle, bon port sur l'Atlantique, ils pouvaient facilement recevoir l'aide de l'Angleterre protestante. Le Cardinal assiégea La Rochelle, qui
15 résista près d'un an avant de se rendre. Les protestants furent vaincus; ils perdirent leur pouvoir politique, mais conservèrent la liberté de conscience et de culte. Ils ne se révoltèrent plus; actifs, économes, bons commerçants, ils allaient aider à faire de la France une des nations les plus riches d'Europe.

20 Puis ce fut le tour des seigneurs, encore plus hostiles à la suprématie politique de Richelieu qu'à la régence de Marie de Médicis. Intrigues et complots se suivirent. A la tête de ces complots était le propre frère du roi, Gaston d'Orléans, lâche et d'intelligence bornée. Les reines elles-mêmes, Marie de Médicis, et la femme
25 de Louis XIII, Anne d'Autriche, étaient mêlées aux révoltes. Richelieu osa s'attaquer à la famille royale. Marie de Médicis fut exilée et mourut peu après en Allemagne. Gaston resta en liberté, mais ses compagnons furent envoyés à l'échafaud.

Pour diminuer le pouvoir des nobles qui restaient fidèles au
30 roi, Richelieu envoya dans les provinces des *intendants* qui enlevèrent aux seigneurs l'administration des finances. L'argent est presque toujours une source importante de la puissance politique: les nobles, privés de leurs revenus, perdirent une grande partie de leur autorité locale.

35 A cette époque, la moitié de l'Europe était divisée par la guerre de Trente ans, à laquelle les ministres de la régence et du début du règne de Louis XIII avaient refusé de prendre part. Mais Richelieu vit là l'occasion de détruire la puissance de l'Espagne et de l'Autriche, toujours menaçantes. Le Cardinal fit appel à

toute son habileté diplomatique. Il s'allia aux protestants d'Allemagne, de Suède et de Hollande, et fit respecter la France par toutes les autres nations d'Europe. Il mourut trop tôt pour voir le succès de ses entreprises; la grande victoire française de Rocroi (1643) mena au traité de Westphalie (1648) et au traité 5 des Pyrénées (1659), par lesquels la France prit possession de trois provinces-frontières de grande importance, l'Alsace, l'Artois et le Roussillon.

Louis XIII mourut quelques mois après Richelieu (1643). Tous deux ont été longtemps incompris. Parce qu'il laissa le soin 10 du gouvernement au seul homme qu'il en sût digne, le roi a été accusé de faiblesse et d'indifférence. Quant à Richelieu, qui avait été sans pitié pour les humbles et sans respect pour les nobles, sa mort fut ressentie comme un soulagement. Ce n'est que plus tard que les Français se rendirent compte de la grandeur de son 15 œuvre. En moins de vingt ans, il avait réorganisé toutes les branches du gouvernement, il avait soumis les protestants, il avait fait des nobles, si turbulents depuis la mort de François Ier, des serviteurs royaux ou des courtisans dociles; enfin, il avait mis la France au premier rang des puissances européennes. Les rois de 20 France ont toujours suscité de grands dévouements, ont toujours su apprécier les grands génies politiques. Richelieu fut le plus fidèle et le plus habile de leurs serviteurs.

La Vie de Province au XVIIe Siècle: Clermont-Ferrand

La province, pour les Parisiens, c'est toute la France, villes et campagne, sauf Paris. Et sans doute n'y avait-il pas au dix- 25 septième siècle de ville française plus provinciale que Clermont-Ferrand. C'est logique. L'Auvergne (la province dont Clermont-Ferrand est une des capitales) demeurait isolée une grande partie de l'année du reste du royaume: les communications y étaient difficiles; les routes peu nombreuses étaient couvertes de neige 30

tout l'hiver et, au printemps, se transformaient vite en chemins
boueux. L'Auvergne, en effet, est un pays de montagnes peu
élevées, mais difficiles à traverser. Ajoutez à cela que la région est
pauvre, sauf dans certaines vallées: déjà à l'époque de Louis XĪII,
5 au moment où la province venait d'être réunie définitivement au
domaine royal, un grand nombre d'Auvergnats émigraient dans
les grandes villes. Il semble donc naturel que les Parisiens les
aient dédaignées un peu, cette province et cette capitale: on n'y
respirait guère l'air de Paris.
10   Reconnaissons-le, Clermont-Ferrand est triste. Dans les rues
étroites et sombres, les maussades maisons de lave grise se groupent
autour d'une cathédrale plus robuste et plus froide que les autres
cathédrales françaises. Les vieux hôtels ont des façades sévères,
l'antique église de Notre-Dame du Port, pourtant bien plus émou-
15 vante que la cathédrale, a la même lourdeur opprimante. On
pourrait croire qu'une telle ville, d'apparence un peu morte, se
contente d'exister, sans penser beaucoup, sans s'intéresser à ce qui
peut rendre la vie plus aimable. Il ne faut pas cependant s'y
tromper: les petites villes provinciales sont paisibles, mais elles ne
20 dorment pas. Clermont-Ferrand n'est qu'un exemple entre cent.
    Les nobles de province sont souvent instruits et même savants.
Les jeunes gens dans les collèges, les jeunes filles dans les couvents,
font des études qui leur donnent le goût de la culture classique.
Dans certaines villes (et Clermont-Ferrand est l'une d'elles), des
25 académies qui suivent les règles de l'Académie française, et qui
reçoivent elles aussi la protection des Grands, donnent le ton.
Mieux qu'on pourrait le croire, les nobles de province peuvent
se tenir au courant de ce qui se passe à Paris. Souvent il arrive
qu'un grand seigneur, fatigué de la vie dans la capitale, aille se
30 reposer dans ses terres ou qu'envoyé par le roi en mission
politique, il se rende en province. En carrosse, par de belles routes
ombragées, souvent bien pavées, ou bien en bateau, descendant
lentement les rivières de France, il est accueilli dans les villes qu'il
traverse par toute la société de la province. Les nouvelles de la
35 Cour et de la Ville qu'il apporte se répandent en quelques jours
dans tous les manoirs du voisinage. Il n'y a qu'un journal, la
Gazette, fondée en 1631 par Théophraste Renaudot; et cet ancêtre
de tous les journaux modernes était au dix-septième siècle une
feuille très mince. C'est donc surtout par les lettres qu'on sait en

province ce qui se passe à Paris et ailleurs: au dix-septième siècle,
tout le monde a le temps d'écrire, et on envoie par la poste nouvellement créée des lettres très longues, très soignées, qu'on sait
devoir être lues à haute voix à tout un «salon».

Mais les familles nobles sont rares. A vrai dire, ce sont les 5
bourgeois qui forment la population de Clermont-Ferrand. Ce
sont eux qui travaillent et qui s'enrichissent tout en enrichissant
leur ville. Ils n'ont pas changé beaucoup depuis le moyen âge,
ces bourgeois français, et les Clermontois ne diffèrent pas sensiblement des autres bourgeois. Toute la bourgeoisie qui travaille est 10
divisée en «professions». Tout comme au moyen âge, il y a
encore la corporation des poissonniers, la corporation des cor-
donniers, dix autres. Malheur à qui ose toucher à un monopole,
malheur au médecin qui oserait saigner un patient au lieu d'appeler l'apothicaire, ou au marchand de vin qui oserait vendre une 15
bouteille d'huile! Le maître reste le «maître», et l'«ouvrier» ou
«compagnon» reste le plus souvent simple ouvrier. Tout se fait
dans de petits ateliers, il n'y a nulle part de grandes usines. Le
métier familial se transmet de père en fils, en même temps que les
traditions du métier. La bourgeoisie est donc l'élément con- 20
servateur de la nation. Évidemment, quand c'est possible, le
bourgeois enrichi s'achète, ou bien achète pour son fils, une des
quatre mille charges qui confèrent la noblesse; mais la charge
coûte fort cher, et ne rapporte pas grand'chose. Aussi le bourgeois reste-t-il le plus souvent bourgeois, et il ne s'en plaint pas. 25

Quand vient l'été, la ville s'assoupit. Les bourgeois ferment
boutique et vont dans leurs maisons des champs surveiller leurs
vignes; les nobles, eux, quittent leurs hôtels et s'en vont dans leurs
châteaux.

Près du village, ou bien sur la Grand'Place, le château du sei- 30
gneur est quelquefois un palais somptueux qui rappelle Blois ou
Fontainebleau, mais le plus souvent c'est un simple manoir ne
différant des autres fermes que par une tour imposante ou une
porte ornée d'armoiries. Là, le noble se trouve à son aise. Il est
respecté, quelquefois il est craint. Pourtant, au dix-septième 35
siècle, les seigneurs ont perdu une partie du prestige et de la
puissance de leurs ancêtres. Les intendants envoyés par Richelieu
les dépouillent peu à peu de leur influence locale. Bientôt, s'il
veut garder son rang, il faudra que le seigneur aille à la cour

mendier du roi quelque position, ou bien qu'il fasse un mariage avantageux.

Le gentilhomme français ne peut pas travailler sans déroger. A la campagne, sa vie se passe donc à chasser, ou à s'occuper de
5 ses fermiers. En temps de guerre, il va rejoindre son régiment — le métier des armes est le seul qu'il ait appris. Il s'y est exercé dès l'enfance; à quatorze ou quinze ans, le jeune noble connaît déjà la gloire des champs de bataille. Si un cadet de famille ne veut pas se faire soldat, une seule profession honorable lui est ouverte: il
10 peut entrer dans les ordres.

Pourtant, le seigneur possède encore en général de grands privilèges. Lui seul a le droit de chasser. Il a le droit de lever certains impôts. A certains moments de l'année, ses paysans doivent labourer ses champs ou réparer ses routes. Il est de plus
15 le juge de son domaine et ne peut être que difficilement jugé lui-même. S'il est condamné à mort, il a le droit de ne pas être pendu comme les vilains: il a la tête tranchée.

Il existe des différences notables entre provinces — différences de dialectes, de coutumes, d'impôts, de lois, de traditions. Mais
20 partout, et surtout en Auvergne, la condition des paysans est pitoyable. «Les nobles commandent, les paysans, eux, obéissent». Ils n'ont aucun privilège, aucune liberté; ils sont de fait les esclaves de leurs seigneurs et du roi. Ils doivent travailler toute leur vie, car, comme le dit Richelieu, «il faut les comparer aux mulets qui,
25 étant accoutumés à la charge, se gâtent par un long repos plus que par le travail.» Ils avaient connu un temps de prospérité relative sous Henri IV, mais leur bonheur dura peu. Plus d'une fois, la misère, les famines, les firent se révolter, inutilement d'ailleurs, contre leurs seigneurs, contre le roi lui-même. A la fin du dix-
30 septième siècle, La Bruyère n'exagérera guère quand il parlera d'eux ainsi: «L'on voit certains animaux farouches, des mâles et des femelles, répandus dans la campagne, noirs, livides et tout brûlés de soleil, attachés à la terre qu'ils fouillent et qu'ils remuent avec une opiniâtreté invincible; ils ont comme une voix articulée,
35 et, quand ils se lèvent sur leurs pieds, ils montrent une face humaine, et, en effet, ils sont des hommes. Ils se retirent la nuit dans des tanières où ils vivent de pain noir, d'eau et de racines; ils épargnent aux autres la peine de semer, de labourer et de recueillir pour vivre, et méritent ainsi de ne pas manquer de ce
40 pain qu'ils ont semé. . . .»

« XIV »

Louis XIV

A LA mort de Louis XIII, son fils, Louis XIV, n'avait que cinq ans. Une régence était donc nécessaire; ce fut Anne d'Autriche, la reine-mère, coquette et peu instruite, qui prit le pouvoir. Le Cardinal Mazarin, son premier ministre, diplomate italien si habile qu'il avait su s'assurer l'amitié de Richelieu, devint en 5 quelques mois le personnage le plus important du royaume. Il avait des défauts — hypocrisie, orgueil, cupidité — que les grands seigneurs et les membres du Parlement ne lui pardonnèrent pas. Voulant effacer les humiliations subies au temps de Richelieu et jouissant de l'approbation du Parlement et du peuple de Paris, 10 les seigneurs se révoltèrent contre le parti royal. Une guerre civile, la Fronde, mit une fois de plus la monarchie et la France en danger. Finalement, la diplomatie souple de Mazarin triompha des intrigues et des conspirations de ses ennemis.

Au dehors, Mazarin, aidé par deux grands généraux, Turenne 15 et Condé, continua avec succès la politique de Richelieu. C'est lui qui négocia les traités de Westphalie (1648) et des Pyrénées (1659), que nous avons déjà mentionnés.

Au lieu de confier les affaires du royaume à un premier ministre, Louis XIV décida de gouverner par lui-même. Son règne per- 20 sonnel, le plus long et le plus glorieux de l'histoire de France, dura cinquante-quatre ans, de 1661 (date de la mort de Mazarin) à 1715. Le règne devait se terminer dans une misère affreuse, mais toute l'horreur de cette fin est oubliée, car le siècle de Louis XIV, grâce à ses artistes et à ses écrivains, fut l'Age d'Or de la 25 civilisation française.

Pour Louis XIV, l'exercice du pouvoir fut un métier, mais un métier «grand, noble, délicieux», comme il disait, auquel il consacra la plus grande partie de son temps. On prétend que, très jeune encore, il a dit: «L'État, c'est moi»; il est peu probable 30 que l'expression soit de lui, mais elle aurait pu l'être avec raison.

Jamais on n'avait vu chez un roi une telle énergie, un tel désir orgueilleux de faire bien tant de choses. Revues de troupes ou conduite des guerres, construction de demeures grandioses, solution de graves problèmes, il prenait toutes les décisions, fixait
5 tous les détails. Travaillant dix ou douze heures par jour, il était soutenu par son orgueil et la certitude que Dieu lui-même l'avait choisi pour régner sur le plus puissant royaume de la terre. Même aux heures tristes où, vieilli, il vit crouler la grandeur qu'il avait donnée à la France, il n'oublia jamais qu'il était le «Roi-
10 Soleil». Aussi son règne a-t-il une majesté et une splendeur uniques dans l'histoire de l'Europe.

Comme tous les grands rois de France, Louis XIV sut s'entourer de conseillers éminents; mais il les choisit dans la bourgeoisie, et ne leur laissa que peu de liberté — un grand seigneur ministre
15 d'État pouvait trop facilement devenir plus puissant que le roi. Jean-Baptiste Colbert, fils d'un marchand drapier de Reims, est à juste titre le plus célèbre de ces ministres. Son activité fut sans bornes, son amour du travail illimité. Il sut faire comprendre à un souverain guerrier et «glorieux» — et quel tact il lui fallut! —
20 la place que l'industrie et le commerce devaient tenir dans la vie française. Bientôt, des manufactures nombreuses s'élevèrent par toute la France. Les industries du luxe surtout prospérèrent. C'est en France, et non plus à Venise, que les miroirs des châteaux furent fabriqués; c'est en France, et non plus à Bruges, que les
25 dentelles à la mode furent exécutées; c'est en France, et non plus à Gênes, que le velours des robes d'apparat fut tissé. Les arts décoratifs eurent leur place à côté des Beaux-Arts. Une table de l'ébéniste Boulle ou une tapisserie des Gobelins est aussi précieuse qu'un tableau d'un grand peintre.

30 Le commerce, déjà prospère au seizième siècle malgré les guerres de religion, connut un développement encore plus grand. Des colonies françaises avaient été fondées au Canada, à Madagascar et aux Indes Orientales, mais le gouvernement les avait négligées. Colbert fut un des premiers ministres à comprendre
35 leur importance. Pour les protéger, il construisit une flotte qui devait rivaliser avec la flotte hollandaise; il fonda des compagnies coloniales, améliora les ports, favorisa l'émigration, établit des comptoirs nouveaux.

Plus d'une fois, ayant tenté l'impossible, Colbert avait échoué, et, lorsqu'il mourut, en 1683, épuisé par le travail et inquiet des folles dépenses de son maître, son œuvre était loin d'être terminée; mais il laissait la France respectée et connue aux quatre coins de la terre pour l'excellence de ses produits.

Deux ans après la mort de Colbert, Louis XIV commit la plus 5 grande faute de son règne: la révocation de l'Édit de Nantes (1685). Les protestants, depuis qu'ils avaient été vaincus par Richelieu, avaient complètement abandonné leurs idées d'indépendance. Grâce à eux, une grande partie du Midi de la France s'était enrichie par le commerce et l'industrie. Mais le roi vieillis- 10 sant, devenu profondément dévot et influencé sans doute par Madame de Maintenon (à qui il était marié secrètement) ne voulut plus admettre qu'une seule religion dans son royaume. Les protestants furent persécutés, envoyés aux galères, leurs temples furent détruits, leurs enfants élevés loin d'eux dans la 15 religion catholique. Les conversions apparentes furent nombreuses, mais les protestants les plus sincères quittèrent la France pour ne pas avoir à renoncer à leurs croyances: plus de trois cent mille «réformés», «apportant avec eux les arts et les industries de leur ancienne patrie», furent chaleureusement accueillis par les 20 pays protestants d'Europe. La Prusse, par exemple, encore pauvre et sans industrie, devint bientôt prospère grâce à ces exilés qui répandirent partout les idées et les arts français. En ne voulant qu'une seule religion, Louis XIV ne faisait que suivre l'exemple des autres nations d'Europe. Mais la révocation de 25 l'Édit de Nantes par le petit-fils de Henri IV ne lui a pas été pardonnée; d'un roi si grand, on aurait attendu une plus grande tolérance, des vues plus larges.

Pendant des siècles, un grand roi fut un roi victorieux. Aujourd'hui, les guerres de Louis XIV ne sont pour nous que des événe- 30 ments presque secondaires; mais pour les contemporains, ces mêmes guerres firent plus pour la gloire du roi que les succès économiques de Colbert.

Pendant la première partie de son règne, Louis XIV remporta une série de victoires sur les armées espagnoles et hollandaises. 35 La Franche-Comté fut annexée en 1678, la ville de Strasbourg en 1681. Mais les nations d'Europe effrayées se coalisèrent contre la France: les armées du grand général Marlborough, celles du prince Eugène de Savoie envahirent le royaume. Des batailles

désespérées se terminèrent en victoires pour la France, et l'ennemi fut contraint d'évacuer le pays. Des centaines de milliers de soldats avaient été tués, des impôts onéreux avaient appauvri tout le pays, le trésor royal était épuisé. Trop tard Louis XIV se
5 rendit compte de la folie de son ambition orgueilleuse. «Mon enfant, dit-il sur son lit de mort à son successeur, ne m'imitez pas dans le goût que j'ai eu pour les bâtiments, ni dans celui que j'ai eu pour la guerre.»

Le goût du roi pour les guerres n'avait fait que ruiner le pays;
10 mais son goût pour les bâtiments a eu pour résultat d'orner la France de châteaux magnifiques, dont le plus remarquable est Versailles.

Versailles

Pendant près d'un demi-siècle, Louis XIV habita à Versailles le palais qu'il y avait fait construire; c'est là qu'il vécut les années
15 les plus glorieuses et les plus tristes de son règne, et c'est là qu'il mourut. Aussi son souvenir est-il à jamais lié à ce château qui fut si longtemps le siège du gouvernement de la France et qui est devenu le symbole de cette longue période qu'on a appelée le Grand Siècle.
20   La construction du palais fut commencée quelque temps après la mort de Mazarin. Louis XIV ne voulait pas détruire le rendez-vous de chasse, «le petit château de cartes» que son père avait fort aimé: il se contenta d'abord d'y ajouter des ailes. Mais ce n'était là qu'un commencement. Ces ailes furent prolongées,
25 surélevées, reliées les unes aux autres de manière à former des cours intérieures ou d'immenses galeries. Plusieurs fois, les plans furent changés, certains bâtiments furent détruits, puis recon-struits, pour satisfaire les caprices du roi. Malgré ces modifications, l'ensemble présente une unité inattendue: l'esprit classique, le
30 goût inné des architectes (Le Vau, Mansard), l'influence du roi surtout, furent cause de ce miracle, «la plus belle réussite artis-tique que le monde moderne ait connue».

Du côté du parc, le palais se présente à nous tel que le virent les courtisans de Louis XIV à la fin du dix-septième siècle. C'est une masse énorme de pierre dorée, aux longues lignes droites coupées de hautes colonnes. De chaque côté du corps central, les ailes se déploient, si longues et si étendues qu'elles en semblent basses. Mais quelle belle composition, malgré tout, et quelle 5 majesté!

Devant cette façade s'étend une terrasse immense et plate, presque nue, qui permet de saisir d'un coup d'œil la beauté du bâtiment central. Puis, en bas d'un escalier colossal, le parc se développe, aussi logique, aussi régulier dans la simplicité de ses 10 lignes droites et de ses perspectives que le palais lui-même. Une fantaisie discrète règne dans l'ordonnance des bosquets, dans les fontaines aux «cristaux liquides», dans les statues qui peuplent le parc de dieux antiques. Les jardins de Versailles, dessinés par un grand artiste, Le Nôtre, forment l'écrin qui convient à une 15 telle demeure.

Entrons dans le palais. Comment décrire le luxe grandiose des salles principales, et la tristesse des pièces monotones où logeaient les courtisans? Dans ces chambres basses et laides vécurent, loin de leurs châteaux spacieux, les plus grands seigneurs et les plus 20 nobles dames de France. On supportait facilement le manque de confort afin de pouvoir briller aux fêtes de la cour la plus splendide d'Europe.

La «royale beauté» du palais, c'est surtout dans la Galerie des Glaces qu'il est possible de l'admirer. Cette salle immense 25 (soixante-treize mètres de long, treize mètres de haut) était l'œuvre d'un décorateur de génie, Charles Le Brun. Des centaines de miroirs reflètent la lumière des fenêtres; des marbres de toutes couleurs ajoutent à la gaieté de l'ensemble, tandis que le plafond, auquel Le Brun et ses élèves travaillèrent pendant cinq 30 ans, nous raconte l'histoire de Louis XIV. Vêtu de la cuirasse et du manteau des empereurs romains (mais, notons-le en passant, avec une perruque qui enlève toute illusion), Louis passe des fleuves dangereux, attaque des villes, vainc ses ennemis, rétablit la paix, reçoit les soumissions de provinces, réforme la justice, 35 honore les Académies: allégories un peu lourdes, oui, mais apothéose d'une majesté suprême. A cette décoration de marbres, de miroirs et de tableaux, ajoutez les tapis d'Orient et les statues antiques, les fauteuils de soie blanche ou rouge, les vases de

bronze, les meubles d'argent ciselé, et, au centre de la Galerie, sous un dais doré, le trône d'or du roi: jamais la civilisation n'avait connu un tel luxe, un tel désir de donner à la vie un décor aussi imposant, et, en même temps, une telle «leçon de mesure, de
5 précision et de goût».

Pour se faire une idée de l'étiquette de Versailles, il n'y a pas de meilleur moyen que d'assister à une des cérémonies les plus pittoresques de la cour, le «lever» du roi.

«Le matin, à l'heure qu'il a marquée d'avance, le premier valet
10 de chambre l'éveille: cinq séries de personnes entrent tour à tour, pour lui rendre leurs devoirs, et quoique très vastes, il y a des jours où les salons d'attente peuvent à peine contenir la foule des courtisans. D'abord on introduit les princes et les princesses du sang, le premier médecin, le premier chirurgien et autres person-
15 nages utiles. Puis on fait passer le grand chambellan, le grand maître et le maître de la garde-robe, les premiers gentilshommes de la chambre, quelques autres seigneurs très favorisés, les dames d'honneur de la reine et des princesses, sans compter les barbiers, tailleurs et valets de plusieurs sortes. Cependant on verse au roi
20 de l'esprit de vin sur les mains dans une assiette en vermeil, puis on lui présente le bénitier; il fait le signe de la croix et dit une prière. Alors, devant tout le monde, il sort de son lit, chausse ses mules. Le grand chambellan et le premier gentilhomme lui présentent sa robe de chambre; il l'endosse et vient s'asseoir sur
25 le fauteuil où il doit s'habiller.

«A cet instant, la porte se rouvre; un troisième flot pénètre. . . . Des huissiers font ranger la foule et au besoin faire silence. Le roi se lave les mains et commence à se dévêtir. Deux pages lui ôtent ses pantoufles; le grand maître de la garde-robe lui tire sa camisole
30 de nuit par la manche droite, le premier valet de garde-robe par la manche gauche, et tous deux la remettent à un officier de garde-robe, pendant qu'un valet de garde-chambre apporte la chemise dans un surtout de taffetas blanc.

«C'est ici le moment solennel, le point culminant de la céré-
35 monie: il y a tout un règlement pour cette chemise. L'honneur de la présenter est réservé aux fils et aux petits-fils de France, à leur défaut aux princes du sang, au défaut de ceux-ci au grand chambellan ou au premier gentilhomme. . . . Enfin voilà la chemise présentée; un valet de chambre emporte l'ancienne; le

premier valet de garde-robe et le premier valet de chambre
tiennent la nouvelle. La chemise est endossée, la toilette finale va
commencer. Un valet de chambre tient devant le roi un miroir
et deux autres, sur les deux côtés, éclairent, si besoin est, avec des
flambeaux. Des valets de garde-robe apportent le reste de l'ha- 5
billement: le grand maître de garde-robe passe au roi la veste et
le justaucorps, lui attache le cordon bleu, lui agrafe l'épée; puis
un valet apporte plusieurs cravates dans une corbeille et le maître
de garde-robe met au roi celle que le roi a choisie. Ensuite un
autre valet apporte trois mouchoirs dans une soucoupe, et le 10
grand maître de garde-robe offre la soucoupe au roi, qui choisit.
Enfin le maître de garde-robe présente au roi son chapeau, ses
gants et sa canne.

«Le roi vient alors à la ruelle de son lit, s'agenouille sur un
carreau et fait sa prière, pendant qu'un aumônier à voix basse 15
prononce une oraison. Cela fait, le roi prescrit l'ordre de la
journée, et passe avec les premiers de sa cour dans son cabinet
où parfois il donne des audiences.»[1]

Ces cérémonies minutieuses auraient été ridicules si le roi
n'avait su mettre dans les moindres gestes et dans les actions les 20
plus communes une gravité et une dignité imposantes. Mais il
savait bien «faire le roi en tout».

Autour du personnage principal s'agitaient cinq mille, dix mille
autres personnages. Les nobles de France servaient leur roi,
non plus en restant dans leurs provinces pour administrer leurs 25
domaines, mais en l'entourant d'une adoration continue. «La
flatterie la plus énorme, la plus basse et la plus païenne» donnait
à toute heure au souverain le sentiment de sa grandeur. Pour
obtenir une faveur quelconque, il fallait être vu à la cour, et vu
par le roi, à qui rien n'échappait. S'il disait: «C'est un homme 30
que je ne vois jamais», le malheureux courtisan était à jamais
disgracié.

Les défauts et les dangers d'une telle vie — l'affectation, l'ennui,
la paresse — sont évidents. Il n'en reste pas moins que la vie de
cour, à Versailles, représente sans doute le plus haut point auquel 35
soit parvenue la vie de société.

[1] D'après Taine.

« XV »

La Littérature Classique

Il est naturel de diviser la littérature classique du dix-septième siècle en deux parties. Les écrivains et les critiques de la première moitié du siècle ont préparé la grande période classique, qui s'étend de 1661, année où commence le règne personnel de
5 Louis XIV, à 1715, année de la mort du grand roi.

Les poètes de la Pléiade, guidés par Ronsard, avaient transformé la poésie française. Mais leurs idées — surtout l'enrichissement de la langue par l'introduction de mots nouveaux empruntés au grec et au latin — avaient été à certains égards poussées trop
10 loin par leurs successeurs médiocres, ou bien au contraire n'avaient pas été assez développées. D'ailleurs, pendant les guerres de religion, la littérature avait perdu beaucoup de sa beauté. En 1605, quand Malherbe, poète et théoricien, vint à Paris, tout était à refaire.

15 Malherbe voulut purifier la langue française en supprimant les néologismes de la Pléiade et en n'admettant que des mots qui seraient compris par le peuple français. Ses idées eurent une influence immense. Le vocabulaire dont les grands écrivains classiques se sont servis est simple et clair. Le français du seizième
20 siècle est parfois difficile à comprendre; la langue du dix-septième siècle, au contraire, est presque le français moderne.

Les poésies de Malherbe, trop froides, trop impersonnelles, sont moins importantes que ses théories. Pour lui, l'art d'écrire est un art tout intellectuel. La poésie doit s'adresser, non pas à
25 l'imagination ou à la sensibilité, mais à l'esprit. Surtout le vers doit être poli et repoli; c'est par un travail assidu que l'artiste peut obtenir la perfection de la forme.

Parce qu'ils répondaient à l'idéal du temps, les principes de Malherbe ont triomphé. Après les troubles des guerres de
30 religion, on avait besoin d'ordre. Ce que Richelieu a accompli

dans le gouvernement, Malherbe l'a réalisé dans le domaine littéraire. Lorsque l'Académie française fut constituée par Richelieu (en 1635), les théories de Malherbe la guidèrent dans ses travaux.

Dès le milieu du seizième siècle, certains poètes avaient essayé 5 d'écrire des tragédies dignes des tragédies grecques et toutes différentes des miracles et des mystères du moyen âge. Mais c'est seulement en 1637, lorsque le *Cid* de Pierre Corneille fut représenté, que la tragédie classique triompha en France. Ce chef-d'œuvre marque une révolution dans la littérature: Corneille 10 a placé le véritable intérêt de la pièce, non plus dans les actions des personnages, mais dans les causes psychologiques de leurs actions. Le *Cid* présente un héros et une héroïne dont le cœur est déchiré entre l'amour et le sentiment de l'honneur. Le devoir finit par triompher, parce que ces personnages ont une volonté 15 très forte; mais leur lutte est émouvante. En une langue noble et vigoureuse, ils expriment des sentiments profonds et éternels.

Le *Cid* a soulevé une querelle littéraire, d'où est sortie une conception de l'art qui va dominer le théâtre français pendant près de deux siècles. La plus célèbre des règles imposées aux 20 auteurs tragiques est celle des «trois unités»: une seule intrigue (unité d'action) doit se développer en un seul lieu (unité de lieu) et en vingt-quatre heures tout au plus (unité de temps). Presque aussi importante est la loi de la «séparation des genres»: la tragédie et la comédie ont leurs règles propres et ne doivent 25 jamais se trouver réunies dans une même pièce.

Corneille, acceptant les théories nouvelles, a composé d'autres chefs-d'œuvre: par exemple, *Horace* (où l'amour se trouve en conflit avec le patriotisme) et *Polyeucte* (où l'esprit religieux triomphe de l'amour). 30

Dans les tragédies du grand Corneille nous voyons déjà la plupart des principes essentiels du classicisme français: l'*humanisme* (de même qu'à l'époque de la Renaissance); l'*ordre* (nécessité d'une discipline littéraire); le *respect de l'autorité* (obéissance aux règles); l'*analyse des sentiments généraux* (l'amour, l'honneur, 35 l'esprit religieux); la *séparation des genres;* un *style simple, poli et noble*. A ces principes un autre allait bientôt se joindre: le rationalisme. Ce fut l'apport de René Descartes à la doctrine classique.

Le *Discours sur la Méthode* fut publié par Descartes en 1637. Par des arguments irrésistibles, Descartes détruisit les prétentions de la philosophie spéculative et leur substitua une nouvelle méthode pour découvrir la vérité. Cette méthode introduisit
5 dans les domaines de la philosophie, de la religion et des sciences, le raisonnement logique qui est le trait distinctif des mathématiques. N'accepter aucune proposition pour vraie qui ne soit claire et assurée; analyser un problème en le divisant dans toutes ses parties; faire une synthèse seulement quand on est certain de
10 la vérité des faits qui la composeront; enfin, vérifier ses recherches pour être sûr de n'avoir rien oublié: c'est la méthode non seulement de l'algèbre et de la géométrie, mais de toute la science moderne. Dans la philosophie, elle introduit le rationalisme; dans la littérature, elle favorise la clarté, l'objectivité et la
15 raison.

Le plus grand homme de la première moitié du dix-septième siècle fut peut-être Blaise Pascal (1623–1662), à la fois mathématicien, physicien[1] et philosophe. Descartes avait inventé l'algèbre analytique; Pascal, lui, invente le calcul et résout des
20 problèmes mathématiques jusqu'alors insolubles. Il construit une machine arithmétique qui est l'ancêtre de toutes les machines à calculer d'aujourd'hui. Il fait des expériences remarquables sur le poids de l'atmosphère et sur le vide; on lui doit le baromètre et la presse hydraulique. Pour défendre les Jansénistes,
25 secte religieuse qui acceptait quelques-unes des doctrines de Calvin sur l'iniquité de la nature humaine, et qui fut persécutée par les Jésuites et par le pape, Pascal écrivit les *Lettres Provinciales*, ironiques et brillantes, logiques et subtiles. Son chef-d'œuvre littéraire, pourtant, est un recueil de *Pensées*, où se trouvent, sur
30 la nature humaine et la religion, des idées d'une profondeur et d'une justesse incomparables.

De 1661 à la fin du siècle les chefs-d'œuvre se multiplient. Contentons-nous de parler brièvement des plus grands écrivains, de ceux qui ont fait du règne de Louis XIV l'égal de l'Age de
35 Périclès en Grèce ou de l'Age d'Auguste à Rome.

Molière (1622–1673) a porté la comédie à son plus haut point de développement. Dans les *Précieuses ridicules* (1659) il

---

[1] **physicien,** not " physician," but " physicist."

s'attaqua aux marquis frivoles des salons et aux imitateurs naïfs des grands seigneurs et des grandes dames. La pièce fut une révélation: la comédie pouvait être une force morale, elle pouvait aider à corriger les fautes de la société ou les vices des hommes. La plupart des grandes comédies de Molière le prouvent bien. 5 Défauts et vices y sont condamnés sans pitié: l'avarice, dans l'*Avare* (1668), l'hypocrisie, dans *Tartuffe* (1669), l'ambition, dans le *Bourgeois gentilhomme* (1670), le pédantisme, dans les *Femmes savantes* (1672). Molière, né bourgeois, mais accepté à la cour, connaissait bien toutes les classes de la société. Il nous a donné 10 dans ses comédies le meilleur tableau que nous ayons de son temps; on voit, par exemple, des paysans dans le *Médecin malgré lui*, des bourgeois dans le *Malade imaginaire*, des nobles dans le *Misan-thrope*. Les tragédies ne mettaient en scène que les classes supé-rieures de la société; les comédies de Molière, elles, s'intéressent 15 surtout à la vie des bourgeois. Quels merveilleux portraits de ses contemporains Molière nous a laissés! Mais ses personnages sont à la fois des individus et des types; car Molière peint non seulement des hommes, mais l'humanité, l'homme de tous les temps et de tous les pays. Le bon sens est universel; et Molière 20 représente le bon sens. Ses pièces enseignent la modération et le juste milieu. «La parfaite raison fuit toute extrémité.»

Étudier l'homme en général, expliquer les motifs qui le font agir, tels sont les buts des écrivains classiques. Corneille a exalté la volonté, le sentiment de l'honneur et du devoir; Descartes a 25 donné une valeur nouvelle à la raison, source de toute vérité; Pascal a montré l'importance de la foi, Molière a stigmatisé les vices de ses contemporains. La Rochefoucauld, grand seigneur pessimiste et dédaigneux, est allé plus loin; il a découvert des vices même sous les apparences de la vertu. Il a exprimé sa 30 philosophie dans des *Maximes* célèbres. «Les vertus se perdent dans l'intérêt, dit-il par exemple, comme les fleuves se perdent dans la mer.» «L'amour-propre est le plus grand des flatteurs.» «L'amour de la justice n'est en la plupart des hommes que la crainte de souffrir l'injustice.» «Ce qu'on nomme libéralité 35 n'est le plus souvent que la vanité de donner, que nous aimons mieux que ce que nous donnons.» Il se peut que La Rochefou-cauld ait tort, que la nature humaine vaille mieux que la descrip-tion amère qu'il en fait. Mais ses maximes font réfléchir; elles dévoilent l'égoïsme, la vanité et l'hypocrisie souvent cachés sous un masque de vertu.

La Fontaine, l'auteur des *Fables*, ressemble à Molière: il a les mêmes qualités, esprit, bon sens, perspicacité, goût de la morale.
5 Les sujets de ses fables ne sont pas originaux; mais il donne à ses poésies une forme nouvelle. Se servant de vers souples et variés, il fait de chaque fable une comédie en miniature — décor simple, personnages pittoresques (animaux ou êtres humains), dialogues alertes, leçons pratiques. Comme Molière, il décrit
10 toutes les classes de la société, il dépeint des sentiments ou des défauts universels. L'art classique est impersonnel; mais La Fontaine révèle dans ses fables ses propres sentiments et sa bonté naturelle. Il est le plus lyrique des poètes de son temps.

Dans les tragédies de Racine (1639–1699), on retrouve à la fois
15 l'humanisme de la Renaissance et le Jansénisme de Pascal. La forme de ces tragédies est celle des pièces de Corneille; Racine accepte sans discussion les trois unités, l'alexandrin classique, les cinq actes, les personnages nobles. Il choisit lui aussi ses sujets dans l'histoire ancienne, mais en préférant la Grèce à Rome.
20 Dans *Andromaque* (1667) et dans *Phèdre* (1677), ses chefs-d'œuvre, il analyse l'amour et surtout la jalousie qui l'accompagne. Ses personnages sont dominés par leurs passions. Abandonnées de Dieu, sans la volonté forte des héroïnes de Corneille, les femmes peintes par Racine causent la perte des hommes qu'elles aiment
25 et sont elles-mêmes les victimes de leur passion. La violence des personnages tragiques de Racine fait frémir les spectateurs. Les vers exquis, harmonieux, forment une véritable musique. Jamais on n'avait produit de tels effets dramatiques par des moyens en apparence si simples — vocabulaire restreint, vers polis et nobles,
30 intrigues sans aucune complexité. La sobriété de Racine fait de lui un écrivain classique, sa profondeur d'observation et son art lui assignent une place unique parmi les poètes français.

Boileau fut le grand critique du temps. Dans ses *Satires*, il détruisit les réputations des mauvais poètes et glorifia les écri-
35 vains qu'il admirait, Molière et Racine par exemple. Dans son *Art Poétique* (1674), il exprime dans un langage concis et poli tous les principes essentiels du classicisme. «Aimez la raison.» «Que la nature soit votre étude unique.» «Que toujours le bon sens s'accorde avec la rime.» «Avant d'écrire, apprenez à

penser»: tels sont quelques-uns des préceptes de Boileau, chez qui l'humanisme et le rationalisme se fondent pour devenir la pure doctrine classique.

Parmi les grands écrivains du siècle se trouvent plusieurs femmes. Madame de Sévigné est la plus célèbre de ces femmes- 5 auteurs. Dans ses lettres, elle raconte les anecdotes de la vie de société, peint les personnages célèbres de son époque, exprime son amour intense pour sa fille et se révèle comme une femme intelligente, instruite et charmante. On a conservé plusieurs milliers de ses lettres, qui forment presque une histoire sociale 10 de son temps. Elles font partie de la littérature à cause de leur grâce spontanée, de leurs expressions imagées et vives.

Mme de Lafayette est l'auteur de *La Princesse de Clèves* (1678), qu'on a souvent appelé «le premier roman moderne». Avant elle les romans ne contenaient que des aventures invraisemblables 15 et des sentiments superficiels. Mme de Lafayette emprunta à Corneille le goût de l'analyse psychologique et à Racine celui de la peinture des passions. Bien qu'elle n'ait ni la puissance de l'un ni la profondeur de l'autre, Mme de Lafayette nous émeut par son histoire d'un amour tragique. 20

La littérature classique est si riche et si diverse que beaucoup d'autres poètes et prosateurs méritent d'être signalés. Par exemple, dans la première moitié du siècle, Honoré d'Urfé a écrit un roman pastoral, l'*Astrée*. Les lettres de Balzac, par leur style soigné, ont fait pour la prose ce que les écrits théoriques de 25 Malherbe ont fait pour la poésie. Voiture est un auteur de lettres et de poésies légères. Dans la seconde moitié du siècle, il faut mentionner Bossuet, dont les *oraisons funèbres* sont pleines d'éloquence et de noblesse; Mlle de Scudéry, qui a écrit de longs romans précieux; Scarron, auteur du meilleur roman réaliste du 30 siècle; La Bruyère, dont les *Caractères* sont remplis de maximes et de portraits de grande valeur. On pourrait continuer presque indéfiniment à ajouter des noms célèbres à cette liste.

Qui a le plus fait pour la gloire de la France? Henri IV, Richelieu, Mazarin, Colbert, Louis XIV? Les architectes de 35 Versailles ou les peintres classiques? Ou bien Corneille, Molière ou Racine?

Quoi qu'il en soit, tous les hommes et toutes les femmes qui se sont distingués pendant le siècle ont subi les mêmes influences, accepté le même idéal. Chacun suit son propre génie, mais tous obéissent à un goût de la discipline, à un vif sentiment de la bienséance, à une autorité raisonnable.

Paris au XVIIe Siècle

M<small>ONTAIGNE</small> avait vécu dans son château, loin de Paris, Rabelais
5 avait passé sa vie en province, Ronsard et Du Bellay n'étaient heureux que dans leur Val de Loire. Mais, au dix-septième siècle, tous les écrivains classiques vivent et créent leurs chefs-d'œuvre dans la capitale. C'est à Versailles que sont le roi et ses courtisans, là que les destinées politiques de la France et de
10 l'Europe s'accomplissent. Mais c'est à Paris qu'on pense: Corneille le Normand et Racine le Champenois y font jouer leurs tragédies; Boileau, Mme de Lafayette, vingt autres, y publient leurs œuvres. Académies de toutes sortes, salons littéraires dont on rêve en province, y fleurissent. L'opinion qui compte, c'est
15 celle des Parisiens. Au dix-septième siècle, Paris est plus que jamais la «gloire de la France», et juge, applaudit ou condamne sans appel.

«Fluctuat nec mergitur»: «Il flotte, mais ne sombre pas». Telle est la devise du bateau qui forme le centre des armoiries
20 de la capitale et symbolise la vie de la cité. Et c'est bien vrai: chaque siècle apporte son fardeau de tristesse ou d'horreur à Paris; mais la ville, qui semblait perdue, renaît toujours plus belle et plus grande. Les guerres de religion avaient ensanglanté, ruiné Paris. Mais en quelques années, sous Henri IV, la pros-
25 périté revint, des quartiers nouveaux se développèrent: Paris, une fois de plus, se transforma. Les maisons de bois bâties au moyen âge font place à de belles maisons de pierre, carrées, élevées, aux grandes fenêtres ornées de festons et de pilastres. Les rues deviennent plus larges, plus claires, un peu plus propres,
30 de larges places apparaissent, des perspectives classiques remplacent souvent les rues sans plan, sans beauté logique, de la cité médiévale.

La vénérable Île de la Cité, pourtant, ne change pas. La cathédrale et la Sainte-Chapelle sont bien «gothiques», bien barbares pour les Parisiens qui ne pensent qu'à imiter les monuments de l'antiquité; mais on les conserve — elles évoquent tant de souvenirs. Le Palais, définitivement abandonné par les rois, 5 est le siège du Parlement, qui joue un rôle de plus en plus important dans la vie française. L'animation est plus grande que jamais dans cette partie de l'Île. C'est au Palais que se jugent les interminables procès du temps. Plaideurs qui vont donner des «épices» à leurs juges, avocats solennels en robes noires et per- 10 ruques poudrées, juges en robes rouges et bonnets d'hermine suivis de leurs pages, tout ce monde est affairé, bruyant. Le Palais, pour une autre raison, est le centre de la vie parisienne. En effet, sa célèbre Galerie, bordée de boutiques où l'on vend des dentelles, des parfums, des livres surtout, est le rendez-vous 15 du monde élégant: seigneurs et bourgeois, auteurs et acteurs, s'y rencontrent et répètent les derniers scandales.

Par des ponts pittoresques, l'Île de la Cité est reliée aux faubourgs qui l'entourent. Ces ponts, quelquefois couverts de maisons de bois, sont fort fréquentés, mais surtout par les petits 20 bourgeois et les artisans. Le Pont-au-Change reçoit les changeurs et les banquiers. Sur le Pont-Neuf, magnifiquement reconstruit par Henri IV, les bateleurs français et italiens jouent leurs farces. Elles sont souvent vulgaires, ces farces, mais il faut excuser leurs défauts, car c'est en les écoutant que Molière enfant apprit son 25 métier d'acteur-auteur.

Les faubourgs s'étendent au loin et se perdent dans la campagne. Sur la rive gauche de la Seine, du fleuve à la colline Sainte-Geneviève, de nombreux collèges se pressent autour de la vénérable université de Paris. La rive gauche est aussi le 30 quartier des couvents et des abbayes. Leurs murs élevés semblent les séparer du monde frivole; mais l'érudition de leurs moines et la richesse de leurs bibliothèques sont célèbres en France. Des prêtres remarquables y vivent alors, tels que le doux Vincent de Paul, qui s'intéressait surtout aux pauvres et aux orphelins, ou 35 François de Sales, qui essayait de réparer le mal causé par le fanatisme du seizième siècle.

Sur la rive gauche également, on construisit, dans la première moitié du dix-septième siècle, une belle résidence, le Palais du

Luxembourg, où Marie de Médicis vécut avant son exil. Le jardin de ce palais, avec ses perspectives élégantes et ses allées bien dessinées, forme comme une oasis de verdure au milieu des murailles sévères des collèges et des monastères.

5   Sur la rive droite de la Seine, dans la «Ville», l'œil aperçoit d'abord un autre palais, le Louvre, construit par les rois quand ils voulurent quitter leur Palais de la Cité. Chaque roi de France depuis Charles V y a ajouté quelque chose, tantôt une colonnade, tantôt un pavillon entier.

10   Le quartier aristocratique de Paris, au dix-septième siècle, c'est le Marais, sur la rive droite, près de l'énorme forteresse de la Bastille. Là, les rues sont plus larges, les jardins plus nombreux, les maisons plus gaies, avec leurs toits de tuile, leurs façades de briques rouges ou de pierre blanche, leurs portes cochères qui
15   ne s'ouvrent que pour les carrosses. Les gentilshommes se font porter au Marais dans leurs chaises pour rendre visite aux «Cléomires»[1] et aux «Célimènes».[1]

C'est dans les hôtels particuliers du Marais plutôt qu'à la cour qu'on trouve dans la première moitié du siècle la société
20   raffinée de Paris. Henri IV, content de peu et habitué à la vie des camps, n'a pas de cour véritable, et son fils Louis XIII, taciturne et sérieux, préfère la chasse aux bals qu'on donne au Louvre. Les guerres de religion avaient fait perdre à la haute société française un peu de son élégance, mais, grâce aux salons
25   parisiens, la politesse des manières et du langage reparaît. Le plus célèbre de ces salons est celui de la Marquise de Rambouillet. C'est dans la «Chambre bleue» de l'Hôtel de Rambouillet que la préciosité — un raffinement exagéré de mœurs et de langage — se développe et que les grandes dames, les «Précieuses»,
30   donnent le ton à toute la France.

Même dans la deuxième moitié du siècle, quand Louis XIV a réussi à attirer à Versailles la haute société de France, il y a des salons importants à Paris. Les réunions qui eurent lieu chez Mlle de Scudéry sont bien connues sous le nom des «Samedis de
35   Sapho». La Rochefoucauld composait ses *Maximes* chez Mme de Sablé. Les palais des seigneurs et les hôtels des riches bourgeois accueillaient les mondains qui voulaient jouir de la conversation.

---

[1] Noms que les dames élégantes se sont souvent donnés au XVIIe siècle.

La conversation est en effet l'occupation préférée des habitués des salons. Ces assemblées nombreuses ont développé chez les Parisiens du Grand Siècle une conception de la bienséance qui a rendu célèbre à jamais la politesse française.

Ainsi, Paris prend une importance de plus en plus grande. 5 Tous les grands écrivains français du dix-septième siècle ont été formés par la vie mondaine des salons et les règles strictes de l'Académie française. La plupart des grands artistes, tels que les peintres Poussin et Mignard, l'architecte Mansard, le sculpteur Girardon, trouvent à Paris une clientèle intelligente, qui 10 sait les apprécier et les récompenser. Pour un grand nombre de Français, pour tous les étrangers, Paris, c'est vraiment la France.

« XVI »

Louis XV et Louis XVI

Louis XIV avait vu mourir l'un après l'autre quatre des princes qui auraient pu lui succéder. En 1715, son arrière-petit-fils, le nouveau roi, n'avait que cinq ans. Le pouvoir passa à un conseil 15 de régence, présidé par le Duc d'Orléans, neveu du feu roi; le Régent était un soldat courageux, mais un homme du monde débauché qui fut incapable de rendre à la France son prestige politique et sa force.

A cause des folles dépenses de Louis XIV, le trésor royal était 20 vide. Le Régent crut éviter la banqueroute en favorisant un «système» proposé par le financier écossais John Law: circulation de papier-monnaie, fondation d'une compagnie pour l'exploitation des colonies françaises. Pendant quelques années, tout alla assez bien. Une fièvre de spéculation saisit le pays; d'un financier, 25

d'un noble, même d'un valet, des spéculations heureuses faisaient un millionnaire. Certaines actions de la Compagnie des Indes, achetées cinq cents livres, furent revendues quinze ou vingt mille! Une prospérité artificielle trompa tout le monde. Puis la crise
5 inévitable arriva. En quelques semaines, la plupart des spéculateurs furent ruinés.

Pendant les huit ans de la Régence (1715–1723), il se produisit de grands changements qui laissèrent leur marque sur le dix-huitième siècle tout entier. Par une réaction naturelle, tout ce
10 que le vieux Louis XIV avait aimé — règles, dignité, discipline politique et religieuse — fut vite oublié. Un désir de liberté, de nouveauté, de plaisirs remplaça l'idéal classique. La vie de cour fut abandonnée. La société de la Régence, fatiguée de Versailles, retourna à Paris. Dans les salons parisiens, ou bien aux bals de
15 l'Opéra, nobles et bourgeois se rencontrèrent; les classes commencèrent à se mêler. Le temps n'était pas loin, où le jeune bourgeois Voltaire oserait provoquer en duel — insolence inouïe — l'aristocratique chevalier de Rohan.

En 1723, Louis XV, paresseux et léger, mal élevé par des
20 courtisans qui l'avaient gâté, fut reconnu majeur. Pendant son long règne, il abandonna la conduite de son royaume à ses ministres et à ses favorites. Celles-ci prirent une importance qu'elles n'avaient jamais eue au temps de Louis XIV: la duchesse de Châteauroux, la marquise de Pompadour, la comtesse du
25 Barry ont l'une après l'autre joué un grand rôle dans la vie politique de la France.

Les résultats de l'indifférence royale se firent surtout sentir dans les relations extérieures de la nation. Une seule guerre, celle de la Succession de Pologne, fut favorable à la France.
30 Louis XV avait épousé la fille du roi de Pologne. Or, ce prince avait été chassé de son royaume; Louis XV voulut venger cette humiliation. Les armées françaises furent victorieuses des armées austro-russes, et le beau-père de Louis XV reçut, sinon la Pologne, du moins le duché de Lorraine, qui devait revenir à
35 la France à la mort du souverain. Ainsi la plus exposée des frontières françaises serait protégée.

La guerre de Sept ans (1756–1763), au contraire, marque la fin de la suprématie politique du royaume et l'avènement d'une nouvelle puissance, la Prusse, qui devint sous Frédéric le Grand un des états importants d'Europe. Dirigée contre la France par l'Angleterre jalouse de la prospérité commerciale du royaume, la guerre de Sept ans se passa en grande partie dans les colonies françaises. Aux Indes et dans l'Amérique du Nord, où la France 5 possédait un immense empire, les troupes françaises furent vaincues. Au traité de Paris (1763), la France livra à l'Angleterre la plupart de ses possessions d'outre-mer.

C'est ainsi que le Canada entier passa aux mains des Anglais. Cette belle province, peuplée en grande partie par des Français 10 qui étaient fiers de leur origine et fidèles à leurs traditions et à leur foi, devait désormais faire partie de l'empire britannique. Bientôt Louis XV, mal conseillé, indifférent, donna la Louisiane à l'Espagne. Cette colonie, fondée et développée par des Français, allait rester sous la domination espagnole jusqu'en 15 1803; elle redevint française pendant quelques mois, puis elle fut vendue par Napoléon Ier aux États-Unis. Au dix-huitième siècle les hommes politiques français ne se rendaient pas compte de la valeur des territoires coloniaux.

Pendant les dix dernières années du règne de Louis XV, des 20 conflits violents divisèrent le roi et le Parlement de Paris à propos de l'état financier de la nation. Dès que la famine s'en fut mêlée, des émeutes éclatèrent à Paris et en province. A l'extérieur, la France n'était plus rien: l'Angleterre était la maîtresses des mers, la Prusse avait l'armée la plus forte du continent. 25

Le roi mourut en 1774. Tels étaient le dédain et la haine de la populace qu'on n'osa pas exposer son corps à Versailles ou au Louvre: Louis XV fut enterré la nuit, aux flambeaux, dans la crypte de Saint-Denis où reposaient ses prédécesseurs.

Si le nouveau roi, Louis XVI, petit-fils de Louis XV, avait 30 été un souverain énergique et habile, la France aurait pu se relever rapidement: elle l'avait prouvé plus d'une fois depuis deux siècles. Louis XVI était honnête, il avait de bonnes intentions, sa vie privée était irréprochable, mais il fut sans doute le plus faible et le plus irrésolu des rois de France. 35

Le «seul homme de sa famille», au fond, c'était la reine, Marie-Antoinette, fille de l'impératrice Marie-Thérèse d'Autriche. Dépensière, très fière, frivole, elle était pourtant indulgente et sentimentale. C'est ce couple, malgré tout sympathique, et dont il a été facile de faire deux martyrs, qui va mener le royaume à l'abîme.

Il ne faut pas cependant blâmer Louis XVI et Marie-Antoinette
5 outre mesure. Étant données la condition financière de la France et les idées de liberté et d'égalité des philosophes, la Révolution était fatale. Un meilleur souverain n'aurait fait que retarder la chute de la royauté. Louis XVI, sans doute moins coupable que ses prédécesseurs, a payé pour leurs fautes.

10   Pourtant, le début du règne fut heureux. Les Parisiens aimaient ce roi qui n'avait que vingt ans et cette reine qui fut la plus belle femme de son temps. Quelques jours après l'avènement, on trouva, sur le piédestal de la statue de Henri IV, sur le Pont-Neuf, une inscription naïve et sincère: «Il est ressuscité.»
15 Louis eut aussi la chance de choisir comme ministre des finances un des grands économistes du temps, Turgot. Les réformes drastiques et nécessaires que celui-ci proposa, surtout la limitation des folles dépenses de la cour, lui firent des ennemis puissants — les privilégiés, la reine elle-même, poussée par les courtisans
20 oisifs et incapables qui l'entouraient. Et pourtant, quoi de plus logique que la diminution des taxes, l'abolition de la corvée, la liberté du travail, la liberté de conscience? Les réformes de Turgot ne furent pas exécutées; le roi n'eut pas assez de fermeté pour résister à la pression de ses courtisans et de sa femme.
25 Turgot ne resta au pouvoir que deux ans.

C'est à cette époque que se passe l'épisode glorieux du règne, la guerre d'Amérique. On en connaît les détails, la visite à Paris du «bonhomme» Franklin, «l'élan pour l'Amérique», le désir d'une revanche contre l'Angleterre, les milliers de vies et le
30 milliard de francs que coûta la guerre, les exploits de Lafayette et de Rochambeau, et la victoire finale. En 1783, la France avait rendu de grands services à une nation qu'elle admirait et avait repris sa place dans la vie politique de l'Europe.

Lorsque Turgot fut renvoyé, le Genevois Necker, plus modéré,
35 prit sa place. Mais lui aussi dut réclamer des réformes, et lui aussi dut quitter le pouvoir. Personne ne peut plus sauver la monarchie. Les idées révolutionnaires sont acceptées par un nombre toujours croissant de Français, la dette du gouvernement est énorme. La fin de l'ancien régime approche.

L'Art et la Littérature du XVIIIᵉ Siècle

Il y a dans l'histoire de France deux époques qui représentent l'art français dans tout son éclat et dans toute sa beauté. L'une est le moyen âge, l'autre est le dix-huitième siècle. Les deux styles ont plus d'un trait commun — délicatesse, originalité, charme — et tous les deux, ils ont influencé l'Europe entière.   5

Depuis deux siècles, on avait assisté en France à l'évolution de l'art classique; avec Le Primatice et Le Rosso à Fontainebleau, on avait vu d'abord l'adaptation des idées italiennes à l'idéal français; puis, au début du dix-septième siècle, cet art franco-italien s'était inspiré des théories flamandes introduites par 10 Rubens et ses élèves; enfin, grâce à Louis XIV et Le Brun, l'art classique avait acquis une noblesse, une perfection, que l'Europe s'efforça souvent de copier. Mais ce n'est qu'au dix-huitième siècle, lorsque l'art français classique se sera adouci, «humanisé», que son influence deviendra suprême.   15

L'art s'adapte toujours à la société qu'il peint; on l'avait bien vu à Fontainebleau et à Versailles. Or, ce qui caractérise le dix-huitième siècle, c'est l'influence toujours grandissante de la haute bourgeoisie. Cette classe nouvelle ne veut pas de la majesté lourde et incommode du règne précédent, ne la com- 20 prend pas. A Paris la simplicité et l'intimité deviennent la règle. La peinture italienne, au dessin si pur et quelquefois si froid, est presque oubliée, à l'exception de Véronèse et du Titien dont les couleurs brillantes attirent les décorateurs; c'est surtout la peinture flamande qui inspire les artistes, avec la simplicité 25 des sujets de Téniers, la fraîcheur de Rubens, l'élégance de Van Dyck.

L'architecture du dix-huitième siècle fait mieux comprendre la société. Plus d'immenses palais, plus de grandes galeries faites pour les réceptions d'ambassadeurs ou les bals de cour; les 30 particuliers ne veulent plus que des demeures où ils puissent

jouir de la «douceur de vivre», des pièces basses faciles à chauffer, des boiseries aux couleurs claires qui ne pourraient guère servir de cadre aux fresques ou aux tableaux à la mode du Grand Siècle. Quand Louis XV fait bâtir dans le parc de Versailles un
5 pavillon pour Mme de Pompadour, ce n'est pas un édifice grandiose, royal, mais le Petit Trianon, délicat, simple, avec une multitude de petites pièces coquettes, intimes et «domestiques».

C'était dans l'architecture que l'art classique s'était le mieux exprimé; au contraire, c'est la peinture surtout qui évoque pour
10 nous l'idéal dynamique du dix-huitième siècle. La mythologie fournit encore la plupart des sujets; mais les déesses, et non plus les dieux, triomphent: dans la vie et dans l'art, le dix-huitième siècle est le siècle de la femme.

Le premier peintre important du siècle — et le plus grand —
15 est sans aucun doute Antoine Watteau, le peintre de la Régence, formé par l'étude des grands Vénitiens et, plus encore, par Rubens. Son *Embarquement pour Cythère* (1717), gracieux et mélancolique, est la plus célèbre de ses œuvres. Watteau, mort très jeune, a exercé une influence profonde. Son désir de plaire,
20 son charme, furent copiés par des «petits maîtres» tels que Lancret et Pater. Mais aucun peintre, si ce n'est Chardin (1699 –1779), n'a retrouvé la légèreté magique de Watteau. Et pourtant, que les sujets de Chardin sont donc différents des «Fêtes Galantes» de l'aristocratique Watteau! Chardin, lui,
25 peintre des objets familiers et des ménagères paisibles, n'aime que la vie réelle, la vie de tous les jours, à laquelle ce fils d'ouvrier sait donner une poésie inimitable. Devant cette casserole aux reflets dorés, flanquée d'un vase bleu et d'une serviette blanche, ou bien devant cette bonne mère qui rentre du marché, on se rend
30 compte de la vérité de cette expression du «bonhomme» Chardin: «Je peins avec du sentiment».

A côté de ce peintre d'intimité, François Boucher, Parisien lui aussi, présente un autre aspect de la vie parisienne. Boucher, le peintre attitré de Madame de Pompadour, n'est, lui, qu'un
35 décorateur. Plein d'un enthousiasme qu'il communique sponta-nément, il a représenté pour nous, sous des allégories transparentes (déesses d'opéra ou bergères de comédie), les femmes de son époque. Son élève Fragonard le surpassa, et de beaucoup. Improvisateur qui peignait ses meilleurs portraits en une heure

de temps, il a eu plus qu'aucun autre peintre de l'époque ce qu'on a justement appelé le «génie de l'ébauche».[1]

Dans ce dix-huitième siècle aux goûts si divers, il n'est pas étonnant de rencontrer, en même temps que Chardin ou Fragonard, un peintre tel que Greuze, qui traduit dans son *Accordée* 5 *de Village* ou sa *Malédiction Paternelle*, les idées moralisatrices qu'on aimait vers 1760. Enfin, dans les dernières années du siècle, lorsque les découvertes de Pompéi remettent à la mode l'antiquité, le peintre David réintroduit le calme, la majesté sculpturale dans la peinture. Mais ce n'est plus le calme froid du dix- 10 septième siècle: Watteau, Fragonard ont passé par là; c'est un calme délicat et sensible.

Les hauts personnages du siècle ont aimé les portraits peints ou sculptés. Du portrait, La Tour a fait un grand genre. Son pastel de Madame de Pompadour est d'un réalisme sympathique. 15 Réaliste aussi est le statuaire Houdon, qui a immortalisé un grand nombre de personnages célèbres, tels que Turgot, Gluck, Molière, Rousseau, Voltaire et Franklin. Houdon avait un tel souci d'exactitude qu'il se rendit aux États-Unis pour «étudier» Washington avant de faire sa statue. 20

Grâce à ses grands artistes, plus nombreux que dans aucun autre pays, la France fut pour toute l'Europe ce que l'Italie avait été pour la France elle-même au seizième siècle. Sa capitale rayonnait dans tout l'univers par son art aussi bien que par sa littérature. 25

La littérature française du dix-huitième siècle est aussi riche que celle du siècle précédent; mais elle est plus variée encore. Des genres nouveaux apparaissent, des qualités que le Siècle de Louis XIV n'avait pas connues — esprit critique, goût de la 30 nouveauté, sensibilité, légèreté inconsciente du style — se développent.

Dans les salons parisiens, ces «bureaux d'esprit» où il est possible d'exprimer librement toute idée hardie, les auteurs exposent leurs théories avant de les faire imprimer. Chez la 35 marquise de Lambert, Madame de Tencin, Mme Geoffrin, Mme du Deffand, Mlle de Lespinasse, et Mme Necker, naît une manière nouvelle de parler, spirituelle, simple, élégante, qui va

[1] Goncourt.

se refléter dans toutes les œuvres du siècle, poèmes galants ou traités philosophiques.

Journaux, revues, pamphlets se font de plus en plus nombreux. Il y eut littéralement des milliers d'écrivains au dix-huitième
5 siècle. Les uns se contentent d'adapter au goût du jour les idées classiques; d'autres, au contraire, se sont révoltés contre les principes religieux, politiques et littéraires qui avaient donné leur marque au classicisme. Des philosophes tels que Bayle et Fontenelle, en attaquant les superstitions populaires et les dogmes
10 de l'Église, proclament leur confiance en la raison et la science; des auteurs de Mémoires, tels que le duc de Saint-Simon, montrent à leurs contemporains les vices de la cour de Versailles.

Pourtant, les écrivains de la première moitié du siècle conservent le plus souvent une certaine prudence. Pour décrire les
15 défauts de la société française de leur temps, Montesquieu, dans les *Lettres Persanes* (1721), Le Sage, dans *Gil Blas* (1715–1735), se servent comme porte-parole de personnages étrangers; mais les Français ne s'y trompent pas: les Persans de Montesquieu, les Espagnols de Le Sage sont bien leurs compatriotes. La satire
20 subtile de ces auteurs affaiblit le respect qu'on sentait pour les usages établis.

Dans les genres consacrés — la poésie, la tragédie et la comédie — l'évolution littéraire fut assez lente. Les poètes du dix-huitième siècle imitent trop souvent leurs prédécesseurs. Les tragédies de
25 Voltaire, les meilleures du siècle, ne présentent guère de nouveauté. Dans la comédie, l'influence de Molière se montre partout. Marivaux, pourtant, fait preuve d'originalité dans ses fines analyses de la naissance de l'amour (*Le Jeu de l'amour et du hasard*, 1730); sa délicatesse et sa légèreté rappellent les quali
30 tés de Watteau. Quelques années plus tard, certains écrivains attaquèrent le principe de la séparation des genres; mais ni les «comédies larmoyantes» ni les «drames» ne connurent un succès durable. Vers la fin du siècle, Beaumarchais, tout en copiant la manière de Molière, crée dans le *Barbier de Séville* (1775) et le
35 *Mariage de Figaro* (1784) un personnage populaire (Figaro) dont l'esprit satirique, s'exerçant aux dépens de la noblesse, annonce la Révolution.

Avec *Manon Lescaut* (1729), le célèbre roman de l'abbé Prévost, la sensibilité entra dans la littérature française. *Manon Lescaut* eut

une grande influence: pendant tout le siècle, les héros de roman
vont pleurer, les héroïnes vont se pâmer. Le «roman sentimental»
comprend un grand nombre d'ouvrages: *Paul et Virginie* (1787),
de Bernardin de Saint-Pierre, a été l'un des plus populaires.

Le théâtre, le roman, aussi bien que les genres secondaires, 5
furent mis au service des idées politiques et sociales. Quatre
écrivains surtout ont exercé une action profonde au dix-huitième
siècle: Montesquieu, Diderot, Voltaire et Rousseau.

En 1748, Montesquieu publia son ouvrage le plus célèbre,
l'*Esprit des Lois*. On y trouve un esprit souvent ironique: Montes- 10
quieu voulait plaire à des lecteurs qui, habitués des salons,
réclamaient de l'esprit partout. Mais l'*Esprit des Lois* est peut-
être le livre le plus profond et le plus important du dix-huitième
siècle. Avec son intelligence pénétrante, Montesquieu y analyse
les théories et les institutions politiques de toutes les époques. 15
Il énonce le principe fameux: «Pour qu'on ne puisse pas abuser
du pouvoir, il faut que . . . le pouvoir arrête le pouvoir». Il veut
dire par là que le même homme ne doit pas réunir en lui «la
puissance législative, la puissance exécutive et la puissance de
juger». C'était donc une attaque directe contre le pouvoir du 20
roi, maître absolu de la France. Si la séparation des pouvoirs
est un des principes fondamentaux de la Constitution des États-
Unis, c'est en grande partie un résultat de l'influence de Montesquieu.

Denis Diderot (1713–1784) est aussi lucide, intelligent et auda- 25
cieux que Montesquieu, mais moins profond. Il s'est intéressé
à tout: art, théâtre, philosophie, problèmes sociaux. Son nom
est lié surtout à celui de l'*Encyclopédie*, l'ouvrage énorme auquel
les plus grands hommes du siècle travaillèrent et dont Diderot
fut le rédacteur-en-chef. Dans l'*Encyclopédie*, monument de l'esprit 30
rationaliste, on trouve à côté d'articles purement scientifiques
d'autres qui dénoncent les abus du gouvernement et le fanatisme
de l'Église, et «attaquent, ébranlent, renversent secrètement
quelques opinions ridicules qu'on n'oserait insulter ouvertement».[1]

La raison, qui avait été un moyen de rechercher la vérité et 35
d'affirmer les pouvoirs établis, devint au dix-huitième siècle un
instrument puissant destiné à renverser ceux-ci. Le plus grand
ennemi de l'Église et de l'État fut sans doute Voltaire (1694–

---

[1] Diderot.

1778). Au service de sa raison, Voltaire possédait l'esprit le plus
mordant qui ait jamais existé; il avait la curiosité de Rabelais, le
scepticisme de Montaigne, l'audace de Diderot, l'intelligence de
Montesquieu. Il avait aussi des défauts: il était quelquefois
5 superficiel et égoïste, injuste envers ses ennemis; il exprimait
dans ses œuvres des opinions contradictoires, il mentait «aussi
facilement que l'eau coule».[1] Mais quelle habileté! Quelle
diversité! Ayant écrit un poème épique, la *Henriade*, beaucoup
de poésies légères, des poèmes philosophiques, des tragédies et
10 des comédies en vers, il se croyait le plus grand poète de son
temps; et il avait raison! Après un séjour de trois ans en Angleterre, il écrivit des *Lettres sur les Anglais* (ou *Lettres philosophiques*),
qui, par leur admiration enthousiaste des libertés anglaises,
étaient une attaque formidable contre l'absolutisme de la monar-
15 chie française. Le *Siècle de Louis XIV* et l'*Essai sur les Mœurs*
font de lui le premier historien moderne. Les dix mille lettres
qu'il adressa aux Européens les plus influents de son temps
répandirent ses idées à travers tout le continent. Les chefs-
d'œuvre de Voltaire sont ses contes et ses romans (*Le Monde
20 comme il va*, *Zadig*, *Candide*, une vingtaine d'autres); là son esprit
satirique et son invention fertile amusent les lecteurs d'aujourd'hui
et leur permettent d'apprécier la puissance destructive de son
génie.

Jean-Jacques Rousseau (1712–1778) est tout différent de
25 Voltaire. On admire l'intelligence logique de Voltaire; au
contraire, on trouve chez Rousseau une sensibilité, une ardeur
et une imagination créatrice qui n'ont jamais été surpassées.
Les idées de Rousseau viennent de ses expériences personnelles,
de ses lectures variées, et de sa sympathie pour les victimes des
30 injustices sociales. A la base de toutes ses œuvres sont deux
principes: l'importance de l'individu et la bonté naturelle de
l'homme. «Tout est bien sortant des mains de l'Auteur des
choses, tout dégénère entre les mains de l'homme.» «L'homme
est né bon, c'est la société qui le rend méchant.» Il faudrait donc
35 retourner à l'«état de nature», à l'âge d'or du passé, à l'époque
où l'on jouissait encore d'un bonheur et d'une liberté que l'institution de la propriété privée a fait perdre. Il est malheureusement
impossible à la race humaine de retourner à cet âge d'or; mais

[1] Faguet.

Poussin: Saint Jean à Patmos.

Chardin: Les Bulles de savon.

Un Salon du XVIIIᵉ siècle.

Marie-Antoinette.

Fragonard: Le Rendez-vous.

Courtesy, The Frick Collection.

Watteau: La Danse dans un pavillon.

Courtesy, The Cleveland Museum of Art.

Houdon: Voltaire.

Danton.

Mirabeau.

Robespierre.

Prud'hon: Joséphine à la Malmaison.

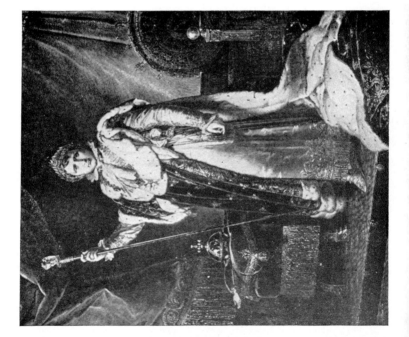

Napoléon Iᵉʳ.

La Malmaison.

Napoléon III.
(Courtesy, Culver Service.)

Delacroix: Le Barque du Dante (esquisse).

Ingres: Portrait de l'Artiste par lui-même.

Millet: Gréville.

Courbet: La Toilette de la Mariée.

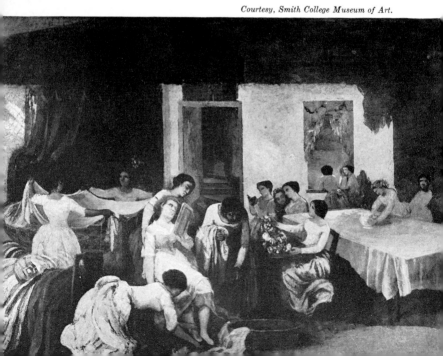

on peut améliorer l'état de la société en donnant à chaque enfant une éducation qui lui permettra de garder sa bonté naturelle (*L'Émile*), et en reconnaissant la souveraineté du peuple (*Le Contrat social*). *La Nouvelle Héloïse*, qui est un roman, contient, bien entendu, une histoire d'amour; mais dans les six cents pages 5 du livre, Rousseau discute toutes les questions sociales et morales qui passionnaient son époque. On lira longtemps les *Confessions*, dans lesquelles Rousseau raconte sa vie et étale ses sentiments avec une franchise inattendue. Rousseau a eu peu d'idées absolument originales; mais il a écrit d'une manière si émouvante, 10 si éloquente, que son influence a été et reste encore aujourd'hui énorme. Rousseau est l'un des écrivains qui ont le plus contribué à amener et à guider la Révolution de 1789. L'influence qu'il a exercée sur la littérature a été plus durable. Rousseau a introduit la nature, le «vert», dans la littérature française. Ce 15 n'est plus, comme au dix-septième siècle, l'homme seul qui va intéresser les écrivains et les poètes, c'est aussi la nature — la beauté des paysages, la mélancolie qui en découle, les liens sentimentaux qui existent entre l'homme et la nature. De l'individualisme de Rousseau et de l'importance qu'il donne au 20 sentiment de la nature va sortir toute la poésie romantique du dix-neuvième siècle.

« XVII »

La Révolution

ON L'A souvent répété, la Révolution française est un des événements principaux des temps modernes, l'événement principal peut-être. Non seulement la «Grande Révolution» marque la 25 fin de l'ancien régime, mais encore elle a donné à l'Europe un idéal durable d'égalité et de justice sociale tel que le monde n'en avait pas encore connu. C'est ce phénomène, extrêmement complexe comme tous les grands mouvements sociaux, que nous 5 allons étudier. Essayons d'en dégager les aspects principaux.

I

En 1789, il y avait déjà plus d'un siècle que la Révolution se préparait. Depuis l'époque où Louis XIV avait presque ruiné la France par ses guerres et la construction de ses palais, l'infailli-bilité du roi avait été mise en question; bien plus, sous Louis XV 10 et Louis XVI, le respect que le peuple avait toujours eu pour la personne royale s'était en partie perdu: les débauches, vraies ou supposées, du premier, la faiblesse et la mauvaise administration du second, en furent cause. Ce n'est pas tout. Le roi, sacré à Reims, était roi «par la grâce de Dieu»: Dieu lui-même le choi-15 sissait entre tous les hommes pour être son représentant sur terre. Or, au dix-huitième siècle, le dogme religieux est attaqué, d'abord avec prudence par des philosophes tels que Fontenelle et Bayle, puis violemment par Voltaire, Diderot, Rousseau, d'autres encore, dont l'influence est énorme. L'origine divine du roi une fois mise 20 en doute, c'est tout le système monarchique qui s'écroule. Les privilèges de la noblesse, ceux du clergé, sont attaqués eux aussi; le droit du peuple à se gouverner lui-même est proclamé. Enfin, l'exemple de la jeune république américaine prouve aux Français qu'un gouvernement basé sur un système démocratique est 25 possible. Ce sont là les causes profondes de la Révolution.

La cause immédiate est l'état désespéré où se trouvent les finances du royaume. Malgré les efforts de quelques bons ministres, tels que Turgot et Necker, le déficit est énorme; les emprunts dépassent un milliard et demi de francs en 1788! 30 De plus, la famine amène des émeutes par toute la France. Il ne reste plus qu'une chose à faire: réunir les États-Généraux, qui seuls peuvent ordonner de nouveaux impôts. Le roi s'y résout. Décision dangereuse: appeler les États, c'est reconnaître la puissance de la nation, méprisée depuis trop longtemps.

35 Les États-Généraux étaient formés de représentants des trois classes sociales du royaume, le Clergé, la Noblesse, et le «Tiers État».[1] Ainsi, pour la première fois depuis plus d'un siècle et

[1] Le Tiers État se composait des bourgeois, des ouvriers et des paysans.

demi, la nation allait être consultée. Le Tiers État, en 1789, se rend compte de sa force. «Qu'est-ce que le Tiers? — Tout. — Qu'a-t-il été jusqu'à présent? — Rien. — Que demande-t-il? — A devenir quelque chose»: voilà ce qu'on lit dans une brochure du temps et ce qu'on répète dans toute la France. 5

II

Le 5 mai 1789, les États-Généraux s'assemblent à Versailles. Les députés du Tiers sont pleins d'espoir, pleins d'enthousiasme: pour eux, les questions financières sont secondaires: ils veulent des réformes, la fin des privilèges, la reconnaissance de leurs droits. Ils sont convaincus de la justesse de leurs revendications, 10 énumérées dans les touchants «cahiers» qu'ils envoient au roi. Mais le roi fait la sourde oreille: seuls les impôts à voter seront discutés. Alors, un mois après la réunion des États, premier acte de révolte: les députés du Tiers s'organisent, décrètent qu'ils constituent une «Assemblée nationale», et jurent de ne pas se 15 séparer avant d'avoir donné une constitution à la France. Le roi cède. Fait inouï: la volonté du peuple triomphe de l'autorité royale, le principe de la souveraineté passe du roi à la nation! Après dix siècles d'absolutisme, la royauté capitule. Ou plutôt elle semble capituler. Car, bientôt, sous l'influence de Marie- 20 Antoinette, Louis XVI appelle à lui des régiments étrangers et s'apprête à dissoudre l'Assemblée (qui a pris le nom d'*Assemblée Constituante*). Il est trop tard. Les députés ont l'appui du peuple de Paris, plus turbulent et plus puissant que jamais; dès que la nouvelle se répand dans la capitale, une insurrection éclate dans 25 les quartiers populaires: la Bastille, vieille forteresse où pouvait être enfermé quiconque déplaisait au roi, est occupée par la populace (14 juillet 1789).

Les événements se précipitent. Le Tiers État, qui représente les «quatre-vingt-seize centièmes au moins de la nation», et qui le 30 sait, devient de plus en plus arrogant. Dans les campagnes, les paysans, pour qui rien n'a été fait encore, suivent l'exemple des Parisiens: ils s'arment, se révoltent, pillent les châteaux. Les membres des ordres privilégiés s'effraient, ou bien, au contraire, acceptent avec enthousiasme les idées nouvelles; d'eux-mêmes, en 35 tout cas, en une nuit mémorable (le 4 août), ils offrent de renoncer à leurs droits et à leurs privilèges. Les biens énormes du clergé sont déclarés biens nationaux par la Constituante; ils sont vendus

à bas prix aux bourgeois et aussi aux petits fermiers qui jusqu'alors, n'avaient rien pu posséder. Bien entendu, ces nouveaux propriétaires seront désormais les plus fermes soutiens du nouvel ordre de choses. La révolution politique se double ainsi d'une
5 révolution économique.

Troisième révolution: révolution sociale. L'égalité de tous les hommes est proclamée. La *Déclaration des Droits de l'homme et du citoyen*, inspirée par la *Declaration of Independence* et les œuvres des philosophes, traduit en belles phrases l'idéal de la Révolution:
10 «Tous les hommes naissent et demeurent libres et égaux en droits» — «Le principe de toute souveraineté repose essentiellement dans la nation». Une ère nouvelle est née: liberté, égalité, fraternité, ces mots s'entendent partout. On dirait presque que la Révolution est terminée. Le peuple de France a montré à son
15 roi sa misère et a obtenu ce qu'il voulait. L'enthousiasme est à son comble: «Le naufrage est passé, et nous arrivons dans une terre qui présente l'image du Paradis».

Mais le manque de sincérité de Louis XVI et d'une grande partie des nobles devient évident. Louis XVI, protégé à Versailles
20 par des troupes étrangères, est encore dangereux: les Parisiens l'obligent donc à revenir, un peu en prisonnier, dans sa «bonne ville» qu'il connaît si peu. L'Assemblée l'y suivra bientôt. Désormais, la capitale va être à la tête du mouvement révolutionnaire. Des troubles éclateront souvent dans les provinces;
25 certaines villes, Lyon, Nantes, vont jouer un grand rôle dans la tragédie qui se prépare; mais c'est à Paris, mieux préparé, que tout se décidera.

III

La partie, cependant, n'est pas perdue pour Louis XVI. La Constitution qu'il a juré de respecter lui laisse de grands pouvoirs.
30 Un sentiment monarchique encore profond chez beaucoup de Français, le respect de la tradition et la crainte de l'anarchie, pouvaient encore sauver le souverain. Mais la faiblesse de Louis, ses intrigues avec l'Autriche et la Prusse, une tentative manquée de fuite à l'étranger, d'autres fautes encore, finissent de ruiner la
35 monarchie.

Les émeutes se succèdent: les partis politiques se multiplient dans l'Assemblée qui a remplacé la Constituante, l'*Assemblée*

Législative; un parti républicain se forme, de plus en plus influent. Les hommes qui comptent, maintenant, ce sont les petits bourgeois qui discourent dans les «clubs», ou la canaille qui pille les châteaux et assassine les nobles qui lui résistent.

IV

En Europe, les souverains s'inquiètent. Une alliance se forme 5 entre le roi de Prusse et l'Empereur d'Autriche: pour eux, la cause de Louis XVI est «la cause de tous les rois». Ils s'apprêtent donc à marcher contre la France avec leurs armées et l'armée formée par les «émigrés», les nobles français qui, après avoir quitté le royaume, se sont établis sur les bords du Rhin. Leur 10 but, naturellement, est de rétablir l'ancien régime en France. Il est trop tard: la France n'est plus un royaume qui appartient à un seul homme, et que quelques hommes gouvernent, c'est une nation souveraine. L'Assemblée décide de «déclarer la guerre aux rois, et la paix aux nations» (20 avril 1792). Ainsi, 15 à l'anarchie de l'intérieur, va s'ajouter l'horreur de la guerre et l'horreur de l'invasion.

L'armée française est faible: la plupart de ses chefs, nobles de naissance, ont émigré, les généraux nouveaux sont des jeunes gens sans expérience, les soldats sont des volontaires indisciplinés 20 qui n'ont jamais tenu un fusil; la marine n'existe pour ainsi dire plus, et cela au moment où l'Angleterre, elle aussi, se prépare à attaquer la France. «La Patrie est en danger», dit-on partout, et partout l'on voit des soldats, sans armes et sans souliers, qui partent pour les frontières attaquées, des régiments improvisés 25 qui n'ont pour eux que leur courage et leur enthousiasme. La Champagne est envahie, la Flandre est occupée, Paris est menacé.

Quelques mois plus tard — il faut compter par mois, par jours même pendant cette épopée — la chance tourne: la victoire de Valmy (septembre 1792) arrête les Autrichiens et leurs alliés dans 30 la plaine de Châlons. Victoire imprévue remportée par des va-nu-pieds sur des troupes qui n'avaient jamais été vaincues. C'est le prélude d'une des grandes expéditions militaires des temps modernes: les armées de la Révolution pénètrent peu à peu dans les régions qui avoisinent la France: les villes du Rhin, la Savoie, 35 Nice, la Belgique, deviennent françaises.

V

A Paris, au contraire, les choses vont de mal en pis. Louis XVI,
aveugle, refuse d'accepter l'inévitable. Il a juré de respecter
la Constitution établie par l'Assemblée Constituante; mais
c'est avec raison que le peuple se méfie de lui. Les partis extrêmes
5 de la Législative l'emportent sur les partis modérés: le 10 août
1792, le roi est suspendu de ses fonctions, emprisonné avec sa
famille. La Constitution de 1791 n'a duré qu'un an à peine; il
en faut une autre. La Convention, élue au suffrage universel,
l'établira. Des hommes nouveaux apparaissent; Danton, Robes-
10 pierre, ont l'oreille des Parisiens et de leur propre gouvernement,
la *Commune*, qui est souvent plus influent que le gouvernement
national.

Le jour où elle se réunit, la Convention agit: par un vote
unanime, elle abolit la royauté et proclame la République (22
15 septembre 1792). Elle va plus loin encore. Accusant Louis XVI
d'avoir trahi la France, elle le condamne à mort. Quelques mois
plus tard, la reine Marie-Antoinette, dont on fera une martyre,
le suivra sur l'échafaud. Ce n'est pas assez. Un vent de folie
semble souffler sur la France. Des députés de la Convention
20 s'effraient. Partout, on voit des suspects. Condamnées par un
tribunal qui prive les accusés de tous leurs droits et dont les
décisions sont inspirées par le Comité de Salut Public, six mille
personnes, royalistes, républicains modérés, généraux vaincus,
périssent sur l'échafaud.

25 L'anarchie règne en France. Une province entière, la Vendée,
des villes importantes, Lyon, Marseille, Toulon, se révoltent
contre le gouvernement républicain. L'Angleterre, l'Espagne,
une partie de l'Allemagne, la Savoie, se sont jointes à l'Autriche
et à la Prusse; déjà les puissances européennes pensent à se
30 partager la France. A l'intérieur même de la Convention, des
luttes sanglantes éclatent entre les partis. Seul, un gouvernement
fort peut sauver le pays. Alors commence une dictature cruelle,
mais peut-être nécessaire. Le parti le plus puissant de la Convention l'emporte, et «place la Terreur à l'ordre du jour».
35 Pendant un an, «les têtes tombent comme des tuiles par un
temps d'orage».

Enfin, la crise est passée. La Vendée est reconquise, les armées françaises sont à nouveau victorieuses. Le dictateur Robespierre, responsable en grande partie du sang qui a coulé, est renversé par les éléments plus modérés de la nation (juillet 1794). A son tour il est guillotiné. On respire. Les lois trop 5 cruelles sont révoquées, le Comité de Salut Public est aboli et les prisons s'ouvrent. Enfin, des traités glorieux reconnaissent à la France les conquêtes de ses armées: toute la rive gauche du Rhin devient française. Ce que les rois n'avaient pu faire, ce que Richelieu avait rêvé, les armées de la République l'ont accompli. 10

En 1795, à l'avènement du nouveau gouvernement, le Directoire, on peut dire que la Révolution est terminée. Depuis la prise de la Bastille, six longues années avaient passé; jamais l'histoire n'en avait connu de telles. Des idées nouvelles avaient été acceptées et pénétraient dans toute l'Europe — souveraineté 15 du peuple, égalité et fraternité, tolérance et justice, sentiment de la dignité humaine.

Trois Hommes de la Révolution

La Révolution n'est l'œuvre ni d'un seul homme ni d'un peuple entier. C'est au fond l'œuvre de quelques poignées d'hommes qui, par leurs paroles autant que par leurs actes, ont 20 su inspirer confiance aux groupes, aux «clubs», dont ils étaient les chefs. Parmi ces hommes, il en est quelques-uns dont la vie peut servir à faire comprendre un peu mieux la complexité de la Révolution. Parlons ici de trois d'entre eux, Mirabeau, Danton, Robespierre; ils représentent bien l'évolution rapide des 25 idées. Mirabeau voulait — en 1791 — une monarchie libérale semblable à celle de l'Angleterre; Danton — en 1792 — désirait ce qu'on pourrait appeler une démocratie pure; le dernier des grands révolutionnaires, Robespierre, en 1794, croyait défendre les droits du peuple en installant la dictature absolue. De 30 commun, on le voit, ils n'eurent que leur dévouement à la seule cause qu'ils croyaient juste.

Mirabeau, le comte de Riquetti de Mirabeau, était un de ces gentilshommes libéraux, nombreux à l'époque, un de ces «Américains» comme on les appelait, qui s'étaient convertis aux idées nouvelles. Jusqu'à la Révolution, il avait mené une vie
5 frivole; cependant, disciple à la fois de Montesquieu le légiste et de Voltaire le libertin, il avait écrit d'importants ouvrages politiques. Sans grand enthousiasme, il était entré tout jeune dans l'armée, qu'il avait d'ailleurs quittée bientôt dans des circonstances peu honorables. Quelques années plus tard,
10 emprisonné à l'aide d'une de ces fameuses *lettres de cachet* qui envoyaient sans jugement leurs victimes à la Bastille, il s'était échappé et s'était réfugié quelque temps en Hollande. Dès son retour en France, il se déconsidère par ses débauches et ses vices, et de telle sorte, que la noblesse de Provence, dont il faisait
15 partie, le rejette lors des élections aux États-Généraux. Mais Mirabeau veut jouer un rôle, un grand rôle, dans le drame de la Révolution. Il se tourne donc d'un autre côté: il veut devenir député de ce Tiers État dont il prévoit l'importance. Les bourgeois de sa province, enthousiasmés par ce gentilhomme
20 aux allures démocratiques, le choisissent pour leur représentant.

Dès qu'il entre à l'Assemblée, il change. Il a un talent unique d'orateur, à un moment où la France s'enivre de grands mots. Sans difficulté, il devient le chef, le porte-parole de l'Assemblée.
25 Il se rend compte de sa puissance. C'est lui qui, le premier, ose se révolter contre l'absolutisme royal et qui aide à fonder cette «monarchie bourgeoise» dont voulaient la plupart des Français de 1789. Ce géant laid devient l'idole du pays, l'«Hercule de la Révolution». Il joue à merveille son rôle de médiateur. Mais
30 Mirabeau voit loin: bientôt il se rend compte des dangers d'une révolution trop rapide, des horreurs de l'anarchie qui doit finalement résulter. Alors il revient au roi, lui offre son aide, met à son service l'influence énorme qu'il exerce sur le peuple. Nouvelle trahison? Non, il semble bien qu'il ait été sincère; sans
35 doute voulait-il établir en France le régime constitutionnel anglais qu'il admirait. Ainsi, s'il avait vécu, Mirabeau aurait sans doute sauvé la monarchie et rendu inutile la Terreur. Mais, au moment où les choses se gâtent, en 1791, il meurt subitement, emportant avec lui, comme il disait, les «lambeaux de la roy-

auté». Dans la galerie des Hommes de la Révolution, Mirabeau représente la modération et le juste milieu.

Danton, lui, est le «Mirabeau de la canaille»: il a le don d'enthousiasme, les qualités de chef, même la laideur tragique de son prédécesseur; comme lui, il sait plaire au peuple, qu'il 5 enivre de belles phrases et d'idées simples. Mais, en plus, Danton possède un esprit pratique et clair, rare en ces années de demi-folie. Comme tous ces chefs de la Révolution, il est profondé-ment sincère. Patriote à sa façon, il confond la Révolution et la France. Devenu ministre de la Justice en 1792, quand la patrie 10 est envahie, quand le roi déchu est emprisonné au Temple, il se rend compte qu'il faut à la France un gouvernement fort. Il n'hésite pas, ou il hésite à peine: c'est lui qui ose «jeter en défi aux ennemis de la République une tête de roi», la tête de Louis XVI. «De l'audace, encore de l'audace, toujours de 15 l'audace, et la patrie est sauvée», telle est sa devise.

Il n'a pas l'étroitesse d'esprit de beaucoup de ses contemporains, hommes d'un seul parti: pour sauver la France, il veut unir toutes les factions. Mais l'époque n'est pas propice aux com-promis: lorsque Danton cherche à se rapprocher de ses ennemis, 20 les Girondins, ceux-ci refusent son alliance. Un seul parti peut être victorieux, disent-ils, le parti avancé de Danton et de ses amis, ou bien le parti plus conservateur des Girondins. N'ayant comme but que le bien du pays, Danton devient impitoyable: les Girondins sont vaincus, périssent sur l'échafaud. C'est la 25 Terreur, dont Danton s'éloigne dès qu'il le peut; il quitte Paris, essaie d'oublier à la campagne, en lisant Diderot et les classiques latins, les horreurs de l'anarchie.

Mais bientôt, il revient dans la capitale, où règne maintenant Robespierre, le dictateur incorruptible, plus cruel, plus impi- 30 toyable encore; ironiquement, d'avancé, le parti de Danton est devenu en quelques mois le parti des «Indulgents». Que peut Danton contre le fanatisme étroit de Robespierre? S'enfuir à l'étranger? Ce serait facile, mais, demande Danton, «emporte-t-on la patrie à la semelle de ses souliers?». S'attacher à Robes- 35 pierre? Il a horreur de l'homme par qui tant de gens ont péri: «Mieux vaut être guillotiné que guillotineur». Alors, lui, qui a tant fait pour la patrie, il est accusé, sans raison, de conspirer avec les étrangers: il est perdu.

Lorsqu'il monta sur l'échafaud, il dit au bourreau: «Montre ma tête au peuple, elle en vaut la peine». Elle en valait la peine, en effet: dans notre galerie, Danton est l'homme d'état implacable et le grand patriote qui, aux heures sombres de la Ré-
5 publique, a su rendre courage au peuple et à l'armée.

L'homme qui personnifie le mieux le côté sanglant, horrible de la Révolution, c'est Robespierre.

Chétif et pâle, jeune encore, il est pauvre et le reste. Il ne connaît aucun des plaisirs de la vie. Il vit, vénéré comme un
10 dieu, dans une famille de petits ouvriers. Quelquefois, on peut le voir, un livre à la main, un gros Terre-Neuve à ses côtés, se promenant dans les rues de Paris; triste, perdu dans ses réflexions, indifférent à tout, il semble inoffensif. Qu'on ne s'y trompe pas. Il prépare sans doute le discours qu'il fera le lendemain au club
15 des Jacobins ou à la Convention: à cause de ce discours, vingt, trente têtes tomberont.

Intolérant, sûr de son droit, convaincu de sa mission divine — régénérer l'humanité — il est l'Incorruptible. Pas de compromis pour lui: c'est un théoricien qui passe à côté de la vie et que
20 seule la «Révolution Intégrale» peut satisfaire. Après l'exécution de Danton et de ses amis, maître de la France, il met ses idées en pratique. Dictateur républicain, il veut un gouvernement basé sur une religion nouvelle; disciple de Rousseau, il est déiste et développe le culte de l'Être Suprême, dont il devient le
25 Grand-Prêtre. C'est au fond une parodie de la religion que ses prédécesseurs ont essayé de détruire, mais Robespierre est aveugle. Il va plus loin: il fait voter par la Convention la loi la plus injuste de la Révolution: désormais, témoins et défenseurs seront inutiles: les suspects pourront être condamnés à l'aide de «preuves
30 morales»; pour eux une seule peine, la mort. Même sous l'ancien régime, on n'avait pas osé aller si loin. Pas un Français n'est à l'abri. C'est la Grande Terreur.

Et pourtant, ce monstre est un idéaliste: il règne par la terreur, c'est vrai, mais aussi par la vertu. Il est sans pitié pour ses
35 ennemis, mais il croit sincèrement qu'en les envoyant à la guillotine, il sauve la France. Il est ambitieux, mais il ne l'est pas pour lui-même: cet assassin a toujours le mot de patrie à la bouche, l'idée de la patrie en tête. Dans notre galerie, Robespierre représente la sincérité aveugle et le fanatisme.

TROISIÈME PARTIE

« XVIII »

Napoléon

A<small>U SORTIR</small> de la Révolution, la France avait besoin d'un gouvernement fort. Or, le Directoire (qui remplaça la Convention dissoute) manquait de fermeté: pendant quatre ans (1795–1799), les conspirations se suivent, jacobins et royalistes fomentent des émeutes, le Directeur Barras discrédite ses collègues 5 par ses débauches et ses dépenses. Enfin, les imprudences des diplomates du Directoire amènent une nouvelle guerre: l'Autriche, la Russie et l'Angleterre reprennent l'offensive.

Dans de telles circonstances, il est logique que les généraux de la Révolution soient les héros du jour. A l'un de ces généraux, 10 la chance sourit. C'est un jeune Corse de petite noblesse, Napoléon Bonaparte. Au début du Directoire, il n'a que vingt-six ans, mais il a déjà fait ses preuves, et ses victoires en Autriche, en Italie et sur le Rhin le rendent bientôt célèbre. Ambitieux, réaliste, plein de confiance en son étoile, il sait se rendre indis- 15 pensable au Directoire qui le protège en retour. Sa renommée se répand dans toute la France: pour ses soldats, Bonaparte est le camarade qui conduit ses compagnons à la victoire; pour le peuple, il est le général toujours vainqueur qui ramène de ses campagnes butin et paix. En 1799, lorsqu'il revient d'Égypte 20 où il avait essayé de couper aux Anglais la route des Indes, tout est prêt pour un coup d'état. Bonaparte, qui, à Paris, a des amis puissants, le sait bien; protégé par ses grenadiers, il dissout le Directoire et se fait nommer consul (18 Brumaire[1]). Enfin, la France a un chef dont elle attend tout et dont elle peut être 25 fière; en quelques jours, toute opposition au nouveau régime

---

[1] Date du calendrier révolutionnaire; autrement dit, le 9 novembre (1799).

cesse. En théorie, le gouvernement est composé de trois consuls et d'un Sénat; en fait, le Premier Consul, Bonaparte, a tout le pouvoir.

Pendant quinze ans, Napoléon Bonaparte est maître absolu
5 des destinées de la France, d'abord comme consul, puis comme empereur; mais c'est vraiment pendant les cinq années du Consulat (1799–1804) qu'il accomplit la partie la plus durable de son œuvre. L'une après l'autre, les réformes nécessaires se suivent sous sa direction. Il donne à la France un système logique de
10 centralisation: des milliers de fonctionnaires nommés par lui, préfets, sous-préfets, maires, administrent la France agrandie. Il signe le *Concordat*, qui réconcilie l'Église et l'État: ainsi la France regagne son titre de «fille aînée de l'Église». Enfin, après dix ans de lutte, l'Angleterre signe la paix d'Amiens, honorable
15 pour les deux pays. Donc, paix à l'intérieur, paix à l'extérieur. Mais Bonaparte fait plus. Fondant ses lois, comme il le dit, «sur la modération, l'ordre et la justice», il incorpore les idées égalitaires de la Révolution dans l'organisation judiciaire du pays: Bonaparte consul est encore l'homme de la Révolution.
20 Désormais, grâce aux Codes inspirés par lui, les Français jouiront tous des mêmes privilèges, et tous ils pourront accéder (du moins en théorie) aux plus hautes charges de la nation. Voulant préparer une élite intellectuelle, il fonde les *lycées*, et rend aux universités la place qu'elles avaient eue au moyen âge. Il sait
25 que le pays, pour être respecté et craint, doit être riche: il réorganise les finances de la France ruinée, trace des routes sans nombre qui relient l'une à l'autre les villes de France, protège l'industrie et le commerce. Un seul homme, en quelques années, avait rendu à la France sa dignité perdue et achevé l'œuvre
30 souvent chaotique de la Révolution.

Le peuple français, rempli de gratitude, accepta Bonaparte comme Empereur des Français sous le nom de Napoléon Ier (1804). «Dans une France enfin achevée, César régnait.»[1] Le petit château de la Malmaison où Napoléon Bonaparte avait
35 passé avec sa femme Joséphine des jours heureux ne lui suffit plus: il lui faut les palais des Bourbons dont il prend la place. La France elle-même n'est plus assez grande pour ce conquérant: il lui faut l'Europe.

[1] Louis Madelin.

succession

Le règne de Napoléon est une suite de guerres. Les unes, il les a voulues, les autres lui ont été imposées par les souverains d'Europe effrayés: l'Angleterre, la Russie, l'Autriche, l'Espagne, la Prusse, les états italiens se sont ligués contre l'Empereur. Ses campagnes sont des chefs-d'œuvre de tactique militaire, les 5 victoires qu'il remporte, Austerlitz, Iéna, Eylau, Wagram, sont parmi les plus glorieuses de l'histoire de France et semblent promettre le monde à l'Empereur.

En 1810, l'Empire est à son apogée. Napoléon, qui a répudié sa première femme, Joséphine, épouse l'archiduchesse Marie-Louise, 10 fille de l'Empereur d'Autriche et nièce de Marie-Antoinette. La France s'étend de Hambourg à Naples. La Suisse, l'Espagne, la plus grande partie de l'Allemagne, l'Italie, sont des états vassaux. Jamais la France n'a été si grande ni si puissante.

Mais Napoléon a deux ennemis invincibles: l'Angleterre et la 15 Russie. Contre l'Angleterre, il ne peut rien. La flotte britannique l'a déjà vaincu à Trafalgar; un essai de descente en Angleterre a échoué, de même que le blocus qui devait ruiner le commerce anglais en lui fermant tous les ports du continent. Sept fois, l'Angleterre a refusé la paix que lui offrait l'Empereur. Il 20 semble que la Russie soit plus facile à vaincre. En 1812, Napoléon décide de punir le Tsar qui l'a trompé. Alors commence la fameuse campagne de Russie. La «Grande Armée», devenue l'Armée des Vingt Nations, est finalement vaincue, par les neiges et le froid autant que par les hommes. La retraite de 25 Russie a une répercussion immense. Elle prouve au monde que l'armée de Napoléon peut être vaincue.

La fragilité de l'édifice impérial apparaît. Trop grand, composé de trop de nations diverses, l'empire est impossible à gouverner. Il doit s'écrouler en entraînant l'homme qui l'a 30 élevé trop vite. La Prusse, la Hollande, l'Autriche se révoltent contre le Conquérant. C'est la débâcle: de toutes parts, la France est envahie, comme aux heures les plus tragiques de la Révolu-tion. Mais maintenant, les soldats sont épuisés, les Français sont las de vingt années de guerre. En mars 1814, les Alliés (la 35 Russie, l'Angleterre, la Prusse et l'Autriche) entrent dans Paris, dans Paris qui n'avait pas été occupé par l'ennemi depuis la guerre de Cent ans.

Il ne reste plus à Napoléon qu'à abdiquer et à partir pour

l'exil. Il se réfugie à l'île d'Elbe, peu éloignée de la Corse.
Mais le parti bonapartiste est encore puissant en France. Napoléon s'échappe de l'île d'Elbe. Il est reçu avec enthousiasme
par l'armée et par le peuple. Pendant cent jours, il redevient
5 le maître de la France. Gloire de courte durée. Le pays est
épuisé, les alliés ont une armée immense. La bataille de Waterloo
(18 juin 1815) est la dernière et la plus désastreuse des défaites de
Napoléon. Alors l'Empereur se rend aux Anglais. C'est dans
une petite île au milieu de l'Atlantique, Sainte-Hélène, qu'il
10 mourra en 1821.

Aucun homme n'est plus célèbre que Napoléon, aucun n'a fait
plus pour la renommée guerrière de la France; et cependant
jamais homme n'avait fait plus de mal. A cause de son ambition
et de son égoïsme, dix millions de soldats sont morts, l'Europe
15 entière est devenue un immense champ de bataille. Ses victoires
font preuve d'un génie militaire unique; elles ont été aussi des
hécatombes qu'il est impossible d'excuser. A cause de ce «petit
caporal» qui devint le Grand Empereur, la France a été envahie
deux fois par des armées trop longtemps humiliées, a perdu les
20 précieuses frontières naturelles que la Révolution lui avait
données, a été ruinée par des impôts destinés à payer l'armée.
Les Français ont payé cher la gloire d'avoir été pendant quelques
années la nation la plus puissante de l'Europe. Pourtant, ils
n'en voulurent pas à Napoléon. Après la mort de l'empereur,
25 les horreurs de l'holocauste et l'humiliation de la défaite furent
oubliées. Il y eut bientôt, popularisée par la chanson et par
l'image, une légende napoléonienne, celle du Petit Caporal, ami
du soldat et protecteur du pauvre. Surtout les réformes de
l'Empire restaient: tel était le génie de Napoléon et de ses con-
30 seillers que pendant plus d'un siècle l'organisation administrative
de la France changea à peine.[1]

[1] En 1790, l'Assemblée Constituante avait remplacé les provinces par
quatre-vingt-trois *départements* presque autonomes. Napoléon, tout en conservant la division en départements, rétablit le principe de la centralisation
qui est resté jusqu'à nos jours un trait essentiel de l'organisation du pays.

La Malmaison et l'Art Empire

CHAMBORD fait penser à François Ier, Versailles rappelle
Louis XIV. Mais aucun palais aujourd'hui ne peut nous aider à
évoquer Napoléon Ier, qui s'était contenté de redécorer à Fontainebleau ou à Compiègne les appartements de ses prédécesseurs.
Pourtant, il nous reste un monument étroitement associé à son 5
souvenir. C'est, tout près de Paris, la Malmaison, la demeure
de Joséphine. Là, le jeune général et sa femme ont vécu à son
retour d'Italie et pendant le Consulat; là, Joséphine s'est retirée
après son divorce; là, elle est morte, quelques mois avant que
Napoléon ne s'y arrêtât, en route pour le second exil. 10

Lorsque la jeune femme du général victorieux voulut une
demeure digne d'elle, elle trouva, dans l'Île-de-France qu'elle
aimait tant, le domaine qu'elle cherchait. Les bâtiments eux-
mêmes n'étaient pas très beaux; mais le parc à l'anglaise, avec
son étang, sa rivière, ses vieux saules, plut à la créole sentimentale 15
et au général nourri de Rousseau. Chaque semaine, pendant
les premières années du Consulat, Bonaparte se rendit à la
Malmaison; redevenu un jeune homme, jouant aux barres, se
promenant dans le parc, admirant les roses du jardin, les plus
belles de France, il se reposait de ses travaux. Profondément 20
amoureux de Joséphine, qu'il aimait voir jaillir de derrière les
arbres, coiffée à l'antique et déjà entourée d'une petite cour, il
fit du petit château le seul foyer qu'il eût connu.

Dès que le premier Consul prend conscience de son rôle, cette
modeste maison de campagne aux murs nus ne suffit plus. Mais 25
il ne l'abandonne pas. S'il fait des Tuileries son Versailles, de
la Malmaison, il fait son Trianon. Joséphine, Bonaparte lui-
même, les architectes, les décorateurs surtout, se mettent au
travail. On ne change pas le parc, on se contente de l'agrandir,
d'y ajouter des prés, des bois. Mais, pendant quinze ans, la 30
Malmaison elle-même subit des transformations qui en font
aujourd'hui un exemple parfait du style Empire.

Car il y a un style Empire, comme il y a un style Renaissance

ou un style Louis XVI. Il est sévère, un peu lourd, comme on doit s'y attendre à une époque qui est pleine d'admiration pour l'antiquité, et qui veut réagir contre la frivolité de l'ancien régime. Mais cette lourdeur peut devenir de la majesté, cette
5 sévérité ne manque pas de charme. L'archéologie est plus que jamais à la mode: Bonaparte avait emmené avec lui en Égypte de nombreux savants, les ruines de Pompéi apportent des idées nouvelles. Les couleurs sont crues, froides, rouge étrusque, vert clair; la forme des meubles est grecque, romaine, égyptienne,
10 mais tout cela, bien entendu, adapté au goût français. Meubles, étoffes, orfèvrerie, sont d'ailleurs de très belle qualité: Bonaparte protège et surveille tout le commerce français.

Joséphine est dépensière: elle ajoute des ailes à la Malmaison, elle rend le porche plus majestueux en en faisant une tente de
15 fer aux formes classiques; sa chambre à coucher, elle-même en forme de tente, est une symphonie de violet et d'or, les couleurs préférées du général. Dans la bibliothèque majestueuse, il y a peu de livres: ni Joséphine ni Napoléon ne lisent beaucoup. Les salons sont nombreux, tendus d'étoffes de Lyon ou de tapisseries
20 des Gobelins. Aux murs pendent des tableaux pris à l'Italie. Dans les vases de bronze doré, il y a des fleurs rares que Joséphine se fait envoyer de sa Martinique natale, et que la flotte anglaise, maîtresse des mers, laisse galamment passer.

Pendant longtemps, la vie qu'on mène à la Malmaison est gaie,
25 brillante. On y joue la comédie, on y donne des concerts, des bals. Les membres de l'ancienne aristocratie y rencontrent la noblesse créée par l'Empereur: c'est ce que veut Napoléon. L'esprit démocratique de la Révolution s'y fait voir. On y rencontre des roturiers, mais des roturiers de talent: le tragédien
30 Talma, Isabey, Prud'hon, qui sont avec David les grands peintres de l'Empire. Peu d'écrivains: ils sont rares d'ailleurs à cette époque, tout occupée de conquêtes: Chateaubriand et Madame de Staël, les deux plus grands, dédaignent cette société qui ne reconnaît pas leur génie et singe l'ancienne cour.
35 Les années passent. 1810: Napoléon épouse l'orgueilleuse archiduchesse Marie-Louise. Joséphine, après son divorce, est revenue à la Malmaison. Abandonnée, triste, elle aime encore Napoléon qui vient la voir quelquefois, quand il a besoin de conseils. Joséphine vieillit vite; seule sa frivolité la sauve du

désespoir. 1814: La pauvre femme meurt, alors que Napoléon
est parti pour son premier exil. 1815: Napoléon est vaincu à
Waterloo, il abdique une seconde fois. Il va quitter la France,
cette fois-ci pour toujours. C'est à la Malmaison qu'il passe ses
derniers jours en France. Quels sont ses sentiments? L'Europe 5
lui échappe; Marie-Louise l'a abandonné; son fils, le petit roi de
Rome, va devenir un archiduc autrichien. Joséphine est morte,
enterrée sans faste dans la petite église du village. Tous les
rêves de grandeur qu'il avait connus lorsqu'il était le général
Bonaparte ont fui. La «Malmaison» — la mauvaise maison, la 10
maison maudite — a mérité son nom.

« XIX »

La Monarchie Constitutionnelle

Avant les Cent-Jours, le Sénat, qui était resté au second plan
sous l'Empire, avait proclamé roi de France le frère de Louis XVI,
le comte de Provence, qui avait pris le nom de Louis XVIII.[1]
Dès que Napoléon eut été vaincu à Waterloo, le vieux roi — il 15
avait soixante ans — retourna aux Tuileries. Ainsi, après vingt-
cinq ans d'exil, les Bourbons remontaient sur le trône.

La tâche de Louis XVIII était difficile. Il revenait dans une
France ruinée, vaincue, humiliée, occupée par quatre armées
étrangères. Lui-même n'était rentré en France qu'avec l'aide de 20
ces envahisseurs; gros, infirme, sans gloire, il faisait piètre figure
de chef.

---

[1] Le jeune fils de Louis XVI et de Marie-Antoinette, qui serait devenu
Louis XVII s'il avait régné, disparut mystérieusement; fut-il tué en prison?
réussit-il à s'échapper? Personne ne le sait.

Il n'est plus le souverain absolu qu'avaient été ses prédécesseurs: il a «octroyé» une *charte* qui fait de lui un monarque constitutionnel. Ses actions sont contrôlées par deux chambres, l'une héréditaire (la Chambre des pairs), l'autre élue (la Chambre des
5 Députés). Gouvernement libéral en apparence: au début de la Révolution, Mirabeau n'avait pas demandé plus. En fait, les seuls électeurs sont des bourgeois riches ou des gentilshommes et les seuls élus des bourgeois ou des gentilshommes plus riches encore. Louis XVIII, lui, est prêt à respecter la Charte et à
10 accepter les changements qui sont survenus depuis la Révolution: l'exil lui a été propice. Mais ses conseillers, anciens émigrés «plus royalistes que le roi», n'ont rien appris ni rien oublié: la Restauration (1815–1830) est bientôt le triomphe de la réaction, d'abord timide au début du règne de Louis XVIII, puis or-
15 gueilleuse et sans pitié sous son frère Charles X (1824–1830), son médiocre successeur.

Dans le peuple, au contraire, les idées de la Révolution ne sont pas oubliées. Partout en Europe, en Allemagne, en Italie, en Espagne, il y a des soulèvements. Mais les forces réactionnaires
20 sont toutes-puissantes. En France aussi, la contre-révolution se poursuit. Louis XVIII est incapable d'arrêter ses ministres et ses chambres; Charles X, lui, s'entoure de ministres impopulaires. Sous son règne, plus encore que sous celui de son frère, des libertés fondamentales disparaissent — liberté de la presse, liberté de
25 pensée. Les Français s'impatientent. Ils ont des armes nouvelles: les journaux, les livres bon marché se multiplient malgré tout et sont lus par un public assez instruit. Des chefs libéraux ou républicains répandent des théories économiques et sociales qui sont audacieuses pour l'époque, et qu'il est impossible d'arrêter.
30 De plus on se fatigue de ce régime sans gloire. Il n'est donc pas étonnant qu'en juillet 1830, lorsque Charles X dissout la Chambre des Députés et modifie la loi électorale de telle façon qu'elle réduit encore le nombre des électeurs, une émeute éclate. Soulèvement de petits bourgeois et d'ouvriers, révolution parisienne.
35 Charles X, effrayé, s'enfuit en Angleterre.

La révolution de 1830 est la plus courte des révolutions du dix-neuvième siècle. Trois jours après le début de l'insurrection, la France a un nouveau souverain, le duc d'Orléans (de la branche cadette des Bourbons), qui régnera sous le nom de Louis-Philippe

Ier. Nommé par les députés qui s'effraient de la possibilité d'un régime républicain, régnant par la volonté nationale, Louis-Philippe n'est pas roi de France; il est, et c'est significatif, le «roi des Français», choisi par eux, responsable devant leurs représentants. Il n'est plus question de droit divin, d'infaillibilité. 5 C'est, depuis le commencement du siècle, le quatrième changement de gouvernement. Mais le peuple est loin encore d'avoir réalisé l'idéal républicain de la Révolution de 1789, et les «Trois Glorieuses» sont au fond un échec: les Républicains, qui avaient fomenté l'émeute, ne bénéficieront pas de leur victoire. 10

Louis-Philippe règne pendant dix-huit ans (1830–1848). Avec lui, la bourgeoisie consolide son pouvoir. Elle a une petite armée à elle, formée d'hommes à elle, la Garde Nationale. Ce sont des bourgeois qui siègent à la Chambre et qui développent l'industrie. En bons commerçants, ces bourgeois veulent la paix à l'extérieur; 15 et, en effet, grâce au ministre Guizot, la France connaît «la paix à tout prix» que les Bonapartistes et les Républicains reprochent à Louis-Philippe, et dont ils ne voient pas les avantages. Le seul épisode glorieux du règne, c'est la lente conquête de l'Algérie, qui va donner à la France un territoire colonial d'importance 20 primordiale.

A mesure que les années passent, les Français, comme sous la Restauration et pour les mêmes raisons, se détachent de cette monarchie sans grandeur apparente. Le vieux roi, fort jaloux au fond de son autorité, ne veut pas s'apercevoir de l'évolution très 25 rapide des idées politiques; les partis avancés, républicains, socialistes, deviennent plus nombreux, plus ambitieux, mieux organisés qu'en 1830. Enfin, tout est prêt pour une autre révolution. En février 1848, un incident suffit; une manifestation des libéraux devient une émeute, puis une insurrection. C'est la 30 Révolution de 1848. A son tour, Louis-Philippe abdique. Un gouvernement provisoire, formé d'ouvriers, de doctrinaires socialistes, et aussi de républicains modérés, proclame la Deuxième République.

Le Romantisme

LE ROMANTISME est aussi difficile à définir que le classicisme. Nous avons vu que celui-ci reposait sur de nombreux principes — ordre, respect de l'autorité, analyse des sentiments généraux, séparation des genres, rationalisme, clarté, style poli et noble.
5 Le romantisme, lui, a été au fond une révolte contre les règles du classicisme; mais il a été quelque chose de plus.

On peut distinguer trois périodes dans le romantisme. Le romantisme du dix-huitième siècle commence à la publication du premier *Discours* de Rousseau (1750) et se termine à la Révolution
10 (1789). L'exaltation du *moi*, l'absence d'ordre et de discipline, l'opposition aux institutions traditionnelles, la peinture de passions sans freins, l'amour de la nature — nous avons déjà vu tous ces aspects du romantisme dans l'œuvre de Rousseau.

La deuxième période est souvent connue sous le nom de pré-
15 romantisme. Entre 1800 et 1815 — c'est-à-dire pendant l'ère napoléonienne — Chateaubriand et Madame de Staël sont les seuls grands écrivains. Chateaubriand (1768–1848) avait voyagé en Amérique, et dans *Atala* (1801) il a raconté les amours tragiques de deux jeunes Indiens. Se servant de mots brillants et de phrases
20 rythmiques, il a peint la beauté exotique des forêts primitives. *René* (1805) est un roman plus personnel et plus analytique que la *Nouvelle Héloïse* de Rousseau. Chateaubriand s'y abandonne à une mélancolie maladive — ce fameux «mal du siècle» dont souffrirent les hommes de sa génération.
25 Madame de Staël (1766–1817) était douée d'une intelligence remarquable. Dans un ouvrage qui a exercé une grande influence, *De la Littérature*, elle a montré les relations étroites qui existent entre la littérature et les institutions sociales du pays où elle se développe. Ses deux romans, *Delphine* et *Corinne*, et un
30 ouvrage de critique, *De l'Allemagne*, firent d'elle la femme la plus célèbre du commencement du dix-neuvième siècle.

La troisième période — celle de l'école romantique proprement dite — s'étend de 1820 à 1850. Des influences très diverses s'exercèrent sur la littérature de cette époque — la tradition

rousseauiste, l'exemple d'écrivains allemands tels que Goethe et
Schiller ou d'écrivains anglais tels que Byron et Walter Scott.
L'écrivain romantique a, pourtant, une personnalité qu'il aime
à étaler: ce ne sont plus des sentiments généraux qu'il peint, ce
sont ses propres émotions. 5

Le premier grand poète romantique est Alphonse de Lamartine
(1790–1869). Son style est presque classique, mais la révélation de
ses propres douleurs et l'amour qu'il a pour la nature font penser à
Rousseau. Tout le monde devrait connaître *Le Lac*, où Lamartine
exprime dans des vers d'une musique exquise la tristesse causée 10
par la mort de la femme qu'il aimait. Les poèmes de Lamartine
ont un accent, une émotion que la littérature française n'avait pas
connus depuis deux cents ans.

Alfred de Vigny (1797–1863) est le plus profond des poètes
romantiques. Il a médité longuement sur les grands problèmes 15
que doit résoudre l'humanité — la solitude de l'homme de
génie (*Moïse*), les rapports de l'homme et de Dieu (*Le Mont des
Oliviers*), la force de la fatalité (*Les Destinées*). Aux déceptions de
la vie et aux souffrances humaines, Vigny oppose une stoïque
fierté (*La Mort du Loup*). 20

Victor Hugo (1802–1885) fut le poète le plus célèbre du dix-
neuvième siècle. Personne n'a su mieux que lui se servir de toutes
les mesures métriques; *Les Djinns*, par exemple, est un tour de
force incomparable. Hugo écrit des vers comme un grand virtuose
joue du violon; de la poésie, il sait tirer tous les effets possibles. 25
Nul autre poète n'a eu à sa disposition un vocabulaire si riche,
nul autre poète n'a inventé autant d'expressions imagées et
pittoresques. Hugo s'est révolté contre les règles strictes de
Malherbe et de Boileau; il a donné au vers alexandrin une liberté
et une flexibilité dont ses successeurs ont profité. 30

Victor Hugo chante également bien la joie ou la tristesse,
l'amour ou la haine. Les *Feuilles d'automne* contiennent, comme
il le proclame, «des vers sereins et paisibles, des vers de la famille,
du foyer domestique, de la vie privée». La mort de sa fille
aînée lui a inspiré une élégie d'une sincérité émouvante, *A Ville-* 35
quier (publiée dans les *Contemplations*). Son chef-d'œuvre poétique
est la *Légende des siècles* (1859–1883): Hugo y raconte certains
moments épiques de l'histoire de l'humanité, «depuis Ève, mère
des hommes, jusqu'à la Révolution, mère des peuples».

Certains critiques trouvent qu'Alfred de Musset (1810–1857) fut un plus grand poète que Hugo. On peut reconnaître en tout cas qu'il était plus personnel et plus sincère. Dans sa jeunesse Musset écrit des vers légers, badins, moqueurs. Puis, à 22 ans,
5 il s'éprend de George Sand, qu'il aime avec passion; après un très court bonheur, Musset connaît le désenchantement et le désespoir. Ses poèmes les plus importants, tels que *La Nuit de Mai* ou *Souvenir*, s'inspirent tous de cette aventure douloureuse. On trouve peu d'idées, on ne trouve aucune philosophie dans
10 ses vers, mais comme poète de l'amour Musset est sans rival.

Les poètes lyriques, sauf Lamartine, ont voulu imposer leurs théories au théâtre. Hugo fut leur chef. Dans sa fameuse *Préface de Cromwell* (1827), il se révolta contre les principes et les règles de Boileau; s'inspirant de Shakespeare, il voulait mêler dans
15 une seule pièce la tragédie et la comédie, le sublime et le gro-tesque. Les traditions classiques étaient encore tenaces au théâtre; il a fallu une véritable bataille pour faire triompher *Hernani* (1830). *Ruy Blas* (1838) a connu une grande popularité, mais en 1843 la chute des *Burgraves* marqua la fin du romantisme au
20 théâtre.

Dans ses combats, Hugo a été aidé par Alexandre Dumas père et par Vigny. En 1829, Dumas a fait représenter au Théâtre-Français *Henri III et sa cour*, drame historique d'un réalisme frappant. En 1831, il a donné *Antony*, pièce dans laquelle se
25 trouvent toutes les caractéristiques du drame romantique, mais dont le cadre est tout moderne. La meilleure pièce de Vigny est *Chatterton* (1835); l'auteur y raconte le suicide du jeune poète anglais, victime de l'indifférence de la société.

Les héros de ces pièces sont des personnages d'un individualisme
30 effréné et d'une mélancolie inconsolable; ils aiment à étaler leurs souffrances dans des vers ou dans une prose d'une beauté lyrique. A leur avis la fatalité est plus puissante que la volonté humaine. Cette fatalité les entraîne dans des aventures où se trouvent tous les artifices du mélodrame — déguisements, mystères, combats,
35 coups de théâtre.

Remarquons que le drame romantique emprunta un grand nombre de ses sujets à l'histoire de France, que la tragédie classique avait négligée en faveur de la Grèce ou de Rome.

Henri III, François Ier, Louis XIII, par exemple, jouent des rôles importants dans les pièces de Dumas ou de Hugo.

Les Romantiques, en effet, sous l'influence de Sir Walter Scott, avaient «découvert» l'histoire de France. Vigny, Hugo et Dumas, d'autres encore, ont écrit des romans historiques. Le 5 *Cinq-Mars* de Vigny (1826) est le premier chef-d'œuvre de ce genre; c'est l'histoire d'une conspiration sous Richelieu. Tout le monde a entendu parler de *Notre-Dame de Paris* de Victor Hugo. Dumas a écrit d'innombrables romans historiques, dont le plus populaire est *Les Trois Mousquetaires* (1843). On pourrait 10 presque apprendre l'histoire de France en lisant les romans historiques de cette époque. Il convient de dire, pourtant, que les romanciers se piquent rarement d'exactitude. Dumas surtout est sans gêne quand il s'agit des personnages et des faits du passé.

Toute la littérature française, entre 1820 et 1850, n'est pas 15 purement romantique. George Sand a commencé par écrire des romans très personnels, presque autobiographiques. Plus tard cependant, elle a subi l'influence des socialistes et a incorporé leurs théories dans des romans nombreux. Mais ses chefs-d'œuvre sont ses romans champêtres, plus réalistes que romantiques — 20 la *Mare au diable*, la *Petite Fadette* — dans lesquels elle peint d'une façon charmante la vie des paysans. Prosper Mérimée nous a donné deux nouvelles, *Colomba* et *Carmen*, et une vingtaine de contes populaires — *Mateo Falcone*, *l'Enlèvement de la Redoute*, etc. Impassible et réaliste, Mérimée cache toujours ses émotions sous 25 un art impeccable. Dans *le Rouge et le Noir* et *La Chartreuse de Parme*, son ami Stendhal présente des personnages ambitieux et passionnés dont les moyens principaux de parvenir sont l'hypocrisie et le calcul. Stendhal mêle ses héros à la vie réelle de la France ou de l'Italie. 30

Un mélange de romantisme et de réalisme apparaît dans l'œuvre prodigieuse d'Honoré de Balzac (1799–1850). Doué d'une énergie extraordinaire, Balzac a écrit la *Comédie humaine*, composée de contes, de nouvelles et de romans qui nous donnent le meilleur tableau que nous ayons de la société française dans la 35 première moitié du dix-neuvième siècle. Balzac excelle à peindre des personnages aux passions fortes, il aime l'horrible et le monstrueux des mélodrames. Il avait un don merveilleux

d'observation; à cet égard il nous fait penser à Molière. Le
Grandet de Balzac, par exemple, ressemble à l'Harpagon de
Molière; tous deux avares, ils sont à la fois des individus et des
types. Surtout Balzac sait donner, comme Molière, le don de vie
5 à ses personnages. Ils mangent, s'habillent, parlent, sentent
comme tout le monde. Ils habitent des maisons que Balzac
décrit jusqu'au moindre détail. Balzac ne cherche que rarement
dans le passé ou à l'étranger le fonds des drames qu'il raconte;
c'est en France — à Paris ou en province — que vivent la plupart
10 de ses personnages; ce sont les mœurs de ses contemporains qu'il
décrit. Il a voulu être le «secrétaire de la société» et il y a réussi.

Au début du siècle, sous l'Empire, le classicisme froid, viril,
archéologique, est à la mode: en art comme en politique, il
s'agit d'oublier aussi vite que possible la frivolité de l'ancien
15 régime, l'époque de Boucher et de Fragonard. Le dictateur
artistique, c'est le peintre David. Il aime les grands sujets antiques, le *Serment des Horaces*, l'*Enlèvement des Sabines*, avec leurs
personnages qui ne sont que des statues peintes, que des recons-
titutions sans vie, des bas-reliefs ennuyeux: pour cet archéologue,
20 le dessin est suprême. Et pourtant, malgré lui, il lui est arrivé
d'oublier l'art des musées pour retomber dans le réalisme, cette
qualité si française. Alors, comme dans son portrait de Madame
Récamier, il saisit le mouvement gracieux et vrai, l'expression
pleine de vivacité, le détail moderne et humain. Mais, sauf
25 Ingres, ses nombreux élèves n'ont pas ce talent. Tout le siècle
va souffrir de cet idéal de perfection glaciale, le seul qu'on
enseigne dans les écoles officielles: l'art académique du dix-
neuvième siècle, techniquement impeccable, mais impersonnel
et sans vie, sera protégé presque exclusivement par le gouverne-
30 ment et attaqué sans pitié par les vrais artistes.

Vers 1820, en effet, chez les jeunes qui comptent, tout change.
«A peuple nouveau, art nouveau», dira leur contemporain Hugo.
La génération nouvelle se révolte. En politique, elle souffre des
réalités de la vie et les étudie. En littérature, nous venons de
35 le voir, elle se tourne vers le passé national de la France, vers
un pittoresque dont le classicisme avait eu horreur, vers les traits
qui rendent les hommes différents les uns des autres. Il en est de
même en art: les premiers peintres romantiques, Gros, Géricault

exceptés, se servent déjà des lieux communs du romantisme — sublime mêlé au grotesque, réalisme souvent facile, sujets empruntés aux littératures étrangères; Walter Scott, Byron, Goethe sont aussi les maîtres des artistes romantiques et leur donnent leurs thèmes.   5

De même que David est le chef de l'école précédente, Eugène Delacroix est le grand homme de l'école romantique. Mais alors que David était respecté, compris, honoré par ses contemporains, Delacroix, dans la longue lutte entre l'Académisme et l'art véritable, reste longtemps méconnu. Il en sera de même pendant 10 tout le dix-neuvième siècle pour presque tous les grands peintres créateurs.

Delacroix et ses disciples doivent beaucoup aux écoles étrangères, à Rubens et aux grands paysagistes anglais, Constable ou Bonington. Leur contemporain Corot, qui n'est, lui, d'aucune 15 école, est plus purement français. On a longtemps préféré dans son œuvre ses paysages brumeux aux arbres esquissés dans un brouillard argenté; au contraire, les paysages lumineux et solides qu'il fit en Italie dans sa jeunesse, et les merveilleux portraits dédaignés de son temps, font aujourd'hui sa gloire.   20

Jusqu'alors, le paysage pur n'avait pas joué un grand rôle dans l'art français; aux environs de 1835, on vit paraître les œuvres de jeunes peintres inconnus qui vivaient en pleine campagne, près de la forêt de Fontainebleau, et peignaient leurs paysages dans les champs ou dans les bois, au lieu de les composer dans 25 leurs ateliers. Millet, Rousseau, Daubigny, commencent ainsi une révolution en art. Après le classicisme, après le romantisme, voici l'aube du réalisme: la nature comme elle est, après la nature comme elle devrait ou pourrait être.

La culture française est fière de comprendre un grand nombre 30 de compositeurs de valeur. Depuis la Renaissance, avec Goudimel (qui mit en musique les *Psaumes* traduits par Clément Marot), Lulli (qui fut au dix-septième siècle le fondateur de l'opéra en France), Rameau (dont les œuvres ont charmé le dix-huitième siècle), la musique avait connu en France de grands 35 succès. A l'époque du romantisme, un seul musicien mérite d'être mentionné, Hector Berlioz, si grand qu'il fut appelé le successeur de Beethoven. A trente-cinq ans, il avait déjà écrit

des chefs-d'œuvre, la *Damnation de Faust,* la *Symphonie fantastique,* la *Symphonie funèbre et triomphale.* Contemporain de Delacroix et de Hugo, il possédait les meilleures qualités du romantisme, le sens de la couleur, du mouvement, de la vie, le goût de l'invention,
5 le choix heureux des sujets. Purement français, il se dressa contre les traditions italiennes et allemandes qui avaient enlevé à la musique française une partie de son originalité; technicien merveilleux, doué d'une facilité extraordinaire, il trouva des thèmes d'une largeur et d'une envolée uniques. C'était, disait
10 le grand poète allemand de cette époque, Heine, «un rossignol colossal, une alouette de grandeur d'aigle».

Comme tant de ses grands contemporains, Berlioz fut incompris. La faveur du public alla à des compositeurs bien oubliés aujourd'hui, Auber, Boieldieu. Il faut noter ici que Paris, fou
15 de musique, attira de nombreux musiciens étrangers: l'Italien Rossini, le Polonais Chopin, l'Allemand Meyerbeer, composèrent dans la capitale certaines de leurs meilleures œuvres.

On a souvent dit du mal de l'école romantique, et quelquefois avec justice. Et pourtant quelle belle période, ces trente années
20 qui virent s'épanouir le génie d'hommes tels que Hugo, Delacroix, Berlioz! A un moment où le classicisme n'inspirait plus que des œuvres médiocres, les romantiques ont osé s'attaquer à des principes qu'on respectait encore aveuglément. Ils ont assoupli la langue et enrichi la poésie de thèmes nouveaux. En adaptant
25 au génie français des idées étrangères pleines de vie, ils ont introduit un esprit nouveau dont la littérature et l'art avaient grand besoin. Écrivains, artistes, musiciens, ils ont tous fait rentrer définitivement dans la culture française des qualités que le classicisme avait ignorées ou réprimées, l'individualisme,
30 l'imagination, la liberté.

« XX »

La Deuxième République et le Second Empire

La Deuxième République ne dura pas longtemps. Après quelques mois d'enthousiasme pour les idées socialistes triomphant pour la première fois, les réformes obtenues à coups d'émeutes par les ouvriers mécontentèrent et effrayèrent la plupart des Français: aussi l'Assemblée Constituante, élue au suffrage 5 universel, fut-elle composée de modérés et de réactionnaires.

La constitution adoptée par l'Assemblée en 1849 prévoyait une Assemblée Législative, et un président élu pour quatre ans au suffrage universel. Quatre hommes voulaient la présidence de la République; le socialiste Ledru-Rollin, ami sincère du peuple; 10 le poète Lamartine, qui avait joué un très beau rôle de pacificateur dans le gouvernement provisoire; le général Cavaignac, un des héros de la conquête de l'Algérie; enfin, le prince Louis-Napoléon, neveu du grand empereur. A cause de son nom, le prince, personnage ambitieux, complexe, tour à tour faible 15 et despotique, idéaliste et prosaïque, fut élu.

Les événements servirent le prince-président. Aux yeux des paysans et des classes moyennes, il représentait l'ordre nécessaire à la richesse du pays. L'Assemblée Législative, composée surtout de monarchistes et d'autres conservateurs, vota des mesures 20 impopulaires (suppression du suffrage universel, de la liberté de la presse). En face de l'Assemblée, Louis-Napoléon faisait figure de libéral. Le 2 décembre 1851, tout était prêt: par un coup d'état audacieux, le président réussit à dissoudre l'Assemblée qui, malgré tout, représentait l'opinion des Français en 25 général. Les députés qui auraient pu résister au prince furent exilés ou emprisonnés; en quelques semaines, près de quarante mille personnes furent déportées ou internées dans des colonies

pénitentiaires. Le «petit» Napoléon, sans la gloire ni le génie
de son ancêtre, devenait dictateur: un an après le coup d'état,
copiant une fois de plus Napoléon Ier, le prince se fit proclamer
empereur sous le nom de Napoléon III.

5   Le Second Empire est une époque de grande prospérité, et
c'est sans doute à cause de cela que la dictature de Napoléon III
a été acceptée par les Français avec une sorte d'indifférence.
L'application des sciences à l'industrie enrichit la nation; les
chemins de fer (qui fonctionnent depuis 1828) se multiplient; le
10 Canal de Suez, qui favorise le commerce européen avec l'Asie,
est commencé. Paris s'embellit; de larges avenues sont percées,
de nouveaux quartiers se couvrent de maisons, le Louvre est
enfin terminé. La capitale redevient ce qu'elle était au dix-
huitième siècle, le centre européen de la culture et des élégances.
15 Napoléon III, à son avènement, avait promis au pays que son
règne serait un règne paisible («L'Empire, c'est la paix», avait-il
dit). Mais, là encore, l'Empereur ne tint pas parole. Quatre
guerres, qu'il aurait été facile d'éviter, vont affaiblir l'empire et
finalement amener sa ruine. En 1854, eut lieu la guerre de
20 Crimée, contre la Russie qui menaçait Constantinople et les
«Lieux Saints»; Napoléon, allié à l'Angleterre, fut victorieux et
son prestige s'accrut. En 1859, une guerre éclata entre l'Italie
et l'Autriche; Napoléon III, idéaliste et généreux, voulut libérer
l'Italie du joug de l'empire autrichien: conservateur à l'inté-
25 rieur, il fut toujours libéral à l'extérieur. Cette fois encore,
les armées françaises remportèrent de grandes victoires; mais,
en partie par la faute de Napoléon, l'unité italienne ne fut pas
achevée immédiatement, et les libéraux français et italiens lui
en gardèrent rancune, alors que le puissant parti catholique
30 français lui reprochait au contraire d'aider à la destruction du
pouvoir temporel du Pape. C'est à cette époque que le gouvernement italien, en échange de l'aide donnée par l'Empereur,
offrit à la France deux territoires de grande importance; la Savoie et Nice devinrent français après un plébiscite des habitants
35 (155.000 oui contre 2400 non). Ainsi une frontière solide — les
Alpes — s'élevait entre la France et un grand royaume que
l'Empereur avait aidé à créer.

Jusqu'alors, Napoléon avait été victorieux. Les deux guerres
qui vont suivre, la guerre du Mexique et la guerre franco-

prussienne, comptent au contraire parmi les événements les plus tragiques de l'histoire de France.

L'idée chimérique de Napoléon — établir en Amérique un empire latin et catholique qui serait sous la tutelle de la France — est inexcusable. Napoléon avait voulu donner un trône à 5 l'archiduc Maximilien, frère de l'empereur d'Autriche. Après quatre ans de guerre de guérilla au Mexique, la France dut retirer ses troupes sur l'intervention des États-Unis, et Maximilien, abandonné, fut fusillé. Cette longue guerre coûta des sommes énormes et affaiblit l'armée, alors qu'en Europe, le 10 ministre prussien Bismarck, réaliste et voyant loin, s'apprêtait à déclarer la guerre à l'Empereur.

Depuis vingt ans, Bismarck, calculateur de génie, préparait l'unité allemande au profit de la Prusse; à cet effet, il avait déjà vaincu le Danemark, l'Autriche et les états allemands du sud. 15 Une victoire remportée sur la nation malgré tout puissante et riche qu'était la France, marquerait la fin de la suprématie française sur le continent, et la reconnaissance de la suprématie prussienne. C'était un enjeu digne d'attention.

En 1870, Bismarck trouva l'occasion qu'il cherchait. Un 20 cousin du roi de Prusse avait posé sa candidature au trône d'Espagne. L'opinion publique s'émut en France: on craignait, bien à tort, la reconstitution de l'Empire de Charles-Quint, et, sur la demande de l'Empereur, le prince de Hohenzollern se retira. L'affaire aurait pu être étouffée: ni les Français ni les 25 Allemands ne voulaient la guerre. Mais Bismarck et, il faut bien le dire, certains Français belliqueux et aveugles, la désiraient. Une dépêche du roi de Prusse, honteusement falsifiée par Bismarck et rendue insultante pour la France, fut publiée. Le piège était bien tendu: le gouvernement français y tomba. La 30 guerre fut déclarée à la fin du mois de juillet 1870.

Trois mois plus tard, la France envahie était vaincue, Napoléon et son armée étaient prisonniers, l'Empire était remplacé par un gouvernement provisoire, Paris était assiégé.

Malgré cette fin lamentable, le Second Empire fut une période 35 de progrès pour la France. Jamais la vie parisienne n'avait été plus gaie. La prospérité économique de ces dix-neuf années fut accompagnée, comme au Siècle de Louis XIV, d'une riche production littéraire et artistique.

Le Mouvement Intellectuel
(1850–1870)

Vers 1850, la littérature romantique fut remplacée par la littérature réaliste. Le réalisme n'était pas, cependant, un mouvement absolument nouveau. On l'a souvent dit, il est aussi vieux que la littérature française. Réalistes, la *Chanson de Roland*,
5 les poèmes de Villon, la *Farce de Maître Pathelin;* réalistes, les fables de La Fontaine, les romans de l'abbé Prévost. Réalistes, les bustes du sculpteur Houdon ou les natures mortes de Chardin. Réalistes enfin, les contes de Mérimée et les romans de Stendhal et de Balzac. Mais, vers 1850, le réalisme devient une doctrine
10 consciente, une école qui a des théories et des règles.

Fondamentalement, le réalisme est une réaction contre le romantisme. Et en effet, les écrivains et les artistes romantiques étaient allés trop loin; ils avaient eu de grandes qualités, mais des qualités qui dégénérèrent facilement en défauts insupportables:
15 leur admiration presque exclusive du passé, leur manque d'exactitude, leur lyrisme artificiel, leur sentimentalité naïve, fatiguèrent vite les Français.

Les réalistes furent influencés par les philosophes de l'époque. Le philosophe Auguste Comte avait donné de la vie une con-
20 ception basée sur les faits qui remplaçait peu à peu l'idéalisme vague des romantiques. Le sentiment religieux lui-même semble disparaître sous l'influence des formules positivistes: la foi en la science «positiviste» prend sa place. Pour les réalistes, donc, plus de rêveries dans des parcs brumeux; il leur faut décrire
25 seulement ce qu'ils voient, ce qu'ils connaissent bien. Deux grands écrivains — historiens, critiques, philosophes — Taine et Renan, ont cru, eux aussi, à la supériorité de l'esprit scientifique, à l'importance des «petits faits purs» dans la littérature. Taine surtout, cherchant, comme tant d'intellectuels de l'époque, la
30 cause de ce qu'il voit, traduit bien les aspirations de ses contemporains; il veut tout expliquer par des faits, il formule des

lois basées sur ses observations; les écrivains réalistes appliqueront ces lois dans leurs romans. Une des théories de Taine a eu une grande influence: il croit qu'on peut expliquer les actions de tel ou tel homme, de tel ou tel artiste, par le *milieu* dans lequel il vit, par l'époque pendant laquelle il vit (le «*moment*»), par la *race* à 5 laquelle il appartient.

Le plus grand romancier de l'école réaliste est sans aucun doute Gustave Flaubert. Un de ses romans, *Madame Bovary* (1857), est un des chefs-d'œuvre de la littérature française. Le sujet est le plus simple qu'on puisse imaginer: c'est l'histoire d'une petite 10 bourgeoise normande mariée à un médecin médiocre. L'esprit faussé par ses lectures romantiques, elle prend des amants, fait des dettes. Finalement, se croyant découverte, elle se suicide. *Madame Bovary* est un fait-divers basé sur une histoire véritable. Mais Flaubert fait du roman le portrait «moral et physique» 15 d'une petite ville normande, habitée par des bourgeois sans culture, et où la bêtise, le vice, triomphent toujours. Œuvre désespérée: la conclusion du roman est que la province française est peuplée de personnages bornés ou grotesques, que tout est vanité dans cette vie, que les aspirations nobles ne mènent à 20 rien. Mais quelle belle œuvre pourtant! Flaubert y avait travaillé pendant six ans, polissant, repolissant chaque phrase, chaque image, jusqu'au moment où il était enfin satisfait de la simplicité, de la sonorité de la phrase, du mot «qui colle sur l'idée». Le style de Flaubert est le plus pur de la littérature française. 25

Il y avait encore chez Flaubert un certain goût du romanesque et du pittoresque: on le trouve surtout dans *Salammbô*, évocation de l'histoire de Carthage. Dans les œuvres des frères Edmond et Jules de Goncourt, qui sont avec Flaubert les seuls grands romanciers originaux du mouvement réaliste, plus rien ne 30 rappelle le romantisme. Pour les Goncourt, plus encore que pour Flaubert, le roman doit être «documentaire», c'est-à-dire basé sur des faits. *Germinie Lacerteux*, par exemple, est l'histoire d'un cas d'hystérie, celui d'une vieille servante des deux frères; *Madame Gervaisais* est l'histoire d'une de leurs tantes qui mourut 35 à demi-folle.

Il y eut en poésie le même renouvellement des idées que dans le roman.

La nouvelle école, le *Parnasse*,[1] réagit, tout comme le réalisme auquel elle ressemble par bien des points, contre les exagérations du romantisme. Les Parnassiens seront donc impassibles; ils ne le seront d'ailleurs qu'en apparence, car en réalité, ils souffrent
5 plus encore que les romantiques de la laideur et de la vulgarité de la vie moderne; ils ne trouvent de refuge que dans l'art, dans ce qui est beau. Aussi la poésie parnassienne se contente-t-elle de décrire «l'harmonie des apparences»,[2] et de donner à la perfection du style, à la pureté de la forme, une importance
10 qu'elles n'avaient pas eue sous le romantisme.

Trois Parnassiens sont éminents: Théophile Gautier, Leconte de Lisle, Baudelaire.

Théophile Gautier avait d'abord été un des champions du romantisme. Mais, dans les poésies de son recueil, *Émaux et*
15 *Camées* (1852), on trouve déjà les caractéristiques de l'école parnassienne, sa conception abstraite de la littérature, son souci du détail vrai, son désir de perfection.

Leconte de Lisle fut le chef reconnu du Parnasse. Technicien merveilleux, érudit, profondément pessimiste («Je hais mon
20 temps», disait-il), il trouva sa consolation dans la poésie grecque et dans les religions anciennes qui inspirèrent ses meilleures œuvres, *Les Poèmes antiques* (1852). Personne, mieux que lui, n'a révélé la poésie des choses simples: *Midi* exprime merveilleusement bien la paix des champs.

25 Lorsque Charles Baudelaire publia, en 1857, le recueil de poésies qui le rendit célèbre, *Les Fleurs du mal*, l'ouvrage eut un succès de scandale. On accusa le poète d'indécence, de blasphème, et la plupart des critiques ne reconnurent pas la puissance d'évocation, la perfection et l'originalité du style, le «frisson
30 nouveau» qui font des *Fleurs du mal* une des œuvres les plus puissantes du Second Empire.

Les caractéristiques du mouvement réaliste se retrouvent dans le théâtre du Second Empire.

La comédie de mœurs, négligée sous le romantisme, mais si
35 typiquement française, regagna son ancien éclat. Son ton moral, la perfection de sa technique, ont assuré son succès parmi les

---

[1] L'école doit son nom à la revue qui publia les œuvres de certains poètes, le *Parnasse contemporain*.

[2] Daniel Mornet.

bourgeois qu'elle dépeint, souvent d'ailleurs d'une façon flatteuse. Les œuvres d'Émile Augier représentent parfaitement le théâtre de cette époque. Sa comédie la plus célèbre, *Le Gendre de M. Poirier* (1854), possède toutes les qualités de la «pièce bien faite»; bien construite, bien écrite, mettant à la scène des personnages 5 soigneusement dessinés, elle reste encore agréable à lire. Alexandre Dumas fils avait un but moral digne d'éloge: en montrant aux Français leurs défauts, il voulait réformer la société. On a joué partout la *Dame aux camélias* (1852), et le *Demi-Monde* (1855) est un des meilleurs exemples de la pièce à thèse. 10

Vers 1850, les peintres créateurs, comme les écrivains originaux, décident eux aussi de peindre la vie de tous les jours. Plus de Hamlets, plus de bergeries sentimentales. Après la Révolution de 1848, les «humbles», paysans ou ouvriers, sont à l'honneur; convaincus qu'ils ont une mission à remplir, les artistes veulent les 15 glorifier, avec leur laideur puissante et leurs attitudes sans grâce.

L'apôtre du réalisme en peinture, c'est Gustave Courbet. Dans ses tableaux immenses, l'*Enterrement à Ornans* (1850), l'*Atelier*, il réunit trente, quarante personnes, ses parents, ses amis, dont il fait des portraits d'une vérité intense, si vrais et si sincères 20 qu'ils semblent être des caricatures. Et ces bons bourgeois, ces paysans hâlés lui suffisent. «Si vous voulez que je fasse des déesses, montrez-moi-z-en», disait-il. Dans ses paysages robustes, il sait montrer la poésie primitive de la nature, la terre humide et brune, les arbres d'un vert violent et presque désagréable. 25 «Quoi? L'art n'a-t-il pas pour fonction de plaire? — Non, répond le réaliste, le beau, c'est le laid.»

Honoré Daumier, le grand Daumier, admiré de son temps pour ses caricatures politiques, est aujourd'hui considéré à juste titre comme l'un des meilleurs peintres français de tous les temps. 30 Influencé par Rembrandt et Michel-Ange, il a pris à l'un son clair-obscur, à l'autre son prodigieux dessin. Ses sujets? Des paysans, des ouvriers fatigués, des saltimbanques, des émigrants — tous ceux qui souffrent trouvent en lui leur avocat.

Delacroix, Courbet, Corot, Daumier, presque tous les artistes 35 français qui travaillent après 1830, doivent lutter contre l'incompréhension, ou même la haine, du public; ils sont trop originaux, trop dédaigneux des traditions; ils refusent de flatter les goûts des gens qui peuvent acheter leurs œuvres. Daumier serait mort dans la misère sans son ami Corot, dont on n'appréciait guère que les œuvres superficielles; Delacroix vieilli disait: «Voilà trente ans que je suis livré aux bêtes».

5   La lutte du public et de l'artiste est une tragédie; mais elle a donné à chacun des grands peintres du dix-neuvième siècle, qui en sont venus à ne plus travailler que pour eux-mêmes, une personnalité qu'il a osé développer jusqu'au bout, sans se soucier du «qu'en-dira-t-on».

10   Il y a bien entendu des peintres conservateurs. L'Académie des Beaux-Arts forme des milliers de «classiques» auxquels le gouvernement achète de grandes toiles froidement majestueuses. De nombreux artistes, aujourd'hui bien oubliés parce qu'ils se contentèrent de plaire au public de leur temps, furent vers
15 1860 les seuls peintres riches et célèbres. Gérome, Meissonier, Cabanel, cent autres, firent de la peinture «académique»: conscience, respect du document, connaissance technique impeccable, ils avaient tout cela; mais ce n'était pas assez. Il leur manquait l'originalité ou le génie.

« XXI »

Les Questions Sociales et Économiques

20   LE DIX-NEUVIÈME siècle a été pour la France la période la plus agitée de son histoire politique: révolutions, changements de gouvernement, théories nouvelles, réformes, luttes de classes se sont succédé presque sans interruption.

Deux classes de la société française avaient profité de la Révolution de 1789 — la bourgeoisie et la classe paysanne; mais, jusqu'au milieu du dix-neuvième siècle, c'est la bourgeoisie surtout qui a dominé la vie politique et économique de la France. Peu à peu, pourtant, une nouvelle classe, la classe ouvrière, pro- 5 clama ses droits et, pendant la seconde moitié du siècle, on a pu assister à la rivalité quelquefois sanglante du «Quatrième État» et du Tiers État.

Le maintien au pouvoir de la bourgeoisie est un des grands phénomènes sociaux du dix-neuvième siècle. Pendant la Révolu- 10 tion, le Tiers État, qui formait la plus grande partie de l'Assemblée, vota des lois, établit des principes qui le favorisaient. Sous Napoléon, la bourgeoisie resta maîtresse de l'administration. L'Empereur sut reconnaître la valeur très réelle de ses fonctionnaires et utiliser leurs services. Lorsque les Bourbons remontèrent 15 sur le trône, les bourgeois consolidèrent encore leur position sociale. Ils ont, presque seuls, le droit de vote, car eux seuls paient les impôts assez élevés qui leur confèrent ce droit; conservateurs eux-mêmes, ils protègent le conservatisme de Louis XVIII et de Charles X, mais ils renversent ce dernier lorsqu'ils croient 20 leurs libertés menacées.

C'est la bourgeoisie qui donne son trône à Louis-Philippe; la Révolution de 1830 semble consacrer son triomphe. Les premiers grands industriels et les grands banquiers de l'époque, aussi bien que la petite bourgeoisie, formée de fonctionnaires, de petits 25 commerçants modestes, de petits boutiquiers et de petits rentiers, ont conscience de leur force. Louis-Philippe est leur roi à eux, le «roi bourgeois»; ses ministres, Thiers, Guizot, sont sortis de leurs rangs. Les caricaturistes du temps, Daumier, Gavarni, Henri Monnier, ont beau se moquer d'eux, les écrivains réalistes, 30 Balzac, Flaubert, ont beau les attaquer, les journaux flattent les bourgeois, le gouvernement les craint, le peuple les envie.

Plus conservateur encore que le bourgeois, le paysan français jouit des avantages que la Révolution lui a donnés. Il a pu acheter les «biens nationaux», anciennes terres seigneuriales ou 35 ecclésiastiques que l'Assemblée Constituante, pour l'attirer à elle, lui a vendues à bas prix. Chaque paysan a maintenant son lopin de terre, auquel il tient autant qu'à sa vie, et qu'il cherche à arrondir; pour lui, le «bon» gouvernement, c'est celui qui

reconnaît son droit à sa terre: même sous Louis XVIII et Charles X, qui cherchent à rendre à la noblesse revenue d'exil son importance passée, personne n'osera contester sa terre au paysan. Vers 1840, il vit encore comme ses ancêtres vivaient
5 un siècle auparavant: habitant une maison basse à toit de chaume, portant un costume régional, parlant un patois curieux, le paysan est un personnage pittoresque que les bourgeois dédaignent un peu. Mais économe, quelquefois ambitieux, le paysan se rapproche déjà du petit bourgeois; lui-même sans
10 éducation, il envoie son fils au collège de la ville voisine, et veut faire de lui un fonctionnaire ou un commerçant. Là comme partout ailleurs, le nivellement des classes s'accentue. En général, pourtant, le paysan est heureux de son sort, il ne pense guère à quitter son village, malgré l'attrait de la vie des villes.
15 Aujourd'hui encore, la population rurale de la France forme plus de soixante pour cent de la population totale du pays.

Sous Louis-Philippe, les effets de la révolution industrielle et économique, qui s'étaient déjà fait sentir ailleurs en Europe, apparurent en France. Des douanes intérieures et le manque de
20 charbon d'un côté, et de l'autre, le conservatisme des classes dirigeantes, avaient ralenti jusqu'alors le mouvement industriel en France. Peut-être aussi faut-il ajouter à ces raisons l'individualisme inconscient de l'artisan qui hésite à devenir un ouvrier anonyme.
25 L'application de la vapeur, l'invention de machines vraiment modernes, la construction de chemins de fer, l'établissement de grandes banques, l'ouverture de marchés nouveaux dans une Europe plus prospère qu'elle ne l'avait jamais été, tout cela favorisa la transformation économique. De 1830 à 1848, la
30 production de l'industrie française doubla presque.
La révolution économique fut accompagnée d'une révolution sociale. La classe ouvrière, qui avait à peine existé sous l'ancien régime, se développa vite. Le petit artisan du dix-huitième siècle, qui travaillait chez lui, fut remplacé peu à peu par l'ouvrier
35 d'usine. Le sort de celui-ci, sous Louis-Philippe, était pitoyable. Travaillant dix ou douze heures par jour pour quelques sous, souvent exploité par des patrons indifférents, l'ouvrier ne possédait même pas le droit de grève, n'était protégé par aucune législa-

tion en cas d'accident, de maladie ou de chômage. Les femmes, les enfants (dès l'âge de huit ans) travaillaient dans des locaux malsains, habitaient des taudis dans des villes qui grandissaient trop vite. Des réformes étaient nécessaires: les théories socialistes qui se répandaient à cette époque aidèrent la classe ouvrière à 5 prendre conscience de ses droits.

Les nombreux écrivains socialistes français ont en commun leur sincérité et leur enthousiasme, et, il faut bien le dire, un certain manque d'esprit pratique. Chacun d'eux a pourtant sa personnalité propre, ses théories particulières. Saint-Simon fut l'un 10 des premiers socialistes; sa théorie fondamentale est devenue fameuse: «à chacun selon sa capacité, à chaque capacité suivant ses œuvres», disait-il. Saint-Simon proclama les droits du peuple: pour augmenter la prospérité du pays, il voulut de grands travaux publics qui pussent fournir du travail à beaucoup 15 d'ouvriers. Fourier, le créateur d'un système vague et complexe, prêcha la vie en commun, la fraternité universelle: en France comme aux États-Unis (où le Fouriérisme fut à l'origine de l'expérience de Brook Farm) l'application du système se termina bientôt par un échec complet. Louis Blanc réclama la création 20 d'«ateliers sociaux», où les ouvriers pourraient choisir eux-mêmes leurs chefs, et dont les bénéfices seraient partagés en grande partie par les ouvriers: «à chacun selon ses facultés et ses besoins», prêchait Louis Blanc. Proudhon fut plus radical encore: épris d'un idéal de justice sociale profondément sincère et longuement 25 médité, Proudhon s'attaqua au principe traditionnel de la propriété et sembla même favoriser l'anarchie.

Grâce aux ouvrages et aux journaux de ces théoriciens, grâce aux conférences organisées par leurs disciples, les idées socialistes pénétrèrent dans le peuple. Au contraire, Louis-Philippe, roi 30 bourgeois, devint dans sa vieillesse de plus en plus conservateur. Il ne se rendit pas compte que les problèmes urgents de son temps étaient des problèmes sociaux et économiques; il méconnut les besoins et les ambitions des ouvriers. Lors de la Révolution de 1848, la classe ouvrière, pour la première fois, se révolta contre la 35 bourgeoisie: cette révolution fut vraiment le soulèvement du peuple exprimant sa misère et ses aspirations.

L'un des premiers actes du gouvernment provisoire fut de voter le suffrage universel. En un jour, le nombre des votants passa de

deux cent mille à neuf millions. La presse devint complètement libre, ce qu'elle n'avait pas été sous Louis-Philippe; des journaux populaires, bon marché, qui avaient pour but de répandre les doctrines socialistes, se multiplièrent. Par toute la France, mais
5 surtout à Paris, des clubs s'ouvrirent, qui devinrent des centres d'agitation.

Pendant les premiers mois de la République, les ouvriers, profitant de leur victoire, décidèrent d'appliquer les doctrines des théoriciens socialistes. Le «droit à l'instruction» fut reconnu et
10 la fondation d'écoles gratuites exigée; le «droit au travail» fut proclamé; les «ateliers sociaux» de Louis Blanc devinrent les ateliers nationaux qui donnèrent du travail à plus de cent mille ouvriers; le nombre des heures de travail fut réduit. Le droit d'association même fut accepté par le gouvernement provisoire.
15 Des banques d'échange (l'idée était de Proudhon) permirent aux ouvriers de se procurer un capital. Les rêves humanitaires des théoriciens du socialisme semblaient se réaliser. En quelques mois, le pouvoir passa de la bourgeoisie conservatrice, pratique, exercée, au prolétariat mal préparé à l'action directe.
20   Le changement avait été trop rapide. Les fautes de la dictature socialiste furent nombreuses; des émeutes inutiles éclatèrent et effrayèrent la plupart des Français; les théories communistes inquiétèrent les paysans et les petits bourgeois, qui pourtant avaient d'abord été favorables aux idées généreuses de «Liberté,
25 Égalité, Fraternité». Une réaction était fatale: l'Assemblée Constituante, formée de conservateurs, se dressa contre la masse du peuple.

Lorsque le prince Louis-Napoléon devint président de la nouvelle république, la réaction s'accentua encore: l'un après
30 l'autre, les privilèges acquis par les «hommes de 48» disparurent. Le régime parlementaire lui-même ne fut plus qu'un mot après le coup d'état du prince-président (2 décembre 1851), et l'établissement de l'Empire un an plus tard.

Pendant le Second Empire le mouvement socialiste, discrédité
35 par la débâcle de la deuxième République et entravé par Napoléon III, fit très peu de progrès. L'Empereur supprima les syndicats. Il craignait ce peuple de Paris qui avait pris la Bastille, détrôné Charles X et chassé Louis-Philippe de France. La période de prospérité qui marqua son règne, d'ailleurs, retarda

les revendications socialistes. L'Empereur, suivant la théorie de Saint-Simon, fit entreprendre de grands travaux publics. Le chômage diminua. A Paris, des boulevards spacieux furent percés, des églises d'un style un peu lourd, mais solides et imposantes, des théâtres nombreux, richement décorés, s'élevèrent 5 aux carrefours des rues. En province, des routes, des aqueducs, des ponts sans nombre, favorisèrent les relations de ville à ville, de département à département.

Après 1860, bien établi sur son trône, l'Empereur devint un peu plus libéral. En 1864, par exemple, il accorda aux ouvriers le 10 droit de grève. Malgré tout, le parti radical (républicains et socialistes) continua à gagner des adhérents. La vie des ouvriers ne s'améliorait guère. La classe ouvrière n'avait aucun droit politique. On réclama des réformes: Napoléon III, coupable de la même erreur que Louis-Philippe, fit des concessions, mais sans 15 permettre de changements radicaux. Le mécontentement des ouvriers augmenta rapidement. L'hostilité de la classe ouvrière, autant que les erreurs militaires de l'Empereur dans la guerre franco-prussienne, amena la chute de l'Empire.

Les Sciences avant 1870

L‍A PÉRIODE qui s'étend de la Révolution à la guerre franco- 20 prussienne de 1870 a été l'une des plus prospères de l'histoire des sciences en France.

Depuis le dix-septième siècle, d'ailleurs, la France avait joué un grand rôle dans le développement des idées scientifiques en Europe. Descartes fit abandonner les conventions du moyen 25 âge; «en reprenant les choses par leur commencement», il formula et appliqua une méthode scientifique basée sur le raisonnement. Pascal n'est pas seulement l'auteur des *Lettres provinciales* et des *Pensées:* à seize ans, il écrivit un remarquable *Traité des sections coniques;* à dix-huit ans, il inventa une machine arithmétique, 30 dont le principe est celui des machines à calculer modernes; à vingt ans, il démontra la pesanteur de l'air. La fondation (en

1666) de l'Académie des Sciences montre bien l'intérêt qu'on portait aux sciences à cette époque.

Au dix-huitième siècle, l'évolution de la pensée scientifique devint plus rapide. Le principe fondamental de Descartes ne
5 suffit plus. Aucune vérité, disaient les savants, ne peut être établie par le raisonnement seul; l'étude des sciences doit être fondée sur l'observation et sur l'expérience. Sous Louis XV et son successeur, à Paris et dans les provinces, dans la bourgeoisie et la noblesse, on s'intéressait aux théories et aux découvertes
10 nouvelles. Nous avons déjà parlé de l'*Encyclopédie*, ouvrage monumental qui répandit non seulement les principes du rationalisme mais aussi toutes les connaissances techniques et scientifiques de l'époque. Buffon étudia l'histoire de la terre et les caractéristiques des animaux dans des ouvrages qui, par leur valeur littéraire,
15 font de leur auteur un des grands écrivains du dix-huitième siècle. Voltaire fit comprendre Newton en France. Son amie la marquise du Châtelet avait un laboratoire de physique dans son château. D'Alembert découvrit les lois du calcul intégral. Lagrange donna à la géométrie analytique des bases solides;
20 Monge créa la géométrie descriptive; Laplace, auteur illustre du *Traité de la Mécanique céleste*, expliqua le système solaire et fit de l'astronomie une science exacte. Lavoisier, riche fermier général, fut le créateur de la chimie moderne; il fut le premier à donner une explication correcte de la combustion et du rôle de l'oxygène
25 dans la respiration. Les frères Montgolfier, vers la fin du siècle (1783), s'élevèrent dans un ballon rempli d'air chaud qu'ils s'étaient construit, et deux ans plus tard, un autre Français, Blanchard, accompagné par l'Américain Jeffries, traversa pour la première fois la Manche en ballon. Pendant la Révolution,
30 enfin, on établit le système métrique, qui a été adopté par les savants du monde entier.

Si importantes qu'elles soient, les découvertes scientifiques du dix-huitième siècle pâlissent à côté de celles du dix-neuvième siècle. L'époque, d'ailleurs, était favorable au développement
35 des sciences: pendant la Révolution et sous l'Empire, des écoles spéciales avaient été fondées, les laboratoires étaient devenus plus nombreux. Napoléon protégea les grands savants de son temps et l'industrie demanda de la part des inventeurs des efforts

redoublés. Enfin, nous l'avons vu, Auguste Comte et ses disciples
prêchèrent la «religion de la science». Vers le milieu du siècle
on croyait que la science — c'est-à-dire la patiente accumulation
des faits et les déductions qu'on pouvait tirer de ceux-ci — allait
résoudre tous les problèmes de l'humanité.   5

   Parmi les successeurs de Lavoisier, il faut mentionner Gay-
Lussac et Berthollet. Le premier créa la chimie organique; il
étudia aussi les lois de la dilatation des gaz et de la vapeur.
Berthollet montra l'importance des conditions physiques dans
les réactions chimiques.   10

   Au dix-huitième siècle, de nombreux savants s'intéressaient
à l'électricité et firent des expériences curieuses. Toutes les
découvertes étrangères, celles de Benjamin Franklin par exemple,
furent connues en France. Ce n'est qu'au début du dix-neuvième
siècle, pourtant, que l'étude des phénomènes électriques donna 15
naissance à une science exacte. Ampère et Arago révélèrent les
relations qui existent entre l'électricité et le magnétisme. Ampère,
de plus, donna son nom à l'unité qui sert à mesurer l'intensité des
courants électriques. Les découvertes de ces deux savants ame-
nèrent plus tard l'invention de la télégraphie.   20

   Dans les sciences naturelles, Cuvier figure au premier plan.
C'est lui qui a créé deux sciences nouvelles, la géologie et la
paléontologie (l'étude, au moyen des fossiles, des espèces dis-
parues). Lamarck, formulant une théorie du transformisme, fut
un des fondateurs de la zoologie moderne; ses recherches et ses 25
hypothèses ont aidé Darwin, un demi-siècle plus tard, à établir sa
théorie de l'évolution.

   L'histoire de la médecine est étroitement liée à celle des sciences.
Au moyen âge la médecine se reposait sur une masse de superstitions et de traditions sans aucune valeur. Pendant la Renais- 30
sance on étudiait soigneusement les ouvrages des médecins grecs
tels qu'Hippocrate. Ce n'est qu'au dix-septième siècle que la
médecine moderne apparaît. Descartes appliqua sa méthode
rationaliste à la physiologie; il étudia la fonction du cerveau et
des nerfs et fut un des premiers en France à accepter la découverte 35
de l'Anglais Harvey sur la circulation du sang. Les médecins
français ont été, pourtant, très lents à profiter des découvertes des
savants. Molière s'était moqué sans pitié des médecins de son
temps; cinquante ans plus tard, les satires de Le Sage (*Gil Blas*)

et de Montesquieu (*Lettres Persanes*) témoignent du peu de progrès que les médecins français avaient accompli. Mais dès que les grands chimistes Lavoisier et Gay-Lussac eurent appliqué la chimie à la physiologie, la médecine fit des progrès rapides.
5 Claude Bernard (1813–1878) fut, en physiologie, le plus grand expérimentateur qui ait jamais vécu. Par ses recherches sur les procédés de la digestion, la formation du sang, la fonction du foie, le système nerveux et les effets des poisons, il a établi la méthode à suivre dans les recherches physiologiques. Le raisonne-
10 ment et l'observation des phénomènes ne suffisent pas, disait-il: il faut faire, dans les laboratoires, des expériences soigneusement contrôlées. L'ouvrage le plus influent de Claude Bernard a été l'*Introduction à la médecine expérimentale* (1865).

Le développement des études scientifiques est parallèle à
15 l'expansion du commerce et de l'industrie. La plupart des expériences des savants de cette époque eurent donc des résultats pratiques. Les expériences de Fresnel, qui découvrit les lois fondamentales des ondes lumineuses, favorisèrent le perfectionnement des phares. Chevreul, grâce à ses recherches sur les corps
20 gras, transforma les méthodes de production du savon et des chandelles. Le métier à tisser de Jacquard enrichit Lyon (1812); le premier marteau-pilon fut construit, en 1842, aux usines métallurgiques du Creusot; les machines à vapeur de toutes sortes se répandirent dans la France entière. Les chemins de fer
25 remplacèrent les diligences. Les bateaux à vapeur succédèrent en grande partie aux voiliers: jusqu'alors, on allait du Havre à New-York en soixante-cinq jours; en 1840, il ne fallait plus que dix-sept jours. La vie fut transformée; la France moderne était née.

« XXII »

La Troisième République
(1870–1914)

Au début de l'année 1871, la France était définitivement vaincue. L'une après l'autre, les places-fortes de l'Est étaient tombées, un tiers du territoire français avait été occupé par les armées allemandes. Quatre cent mille soldats français étaient prisonniers, Paris affamé allait se rendre après quatre mois de 5 siège. A Francfort, le 10 mai 1871, la paix fut enfin signée. Les conditions en étaient cruelles: la France perdait deux provinces, habitées par 150.000 Français, l'Alsace et une grande partie de la Lorraine; une indemnité de cinq milliards de francs, somme énorme pour l'époque, devait être versée aux vainqueurs; enfin, 10 des conventions douanières favorables à l'Allemagne achevaient de ruiner — du moins Bismarck l'espérait — le pays. Jamais conditions de paix n'avaient été plus dures, plus iniques. En moins d'un an, la France était passée au second rang des puissances européennes. L'Empire allemand, proclamé à Versailles en 15 faveur des Hohenzollern de Prusse, avait pris sa place.

A l'intérieur, comme il fallait s'y attendre, la guerre civile divisait la France. L'Empire tombé, une «Assemblée Nationale», élue au suffrage universel et siégeant à Versailles, avait désigné Thiers comme «chef du pouvoir exécutif de la République 20 française».

Mené par des aventuriers suspects et des idéalistes aux théories avancées, le peuple de Paris se révolta contre l'Assemblée et forma son propre gouvernement, la «Commune». L'armée nationale, sous les ordres de Thiers, attaqua la capitale, et 25 finalement réussit à y pénétrer. La guerre des rues qui suivit fut la plus meurtrière du dix-neuvième siècle. Les otages pris par les Communards furent massacrés, les prisonniers des vainqueurs furent déportés ou fusillés sans jugement: en huit jours, la guerre civile coûta, dit-on, la vie de dix-huit mille Français.

Devant le pays vaincu, ruiné, divisé, deux problèmes se posaient donc. La France devait trouver un gouvernement agréable à la
5 majorité, et reprendre, si elle le pouvait, la place qu'elle avait occupée en Europe pendant des siècles.

Les débuts de la république furent difficiles: le parti monarchiste espérait encore revenir au pouvoir avec le comte de Chambord, petit-fils de Charles X. Mais les républicains avaient
10 des chefs de valeur; Gambetta, Jules Ferry, grands patriotes et grands hommes politiques, surent montrer les avantages d'un gouvernement démocratique.

En 1875, l'Assemblée finit par accepter une constitution républicaine. «Souveraineté de la nation et règne des lois; démocratie»
15 — tel est l'esprit de cette Constitution. Le pouvoir exécutif appartient en principe au Président de la République; le pouvoir législatif est confié à deux Chambres, le Sénat et la Chambre des Députés. Les Députés sont élus pour quatre ans au suffrage universel, et la plupart des sénateurs pour neuf ans par des
20 collèges sénatoriaux. Les Chambres ont un pouvoir étendu: elles votent les lois, le budget, les guerres et les traités; de plus, réunies en congrès, elles choisissent le Président de la République.

Celui-ci, qui est élu pour sept ans, a moins de pouvoir que le Président des États-Unis: il gouverne seulement par l'intermé-
25 diaire des ministres, qui sont responsables de leurs actions devant les Chambres. Si les députés ne leur accordent pas leur confiance, les ministres sont obligés de donner leur démission; mais, tant qu'il reste au pouvoir, le Président du Conseil, qui est à la tête des ministres, est le véritable chef du gouvernement.

30 Deux crises surtout montrent bien l'âpreté des luttes politiques de l'époque: le Boulangisme et l'Affaire Dreyfus. Le général Boulanger, demi-aventurier sans grande intelligence, mais protégé par le parti monarchiste, voulut s'emparer du pouvoir, et mit un instant la république en péril (1889); pourtant, les républicains
35 modérés l'emportèrent finalement, et le général mourut en exil. L'Affaire Dreyfus est plus grave. Un officier israélite, le capitaine Dreyfus, fut accusé — injustement — d'avoir vendu à l'Allemagne des documents militaires secrets. Un conseil de guerre le condamna à la déportation. Trois ans plus tard, le vrai coupable fut

découvert. La France se divisa en deux camps, celui des Dreyfusards, composé d'intellectuels tels qu'Émile Zola et Anatole
France, de républicains de gauche et de socialistes, et celui des
anti-Dreyfusards, conservateurs et partisans de la «chose jugée»
et du principe d'autorité. Dans la lutte qui suivit, lutte amère 5
entre les deux éléments de la nation qui depuis la Révolution se
disputaient le pouvoir, Dreyfus fut presque oublié. Enfin le parti
avancé triompha: Dreyfus fut réintégré dans l'armée (douze ans
après sa condamnation) et les républicains de gauche occupèrent
le pouvoir. Jusqu'à la première Guerre mondiale, c'est ce parti 10
qui gouvernera la France.

Malgré les luttes de parti à parti souvent peu édifiantes, les
dirigeants de la Troisième République ont accompli des réformes
dont la France peut être fière. Les droits des ouvriers furent peu
à peu reconnus. Au droit de grève accordé par Napoléon III fut 15
ajouté (en 1884) le droit de syndicat. Le nombre de syndicats
s'accrut rapidement; en 1895 fut créée la Confédération générale
du Travail (C.G.T.), qui a beaucoup aidé à améliorer les conditions du travail des ouvriers français. La liste des lois sociales
passées par la Chambre des Députés et le Sénat est imposante: 20
assistance obligatoire des vieillards et des malades; limitation du
travail des femmes et des enfants; interdiction de tout travail le
dimanche; pensions de retraite; création d'un ministère du
Travail; indemnités pour les accidents du travail; indemnités
de chômage; journée de huit heures, et ainsi de suite. Nous 25
verrons ailleurs ce qu'a fait la Troisième République pour
l'éducation du peuple. Les progrès du parti socialiste en France
ont été assez lents; la débâcle de la Deuxième République et le
radicalisme des Communards avaient rendu suspectes les théories
socialistes. De plus, les paysans français se sont toujours opposés 30
aux revendications des ouvriers des grandes villes. Le parti
socialiste, cependant, grâce à des chefs intelligents — Millerand,
Jaurès — a fait élire des représentants nombreux à la Chambre
des Députés. La Troisième République a plus fait pour la classe
ouvrière que tous les régimes précédents.   35

A l'extérieur, la politique française réussit à conserver la paix
pendant un demi-siècle. Ce ne fut pas sans peine, et là encore
l'œuvre de la Troisième République est digne d'éloges.

Après le traité de Francfort, le relèvement de la France fut
rapide, plus rapide que ne l'aurait voulu Bismarck. Les cinq
milliards de francs d'indemnité qui, d'après les termes du traité,
devaient être versés en trois ans, le furent en deux ans. Peu à
5 peu, la France reprenait courage: malgré les menaces de Bismarck,
l'armée se réorganisa, le gouvernement, qui voulait reprendre
sa place dans le concert européen, se chercha des alliances.
C'était nécessaire: en face de la République, un adversaire
redoutable s'était dressé — la «Triplice», l'alliance entre l'Alle-
10 magne, l'Autriche et l'Italie. L'Alliance franco-russe (1892)
rétablit l'équilibre européen, rendit à la France son prestige, et
lui permit de se consacrer à ses conquêtes coloniales. Quelques
années plus tard (1904), l'«entente cordiale» de l'Angleterre et
de la France acheva de consolider la position de la France en
15 Europe.

Jusqu'à la première Guerre mondiale (en 1914), la politique
étrangère des pays européens reposa sur le principe de la balance
du pouvoir. Cet équilibre fut mis en danger plusieurs fois,
notamment lors de «l'incident» du Maroc en 1912: la France,
20 voulant s'emparer de cette colonie, rencontra l'opposition de
l'Allemagne, mais les intérêts contraires des deux pays furent
enfin satisfaits à l'amiable. Deux ans plus tard, un nouvel incident provoqua la première Guerre mondiale.

Au dix-huitième siècle, la France avait possédé des colonies
25 immenses, l'Inde, le Canada, d'autres encore; la plupart de ces
colonies avaient été perdues, on se le rappelle, au traité de Paris
qui termina la guerre de Sept ans (1763); seules, les îles de Saint-
Pierre et Miquelon (près du Canada), la Guyane, la Guadeloupe,
la Martinique, la Louisiane, quelques villes des Indes, restèrent
30 françaises. C'est lentement que les gouvernements du dix-
neuvième siècle se rendirent compte de l'importance d'un
domaine colonial dans la vie d'une nation telle que la France.
Napoléon, le cœur léger, vendit la Louisiane aux États-Unis
pour subvenir aux frais de ses campagnes militaires. Pourtant
35 Charles X commença la conquête de l'Algérie (1830), conquête
qui ne fut achevée que sous Napoléon III. Louis-Philippe
(1830–1848) occupa Tahiti et la Nouvelle-Calédonie; sous Napoléon III, la France prit possession de la Cochinchine et du

Cambodge en Asie, et du Sénégal en Afrique. Mais il faut le reconnaître: dans la plupart des cas, l'aide accordée aux colons était maigre, les encouragements étaient donnés sans enthousiasme. Un ministre de Louis XV avait déclaré que «s'il était le roi, il donnerait toutes les colonies pour une tête d'épingle»: un 5 siècle plus tard, la situation n'avait guère changé.

La fondation de l'empire colonial français fut donc en grande partie l'œuvre de la Troisième République: le ministre Jules Ferry, malgré l'opposition de ses rivaux à la Chambre, réussit à faire accepter sa politique. La Tunisie en 1881, l'Annam et le 10 Tonkin en 1885, furent conquis grâce à lui. Plus tard, Madagascar (1895), le Soudan (1898), l'Afrique équatoriale et le Maroc (1913) furent ajoutés aux anciennes possessions. A la veille de la première Guerre mondiale, les colonies françaises couvraient une étendue vingt fois plus vaste que la métropole, et 15 la France était devenue «une nation de plus de cent millions d'habitants».

C'est le général Gouraud qui a résumé le mieux l'idéal de la colonisation française, et la qualité qui la différencie des autres: «Coloniser, ce n'est pas uniquement construire des quais, des 20 usines ou des voies ferrées; c'est aussi gagner à la douceur humaine les cœurs farouches du désert».

Les Lettres (1870–1914)

Après les défaites de la guerre franco-prussienne et les horreurs de la Commune, on aurait pu croire que la culture française allait connaître un temps d'arrêt. Il n'en fut rien. Dans tous les 25 domaines, mais surtout dans ceux de la littérature et des beaux-arts, la France va augmenter son prestige.

On peut diviser la période 1870–1914 en deux parties. De 1870 à 1885 environ, le naturalisme est le mouvement principal; de 1885 à 1914, une réaction inévitable introduit des idées qui 30 tendent à atténuer, à transformer ou à détruire ce qu'il y avait de trop brutal dans le naturalisme.

Du réalisme au naturalisme, la transition fut insensible; on peut cependant établir certaines différences. Le réalisme s'était préoccupé surtout de décrire la bourgeoisie: le naturalisme s'attache souvent à l'étude des bas-fonds de la société française;
5 le goût du laid, du sordide, devient un principe. Les réalistes s'étaient contentés d'observer des faits et des états d'âme; les naturalistes, Émile Zola surtout, veulent démontrer les lois physiques qui peuvent expliquer les émotions humaines; ils basent leurs théories littéraires sur des théories pseudo-scientifiques.

10 Émile Zola est le représentant le plus typique des tendances naturalistes. Dans la série des romans (20 volumes) qui forment son œuvre principale, *Les Rougon-Macquart*, «histoire naturelle et sociale d'une famille française sous le Second Empire», il refait, pour l'époque de Napoléon III, la *Comédie Humaine* de Balzac.
15 C'est un ouvrage immense et complexe, où s'agitent des milliers de personnages et où sont représentées toutes les classes de la société française. Fidèle à son idéal d'écrivain naturaliste, Zola a voulu y démontrer certaines théories positivistes: lois de l'hérédité et influence du «milieu social» par exemple. Les prétentions
20 scientifiques de Zola sont souvent puériles, ses préjugés sont ceux d'un socialiste aux vues étroites. Mais l'auteur des *Rougon-Macquart* a aussi de grandes qualités: ces qualités — imagination, dons d'observation, puissance d'évocation de certains milieux sociaux, sympathie pour les faibles — font de lui un des romanciers
25 français les plus populaires.

Il y a peu de grands écrivains purement naturalistes. La plupart des contemporains de Zola font montre d'un naturalisme atténué: parmi ceux-ci, il faut citer au moins Maupassant et Daudet.
30 Guy de Maupassant a été à la fois un disciple de Zola et un disciple de Flaubert. Il est l'auteur d'un très grand nombre de contes parfaits, dans lesquels il réussit à évoquer en quelques lignes la vie médiocre des petits bourgeois et des paysans normands dont il a observé les habitudes et pénétré les pensées. On dit avec
35 raison que *La Parure* est "the best short story in the world."

Alphonse Daudet est le Dickens français. Il aime ses personnages, il souffre avec eux, ou bien il se moque avec humour de leurs travers. *Les Lettres de mon moulin*, *Tartarin de Tarascon*, *Jack*, ont une gaieté et une délicatesse bien rares à cette époque. Par le choix de sujets aimables, par la musique gracieuse de son style. Daudet est un poète.

Il y eut aussi un théâtre naturaliste. Émile Zola lui-même mit à la scène plusieurs de ses romans, mais sans grand succès. C'est Henri Becque qui adapta le mieux l'idéal naturaliste au théâtre. 5 Sa meilleure pièce, *Les Corbeaux* (1882), est une «tranche de vie», l'histoire d'une famille banale ruinée par des financiers sans scrupules. Là, Becque se révolte contre Augier et Dumas fils et le type de la «pièce bien faite», morale et conventionnelle. Quelques années plus tard, le *Théâtre-Libre* fut fondé; son direc- 10 teur, Antoine, y fit jouer souvent des *comédies rosses*, purement naturalistes, sans personnages sympathiques, sans thèse morale, et où les conventions dramatiques, pourtant nécessaires, sont aban-données. A l'époque, les audaces d'Antoine furent attaquées, mais l'influence du Théâtre-Libre a été durable: c'est d'alors 15 que date la vérité dans la mise en scène, le réalisme absolu des gestes et souvent de la pensée.

Les écrivains les plus originaux de l'époque ne sont pourtant ni des dramaturges ni des romanciers, mais trois poètes qui s'étaient révoltés contre le Parnasse. Verlaine, Rimbaud et 20 Mallarmé ne connurent guère de leur temps qu'un succès de scandale, mais ils sont considérés aujourd'hui parmi les plus grands poètes français de tous les temps.

Dans les poèmes de Paul Verlaine (1844–1896), il est possible de suivre l'évolution d'un bohème célèbre. Que nous sommes 25 loin, par ce seul fait, des Parnassiens impassibles! L'art ailé et sensuel de Verlaine, ses théories révolutionnaires, ont eu une grande influence. Plus de contrainte dans *La Bonne Chanson*, dans *Mes prisons*, plus de construction précise, plus de rhétorique; exprimer le vague, faire rêver, faire sentir, et faire sentir sans 30 faire penser, voilà quels doivent être les buts du poète.

Arthur Rimbaud (1854–1891) renonça à la littérature lorsqu'il avait à peine vingt ans; mais il avait déjà écrit les œuvres qui devaient transformer la poésie française. Dans sa révolte contre les traditions poétiques, il alla plus loin encore que Verlaine. Les 35 mélodieux poèmes des *Illuminations* n'ont plus de rimes, ou à peine; ils n'ont rien qui rappelle le rythme traditionnel des vers

classiques. Les œuvres de Rimbaud possèdent une curieuse fascination. Le décousu même des idées, «l'hallucination des mots», ont donné aux poètes français de la fin du siècle des moyens d'expression nouveaux dont la sincérité et la spontanéité
5 sont les plus grandes qualités.

Stéphane Mallarmé, professeur d'anglais dans un lycée parisien, ne ressemble à Verlaine et à Rimbaud que par son profond désir d'être original. Il a très peu écrit, car ses poèmes furent composés après de longues réflexions, de longues hésitations, de
10 longs efforts. La lecture des œuvres de Mallarmé est rendue très difficile par l'obscurité des symboles qui s'y trouvent. Mallarmé n'écrit que pour des privilégiés: «un poème, disait-il, est un mystère dont le lecteur doit chercher la clef».

La cause principale de la chute du mouvement réaliste et
15 naturaliste est facile à comprendre: un mouvement qui s'attachait presque exclusivement à la description de la réalité vulgaire ou à celle des pires instincts — ivrognerie, sensualité — devait voir se dresser contre lui la majorité des lecteurs français. Aussi a-t-on vu de 1885 à 1914 se développer la réaction contre le naturalisme.
20 Il est impossible de mentionner tous les écrivains importants ou même typiques de cette époque: pour satisfaire les goûts d'un public toujours croissant, il a fallu des œuvres sans nombre et de qualité variable. Les quelques noms qui suivent sont ceux d'écrivains de tendances diverses que les étudiants américains
25 doivent connaître.

Pierre Loti, l'auteur de *Pêcheur d'Islande*, est bien de son temps; il a le pessimisme des réalistes, leur souci du document. Mais il fait penser surtout aux écrivains romantiques: il s'intéresse aux âmes primitives, il décrit les paysages exotiques qu'il a contemplés,
30 il cherche, comme Chateaubriand et Hugo, à échapper à la vie banale de son époque; son style surtout, musical, coloré, pittoresque, un style de poète, est différent du style de «procès-verbal» de la plupart des naturalistes.

Anatole France a eu la gloire d'être l'écrivain le plus célèbre
35 du commencement du vingtième siècle; aujourd'hui, les critiques s'accordent à reconnaître qu'Anatole France n'a rien créé, ni style, ni théories, ni pensées. Malgré tout, ses romans, surtout *Le Crime de Sylvestre Bonnard* et *La Rôtisserie de la Reine Pédauque*,

ont un charme, une ironie indulgente et mêlée de pitié, qui n'appartiennent qu'à lui.

Paul Bourget a lutté toute sa vie pour les causes qu'il croyait justes. Conservateur en politique, réactionnaire et moraliste en littérature, il fut l'adversaire le plus redoutable du naturalisme. 5 Un de ses premiers romans, le meilleur qu'il ait écrit, *Le Disciple*, est une profonde étude psychologique, l'histoire de la responsabilité morale d'un vieux philosophe dans un crime commis par un de ses élèves.

Maurice Barrès fut un des Français les plus intelligents de la 10 fin du dix-neuvième siècle. Dans les trois romans qui forment *Le Culte du Moi*, Barrès est tout occupé du problème de la personnalité. Quelques années plus tard, dans les trois volumes du *Roman de l'énergie nationale*, il voulut prouver que le développement de l'individu est subordonné au développement de la patrie. Son 15 patriotisme de Lorrain le conduisit ensuite à écrire *Colette Baudoche*, l'histoire d'une jeune Lorraine qui, malgré son estime pour son fiancé, un jeune professeur allemand, décide de rester française.

La réaction contre le naturalisme, représentée par Victorien Sardou et Edmond Rostand, s'est fait sentir au théâtre. Les 20 drames de Sardou, même *Madame Sans-Gêne*, ont bien vieilli; *Cyrano de Bergerac* et l'*Aiglon*, drames en vers de Rostand, ont une beauté lyrique qui les sauvera de l'oubli.

Les drames de Maurice Maeterlinck, de François de Curel et de Paul Claudel ont été moins appréciés du grand public que 25 ceux de Sardou et de Rostand, mais la valeur littéraire et l'originalité de ces œuvres sont beaucoup plus grandes.

Maurice Maeterlinck (né en Belgique) est l'auteur de quelquesunes des œuvres les plus curieuses du théâtre français. *Intérieur*, *Pelléas et Mélisande*, essaient, comme les poèmes de Mallarmé et 30 de Rimbaud, de traduire l'inexprimable, de faire sentir l'atmosphère de fatalité mystérieuse dans laquelle vivent les hommes sans s'en rendre compte. François de Curel est le représentant le plus typique du théâtre d'idées, c'est-à-dire du théâtre qui, étant préoccupé de questions sociales, fait penser le spectateur: dans 35 *La Nouvelle Idole* (1895), par exemple, Curel met à la scène le problème bien moderne du conflit de la science et de la religion. Paul Claudel est un dramaturge profond, obscur quelquefois;

ses meilleures pièces, *L'Annonce faite à Marie*, et surtout *L'Otage*, lyriques et philosophiques, sont plus agréables à lire qu'à écouter. Des écrivains tels que Curel et Claudel sont l'honneur du théâtre français d'alors, trop souvent gâté par des pièces grossières ou 5 faussement intellectuelles.

En poésie, Verlaine, Mallarmé, Rimbaud, sont devenus, surtout après 1885, les maîtres de l'école régnante, le symbolisme. Le poète symboliste a un idéal: il veut, non pas exprimer, analyser ses sentiments, mais seulement les suggérer au lecteur. Henri 10 de Régnier, Francis Jammes, Paul Claudel, furent les symbolistes français les plus célèbres; certains poètes étrangers ont aussi appliqué les principes du symbolisme dans des œuvres françaises de très grande valeur: Stuart Merrill et Francis Viélé-Griffin étaient américains, Émile Verhaeren était belge, et Jean Moréas, 15 un des poètes les plus hardis du symbolisme, était grec.

Les Beaux-Arts

A L'ÉPOQUE de Courbet, les artistes français se contentaient de reproduire la vie comme ils la voyaient. Au contraire, les peintres qui succèdent aux réalistes — les impressionnistes — interprètent les recherches des savants, et basent leurs œuvres 20 sur des théories scientifiques, tout comme Zola essaie de le faire dans ses romans. Les impressionnistes, en effet, analysent, décomposent les mille couleurs qui, quand on les voit dans la nature, semblent ne faire qu'une. Par exemple, en plaçant sur une toile une tache jaune pur près d'une tache verte, ils forment 25 un bleu lumineux. Le spectateur doit refaire par lui-même la synthèse: le plus souvent, il est récompensé de ses efforts, car, vues de loin, ces milliers de petites taches qui forment un tableau impressionniste ont une luminosité que la peinture avait rarement connue. Mais l'impressionnisme est plus qu'une technique nou-30 velle. C'est surtout une manière de suggérer une impression, qui rappelle le symbolisme. Le contour des objets, leur solidité, disparaissent donc; les impressionnistes veulent représenter surtout le passager, le mouvement. L'un d'eux, Claude Monet, peindra cinquante fois l'étang de son jardin; chaque tableau, exécuté à un moment différent de la journée, sera tout différent des autres, car les reflets de la lumière qui donnent sa valeur à l'objet sont 5 d'une variété infinie. C'est d'ailleurs un des paysages de Monet, intitulé *Impression*, qui donna son nom à l'école.

Claude Monet est peut-être le plus représentatif des impressionnistes. Il applique la théorie de la division des tons, il imite la composition inattendue des estampes japonaises dont on décou- 10 vrait alors le charme, il n'a que dédain pour ce que la photographie peut exprimer si bien — l'apparence des choses. Selon le moment, dit-il, les ombres que jettent un arbre ou un linge sur un visage ou sur la neige sont roses, violettes, vertes. Dans sa série, *La Cathédrale de Rouen* (qu'il a peinte dix-sept fois), le sujet dis- 15 paraît, mais les vieilles pierres ont l'éclat de diamants, de rubis, d'améthystes.

Édouard Manet fut d'abord un peintre réaliste: ses premiers tableaux célèbres, *Le Déjeuner sur l'herbe*, l'*Olympia*, ont encore la solidité des œuvres de Courbet. Mais, plus tard, l'atelier de 20 Manet est devenu le rendez-vous du groupe impressionniste et Manet lui-même, charmant homme du monde, le chef du mouvement. Le portrait qu'il fit de son ami Émile Zola (1868) est un chef-d'œuvre. Manet, comme Zola, a senti la poésie de la vie moderne: il est peu de tableaux français aussi gracieux que son 25 *Chemin de fer*, qui représente, vue derrière une grille de jardin, une locomotive jetant de la fumée.

Les peintres impressionnistes — et ils furent très nombreux — ont tous leur propre personnalité. Degas, le peintre des danseuses et des chevaux de course, a profité plus que tout autre de l'in- 30 fluence japonaise; ses raccourcis, ses attitudes si inattendues et si vraies, sont d'un très grand dessinateur, à un moment où le dessin perdait une partie de son importance en peinture. Renoir, héritier de Watteau, dont les «œuvres le rendaient fou», est un décorateur de génie. Gauguin a peint les âmes primitives de son 35 époque: il s'est intéressé aux rudes paysans bretons et à leurs compagnes. Plus tard, pour fuir la société de son temps, il s'est réfugié à Tahiti dont il a peint les indigènes. Mais Gauguin se fatigue déjà de l'impressionnisme: ses toiles ont une puissance,

une sobriété de couleurs, que n'ont pas souvent les œuvres de ses contemporains. Son ami Van Gogh est l'auteur de chefs-d'œuvre qui révèlent une âme inquiète; il est impossible d'oublier les jaunes, les rouges, les verts, d'un tableau de Van Gogh. Les
5 naïfs portraits du Douanier Rousseau, les tentatives ambitieuses de Seurat, surtout les esquisses d'une cruauté impitoyable de Toulouse-Lautrec, méritent de conserver la place de premier rang qu'ils occupent déjà dans l'histoire de la peinture.

La sculpture française, qui joue elle aussi un si grand rôle
10 dans l'art européen, a possédé sous la Troisième République un de ses maîtres: Auguste Rodin a été un artiste prolifique, dont bien des œuvres sont démodées; mais certains de ses bustes et surtout certaines statues, le *Penseur*, le *Balzac*, le *Baiser*, sont des œuvres immortelles à cause de leur vérité, de la souplesse de leurs atti-
15 tudes, de leur force primitive.

La mort de Berlioz, en 1869, laissa un grand vide dans la musique française. Gounod avait gagné une grande popularité avec deux opéras, *Faust* (1859) et *Roméo et Juliette* (1867), mais Gounod était plutôt un romantique retardataire qu'un novateur.
20 Il sembla que la place de Berlioz allait être prise par Charles Bizet, mais celui-ci mourut très jeune. Cependant, il avait terminé deux œuvres qui le rendirent célèbre, *L'Arlésienne* et *Carmen*. Ces opéras étaient d'une originalité audacieuse, d'une simplicité qui venait de l'admiration de Bizet pour les thèmes populaires.
25 Comme le dit Nietzsche, le philosophe allemand, l'émotion qu'on ressent à la représentation de *Carmen* est obtenue «sans grimace, sans fausse monnaie, sans la duperie du grand style».

Massenet fit représenter des opéras tels que *Manon*, *Werther*, *Thaïs*, aux airs mélodieux et quelquefois monotones; son talent
30 rappelle celui de ses contemporains Sardou et Rostand — facile, agréable, mais souvent artificiel.

Saint-Saëns et César Franck, au contraire, furent de très grands maîtres. La *Danse macabre* de Saint-Saëns, encore toute romantique, fut suivie par *Samson et Dalila* (1877), suite de tableaux
35 d'une majesté unique. César Franck (né en Belgique) fut un musicien courageux qui révolutionna la tradition musicale française; sa *Passion de Saint Mathieu*, malgré son ton religieux, est d'inspiration toute moderne.

Claude Debussy fut plus audacieux encore. L'adaptation qu'il fit en 1902 du drame de Maeterlinck, *Pelléas et Mélisande*, marque une date dans l'histoire de la musique européenne: *Pelléas* mit fin à la domination de Wagner, dont l'influence avait été très grande jusqu'alors. 5

L'œuvre de Debussy avait en effet la qualité essentielle des poèmes symbolistes et des tableaux impressionnistes, une sensibilité qui évoque le fugitif et qui essaie de pénétrer jusqu'aux profondeurs de l'inconscient.

« XXIII »

La Première Guerre Mondiale et la France Contemporaine

En juin 1914, un archiduc autrichien ayant été assassiné dans 10 les Balkans par un fanatique serbe, l'Autriche rendit le petit royaume de Serbie responsable du meurtre. L'incident, malgré sa gravité, aurait pu être réglé sans trop de difficulté. Mais l'Autriche était alliée à l'Allemagne, et la Serbie à la France. Or, il est certain que l'Allemagne voulait la guerre: depuis 15 quinze ans, les plans d'une invasion de la France avaient été préparés par l'État-Major allemand, et l'empereur Guillaume II, assoiffé de gloire, n'attendait que le moment propice. La Grande Guerre éclata (août 1914).

Contentons-nous d'énumérer les épisodes principaux. L'Alle- 20 magne, malgré ses traités, «chiffons de papier», envahit la Belgique, qui est neutre, pour pénétrer plus facilement en

France. La Russie, qui veut secourir la Serbie, attaque l'Allemagne. L'Angleterre, qui avait garanti la neutralité de la Belgique, s'allie à la France et à la Russie. La puissante armée allemande envahit la France, et menace Paris. Mais, alors
5 qu'ils ne sont qu'à cent kilomètres de la capitale, les Allemands sont vaincus: c'est la fameuse bataille de la Marne (septembre 1914), gagnée par le général Joffre. Le front va se stabiliser; la guerre de tranchée, d'ailleurs très meurtrière, va durer jusqu'en 1916. Abandonnant ses amis de la Triplice, l'Italie entre en
10 guerre du côté des Alliés. D'autres pays prennent part à la guerre, l'Autriche, la Turquie et la Bulgarie du côté de l'Allemagne, la Roumanie, le Japon et les nations de l'Amérique du Sud du côté des Alliés. En 1916, l'offensive allemande contre Verdun et les forts qui entourent la vieille citadelle éclate;
15 pendant six mois (février-août), la bataille la plus importante de la guerre se poursuit: finalement, après avoir perdu plus de trois cent mille hommes, les Français sont victorieux.

En 1917, le vieil empire russe croule; il est bientôt remplacé par un gouvernement bolcheviste qui signe une paix séparée avec
20 l'Allemagne. Ainsi Guillaume II peut porter toute son attention sur le front français. C'est pour les Alliés le moment le plus sombre de la Grande Guerre: défections, luttes intérieures, «défaitisme». L'armée italienne est battue à Caporetto. Heureusement, Clemenceau ranime l'ardeur des Français et les
25 États-Unis, apportant l'aide matérielle et le réconfort moral, rendent courage aux Alliés. L'armée américaine jouera un rôle important dans les offensives de la fin de la guerre, à Saint-Mihiel surtout. Les mois passent. En 1918, l'armée allemande est épuisée; elle perd, sous les coups du Maréchal Foch, géné-
30 ralissime des armées alliées, les dernières batailles de la guerre: Villers-Cotteret, Péronne. La Bulgarie, la Turquie et l'Autriche capitulent. Enfin, le 11 novembre 1918, les Allemands signent l'Armistice. La guerre est terminée; le bilan, du côté français, est celui-ci: dix départements ont été ruinés, 1.500.000 Français
35 ont été tués, deux millions ont été blessés.

En juin 1919, la paix fut signée au Palais de Versailles, là même où l'Empire allemand avait été proclamé en 1871. L'Allemagne, rendue responsable de la guerre, dut accepter des conditions très dures, mais qui semblaient aux Alliés logiques et justes. Entre autres clauses, il faut noter celles-ci: l'Alsace-Lorraine fut rendue à la France, l'Allemagne devait réparer les dommages dans les régions qu'elle avait dévastées méthodiquement pendant les années de guerre; la rive gauche du Rhin devait être occupée, pendant un certain nombre d'années, par 5 les Alliés.

L'«Entre-Deux-Guerres», la période qui s'étend de 1920 à 1939, est encore trop près de nous pour qu'il soit possible de l'expliquer clairement ou même de la comprendre dans son ensemble. Nous ne parlerons donc ici que de certains problèmes 10 primordiaux qui se sont posés en France pendant cette période.

Le Problème financier. — Après la Grande Guerre, la France était ruinée. Les réparations que l'Allemagne devait fournir ne furent pas payées, quoiqu'elles fussent diminuées plusieurs fois. Les Français eux-mêmes ont donc dû reconstruire les dix départe- 15 ments détruits par l'armée allemande, payer des pensions aux familles des morts et aux blessés. Les impôts ne suffirent plus: en 1926, on ne put empêcher l'inflation. Les capitaux français passèrent à l'étranger, le franc perdit la plus grande partie de sa valeur. La situation financière semblait désespérée, lorsqu'un 20 homme politique respecté, Raymond Poincaré, devint Président du Conseil. Avec lui, la sécurité revint peu à peu: en 1930, la dette publique avait diminué déjà de vingt milliards de francs.

On aurait pu croire que la France allait connaître à nouveau la prospérité, mais la crise économique qui désolait l'Europe et 25 l'Amérique (la «depression») arrêta le relèvement financier du pays. Et pourtant, il faut le reconnaître, la crise ne fut pas aussi tragique en France qu'ailleurs; même dans les années les plus défavorables, le chiffre des chômeurs ne dépassa pas cinq cent mille. L'explication est peut-être la suivante. Aussi bien dans 30 l'industrie que dans l'agriculture, la France est essentiellement un pays de production limitée et très variée. Les grandes usines ne forment que 8% de la production totale dans l'industrie de l'acier, 10% dans les industries cotonnières; les fermes de plus de 100 hectares ne représentent que 30% des terres agricoles. La production 35 française peut donc s'adapter plus facilement aux variations économiques, elle est plus capable de ralentir le rythme de son activité. De plus, beaucoup d'industries, en raison de leur

organisation flexible, ont pu reporter leur activité sur de nouveaux produits; on ne saurait trop insister sur la souplesse de
l'industrie française. Une autre raison est d'ordre psychologique.
Le Français possède une prudence traditionnelle qui le défend de
5 tout extrême: l'ouvrier a toujours mis «quelque chose de côté»
pour les heures critiques, et les grandes usines avaient des fonds
de secours qui les ont aidées à traverser la crise.

   Le Problème politique. — C'est le vieux problème de la rivalité
des conservateurs et des radicaux qui a dominé la vie politique
10 de 1920 à 1939. D'un côté, se trouvaient la bourgeoisie riche et
la petite bourgeoisie — rentiers et fonctionnaires — dont la condition matérielle avait été compromise. De l'autre côté, étaient
les ouvriers, de plus en plus nombreux, de plus en plus conscients
de leur importance; leur situation s'était fortement améliorée
15 pendant la guerre, grâce à des salaires élevés. D'année en année,
la situation politique change; tantôt, ce sont les socialistes qui
sont au pouvoir, tantôt ce sont les conservateurs.

   Il serait peu utile de mentionner tous les Présidents du Conseil
qui se sont succédé au pouvoir. Pourtant, certains noms de
20 ministres appartiennent à l'histoire du pays et méritent d'être
cités. Édouard Herriot, Président du Conseil de 1924 à 1926,
était le chef du parti radical-socialiste, qui, parti modéré malgré son nom, défendait les intérêts de la moyenne et de la
petite bourgeoisie, et qui était partisan de réformes progressives.
25 Aristide Briand (mort en 1933) exerça une grande influence en
politique extérieure: il consacra ses efforts à établir et à renforcer
l'organisation de la Société des Nations, car il voyait dans la
S.D.N. une garantie de paix. Malgré le scepticisme de ses adversaires, il fit de nombreuses tentatives pour assurer un rapproche-
30 ment franco-allemand. Léon Blum, arrivé au pouvoir en 1936,
était connu depuis longtemps comme le chef du parti socialiste.
Il introduisit rapidement une série de réformes sociales qui
soulevèrent de violentes polémiques: contrats collectifs qui
avaient pour but de diminuer l'arbitraire des patrons et d'assurer
35 la représentation des salariés dans les entreprises; établissement
d'un salaire minimum dans certaines branches de la production;
semaine de quarante heures; obligation pour le patron de payer
des congés annuels à ses employés; formation d'un fonds de
prévoyance plus efficace que dans les législations précédentes;

augmentation sensible des indemnités de chômage. Ces réformes
procédaient toutes du désir de traduire dans les faits certaines
conceptions chères à la plupart des socialistes. L'agitation que ces
mesures ont provoquée divisa la France et diminua sa puissance
d'action dans les affaires étrangères.   5

La Politique étrangère. — Après la guerre, la solidarité qui
unissait les Alliés disparut. Aux États-Unis, le mouvement
isolationniste reprenait son importance; certaines questions délicates ou mal comprises, telles que celle des dettes interalliées,
accentuaient encore cette tendance. L'Angleterre, soucieuse 10
peut-être de conserver un équilibre européen qu'elle jugeait
désirable, critiquait parfois l'attitude de la France envers l'Allemagne.

La France crut trouver dans la Société des Nations la garantie
de sa propre sécurité. De 1920 à 1930, malgré les sceptiques et 15
les adversaires, la S.D.N. prit une importance croissante, et
semblait autoriser certains espoirs de paix européenne. En même
temps, nous l'avons vu, Aristide Briand poursuivait ses tentatives
de rapprochement avec l'Allemagne.

Le réarmement plus ou moins secret de l'Allemagne com- 20
mençait à inspirer de nouvelles inquiétudes. La France conserva
sa confiance en la Société des Nations, mais en même temps,
elle crut nécessaire de fortifier sa puissance militaire. La Ligne
Maginot, purement défensive, semblait symboliser la volonté
pacifique de la France et lui fournir la sécurité dont elle avait 25
besoin. Une nouvelle course aux armements commença, avec
ses conséquences désastreuses pour la vie économique de l'Europe.
Une période de tension inquiète succéda à la période relativement
heureuse de l'après-guerre.

Après l'accession au pouvoir du Chancelier Hitler (1933), le 30
réarmement de l'Allemagne se fit ouvertement. Les violations
répétées du Traité de Versailles augmentaient constamment le
sentiment d'inquiétude qui affectait la vie française. Plusieurs
conférences de désarmement proposées par la France furent sans
effet sur le cours des événements. La Société des Nations, dont 35
on attendait tant de bien, ne remplit pas efficacement la mission
qui lui avait été confiée.

En même temps qu'elle poursuivait une politique active de
préparation militaire contre la menace allemande, la France

essayait de grouper autour d'elle, par des moyens diplomatiques, les pays qui avaient des raisons de craindre les ambitions allemandes. Des pactes de non-agression ou d'assistance mutuelle furent conclus avec la Roumanie, la Tchécoslovaquie, la Turquie
5 et la Pologne, ainsi qu'avec la Russie, avec laquelle la France avait pratiqué, sous les ministères Herriot et Blum, une politique de rapprochement. Par ailleurs, au cours des années 1930–1939, l'Angleterre se rendit progressivement compte que ses propres intérêts étaient à nouveau compromis par le développement de
10 l'Allemagne et que par contre ils se trouvaient étroitement liés à ceux de la France. L'Angleterre se joignit donc à celle-ci et une collaboration intime et sincère s'établit entre les deux grandes puissances. Quant à l'Italie, un désaccord pénible la sépara de la France et de l'Angleterre. A la fin de la Grande Guerre, ses
15 aspirations n'avaient pas été satisfaites et elle en avait conçu une amertume qui s'était manifestée par certaines revendications aigries. La campagne d'Abyssinie et l'opposition qu'elle suscita en France et en Angleterre aggravèrent les relations entre les trois états. L'Italie s'éloigna alors définitivement des deux autres pays
20 et s'allia bruyamment avec l'Allemagne.

Telles étaient les différentes positions des grandes puissances européennes en 1939. Les événements devaient se précipiter et avoir les conséquences tragiques que la France avait si longtemps essayé d'éviter. Suivant l'invasion de la Tchéchoslovaquie, une
25 nouvelle agression de l'Allemagne, l'invasion de la Pologne, obligea la France et l'Angleterre à intervenir et à entrer en guerre contre l'Allemagne (septembre 1939). Après neuf mois d'une soigneuse préparation, l'Allemagne, violant la neutralité de la Hollande et de la Belgique, envahit les deux pays, et, grâce
30 à sa supériorité en matériel, put pénétrer en France. Le 18 juin 1940, les chefs militaires et politiques de la République se crurent obligés de demander un armistice.

Il est impossible de prévoir les développements que prendront les événements futurs. Mais il convient d'affirmer que si la
35 France, au cours des vingt années que nous venons de passer en revue, a commis des erreurs, a peut-être été coupable d'hésitations, comme le lui reprochent ses adversaires, elle n'a jamais cherché à imposer sa volonté par des moyens illégitimes, ni à

menacer l'indépendance de ses voisins. Sa volonté de paix, persévérante et déterminée, s'est toujours manifestée clairement; au cours de son long passé, elle avait trop souvent connu les horreurs de la guerre pour ne pas en envisager le retour sans effroi.   5

Les Sciences (1870–1940)

IL EST impossible de retracer en quelques pages l'histoire des sciences en France pendant les soixante-dix années qui s'écoulèrent de 1870 à 1940: il y a eu trop de découvertes, trop de nouvelles conceptions scientifiques, une activité intellectuelle trop riche. Contentons-nous de donner, sur cet immense effort de la 10 pensée, quelques notions générales, et de mentionner seulement les travaux les plus importants des savants les plus célèbres.

La France a largement contribué, pendant l'époque que nous étudions, au progrès des sciences. On l'a dit bien des fois, il n'y a pas, à proprement parler, de science française, qui ne devrait 15 rien à l'influence étrangère. Les recherches des savants français sont discutées ou adoptées en Angleterre, en Allemagne, en Amérique; de même, les Français se tiennent au courant de ce qui se passe à l'étranger et savent en tirer profit. On ne peut pas toujours dire que tel savant, Français ou étranger, a été le 20 premier à formuler telle théorie, ou à inventer telle machine; il est arrivé plus d'une fois qu'un savant a eu une idée de génie dont un autre a fait l'application pratique. En veut-on des exemples? Lamarck, nous l'avons vu, s'est fait le défenseur du transformisme, mais sa théorie a été violemment critiquée de son 25 vivant, surtout par Cuvier; quarante ans plus tard, Darwin a repris le transformisme de Lamarck et, l'enrichissant de ses propres observations, en a tiré sa doctrine de l'évolution. Un Français, Octave Chanute, est allé aux États-Unis et a donné aux frères Wright le principe de l'avion sans moteur; ceux-ci ont construit 30 le premier avion à moteur qui ait pu être utilisé. Puis un autre Français, Blériot, a démontré la portée pratique de cette invention en traversant la Manche en 1909. Santos-Dumont inventa

en 1901 le dirigeable à moteur; c'est l'Allemand Zeppelin qui en appliqua le principe avec le plus de succès. Branly établit les principes qui permirent à l'Italien Marconi de réaliser la télégraphie sans fil. On a attribué l'invention du cinématographe
5 à plusieurs savants, aux frères Lumière en France, et à Edison aux États-Unis. Est-ce un Français, Charles Cros, ou bien Edison, qui a construit le premier phonographe?

Depuis 1870, le nombre des travailleurs dans toutes les branches de la science s'est fortement accru en France; passer sous silence
10 l'œuvre de ces milliers de chercheurs obscurs est injuste, mais nécessaire, dans ces quelques pages. Les uns ont aidé les grands savants dans leurs recherches, d'autres, dont on a presque oublié les noms, ont adapté les découvertes théoriques aux nécessités de l'industrie.

15 Si l'on veut caractériser l'œuvre des savants français en la différenciant de celle des savants des autres pays, on peut dire que la science en France est plus près de la littérature. Il est facile d'expliquer pourquoi on trouve très souvent dans nos universités américaines des cours de «scientific German» tandis qu'on n'en
20 trouve pas de «scientific French». C'est que les savants allemands se servent d'un vocabulaire spécialisé et d'une syntaxe difficile; les savants français, au contraire, ont un souci de clarté, un goût de la simplicité et de l'élégance qui rappellent les qualités de la littérature classique.

25 Dans les mathématiques pures, Henri Poincaré (1854–1912) a été un maître incontesté. Il a publié trente volumes et près de cinq cents mémoires. Il a énoncé la théorie des fonctions fuchsiennes et a élargi le domaine de la géométrie analytique et infinitésimale; il s'intéressa à la physique mathématique, à
30 laquelle il fit faire de nouveaux progrès. Son interprétation philosophique des mathématiques est celle d'un homme de génie.

On peut dire sans trop simplifier que, si la période de 1850 à 1870 a vu le triomphe de la vapeur, la période de 1870 à 1890 a vu à son tour le triomphe de l'électricité. Les physiciens français
35 ont pris une part active aux applications de l'électricité. Ils ont reconnu très tôt l'importance du moteur électrique, inventé par l'Anglais Faraday, et, partout en France, on se sert de la force hydraulique pour produire l'électricité dont l'industrie a besoin.

Entre 1890 et 1910, le moteur à explosion prit la place qui lui appartient. Les premières automobiles françaises, par exemple, avaient des moteurs à vapeur. A partir de 1890 le moteur à explosion remplaça peu à peu le moteur à vapeur, en France comme aux États-Unis. En 1894 on organisait déjà des courses d'automobile entre Paris et Rouen, en 1895 entre Paris et Bor- 5 deaux. Le moteur à essence, développé en grande partie en France, a révolutionné les transports.

Les deux noms français les plus importants dans la physique du dix-neuvième siècle sont ceux de Becquerel et de Curie. L'Allemand Rœntgen découvrit les fameux «rayons X» en 1895. 10 Henri Becquerel, en étudiant ces rayons, remarqua leur ressemblance avec les décharges électriques. Au cours de ses recherches il fit une grande découverte — la radio-activité de l'uranium. Pierre Curie, physicien et chimiste à la fois, étudia d'abord les propriétés des cristaux; il démontra que la déformation d'un 15 cristal, provoquée par la pression, produit une émission de décharges électriques. Il allait continuer ses recherches sur les cristaux quand sa femme (née en Pologne) l'engagea à étudier, à l'exemple de Becquerel, les propriétés de l'uranium et des divers minéraux qui le contiennent. Pierre Curie et sa femme 20 commencèrent ensemble un travail assidu et épuisant, dans des conditions qui auraient découragé la plupart des savants. Enfin ils reconnurent la présence, dans des corps composés, d'un nouvel élément; ils l'appelèrent le radium. En 1906 Pierre Curie fut tué dans un accident; Mme Curie continua à travailler et, en 1910, 25 réussit à obtenir du radium pur. On ne peut exagérer l'importance des découvertes faites par les Curie. Tout le monde connaît les applications médicales du radium, surtout dans la guérison du cancer. Les propriétés du radium ont révolutionné toutes les idées des savants sur la nature et la constitution des atomes. On 30 avait cru jusqu'alors qu'un atome était une particule indivisible de matière inerte; pourtant le radium émet des décharges électriques constantes; est-ce donc qu'un «élément» se compose d'électricité et peut se dissoudre de lui-même?

Les savants s'accordent à reconnaître l'influence de Lavoisier 35 dans le domaine de la chimie. Leurs propres recherches se trouvèrent facilitées par ses travaux. Avant Lavoisier, la chimie avait été surtout descriptive; après lui, elle est devenue mathématique. A partir de 1870, les chimistes français ont découvert

de nouveaux éléments. (Lecoq de Boisbaudran, par exemple, a isolé le gallium en 1875, Henri Moissan le fluor en 1886.) Ils ont développé la théorie des molécules et ont révélé la composition quantitative d'un grand nombre de corps soit inorganiques soit
5 organiques. Les applications de la chimie à l'industrie ont enrichi la France. En voici quelques exemples: (1) Les chimistes ont étudié l'acide sulfurique et ont cherché pour le fabriquer le procédé le plus pratique; à partir de 1900, la production de certaines usines dépassait deux cents tonnes d'acide par jour.
10 (2) Les savants ont étudié la composition de certains terrains et ont déterminé les conditions nécessaires à une bonne récolte; ils produisirent des engrais chimiques, nitrates, phosphates, chlorure de potassium, qui sont couramment employés aujourd'hui dans l'agriculture. (3) La chimie a joué un grand rôle dans l'amé-
15 lioration de la production de la chaux et des ciments. (4) L'emploi du gaz d'éclairage et de chauffage s'est développé au cours du dix-neuvième siècle: bien que remplacé en partie par l'électricité, le gaz reste d'une grande importance dans l'industrie, tandis que ses succédanés se prêtent à des applications toujours
20 nouvelles. (5) Henri Moissan a fait des recherches sur l'action de la chaleur du four électrique; le résultat pratique de ces recherches a été la fabrication industrielle de l'acétylène. (6) Grâce aux efforts des savants, l'acier a remplacé en grande partie le fer dans toutes les constructions modernes. La Tour
25 Eiffel, haute de 300 mètres, tout entière d'acier, a été élevée en 1889. (7) De Chardonnet a inventé la soie artificielle qui fait concurrence aujourd'hui à la soie naturelle.

Les découvertes des chimistes et leurs applications pratiques se sont succédé si rapidement depuis 1870 que la vie économique
30 et sociale de la France s'est trouvée modifiée de fond en comble. Presque du jour au lendemain, une industrie meurt, une autre naît. La chimie a donné à la vie contemporaine une *mobilité* qu'elle n'avait jamais connue.

De tous les savants français du dix-neuvième siècle, le plus
35 célèbre est sans aucun doute Louis Pasteur (1822–1895), physicien, chimiste et biologiste. Comme Pierre Curie, il débuta dans les sciences par des recherches sur les cristaux. Puis, étudiant les causes des mauvaises fermentations dans la bière, il découvrit que toute fermentation est due à la présence d'organismes micros-

Manet: *L'Exécution de Maximilien (esquisse)*.

Manet: *Le Vieux Musicien*.

Daumier: L'Émeute

*Daumier: Les Saltim-
banques.*

*(Courtesy, Wadsworth
Atheneum, Hartford.)*

Pasteur dans son laboratoire.

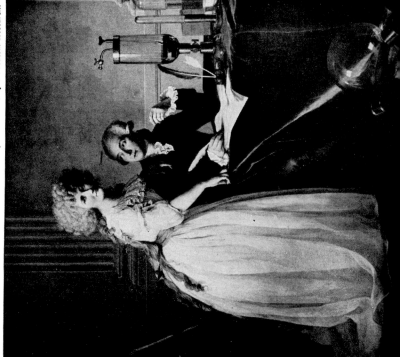

David: M. et Mme Lavoisier.

Monet: La Gare St. Lazare.

(Courtesy of the Art Institute of Chicago, Mr. and Mrs. M. A. Ryerson Collection.)

Rodin: Victor Hugo.

*Cézanne: L'Estaque.
(Courtesy, The Art Insti-
tute of Chicago, Mr. and
Mrs. M. A. Ryerson Col-
lection.)*

Corot: Paysage.
(Courtesy, Smith College
Museum of Art.)

Braque: Nature Morte.
(Courtesy, Phillips Me-
morial Gallery.)

Courtesy, The Art Institute of Chicago, Helen Birch Bartlett Memorial Collection.

Seurat: La Grande Jatte.

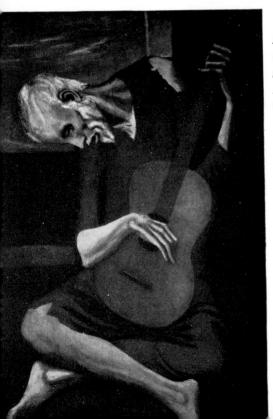

Picasso: Le Guitariste.
(Courtesy, The Art Institute of Chicago, Helen Birch Bartlett Memorial Collection.)

copiques (1857). Il révéla ainsi l'existence, jusqu'alors insoup-
çonnée, des microbes, révélation qui amena une ère nouvelle en
biologie. Ensuite, il découvrit la vraie nature de la putréfaction;
il démontra que ce sont toujours des germes qui détruisent les
matières mortes et ainsi rendent à l'atmosphère et à la terre ce 5
que les êtres vivants en avaient tiré; sans ces germes, la vie ne
pourrait pas continuer. Il étudia ensuite les maladies des vins
et indiqua le moyen de détruire les microbes dangereux qui sont
cause de ces maladies. Le procédé qu'il inventa est la pasteurisation; on le connaît en Amérique surtout par son emploi dans la 10
conservation du lait.

Pasteur s'intéressa ensuite au problème de la génération spontanée, dont bien des savants distingués admettaient le principe. En
deux ans, par des expériences soigneusement contrôlées, Pasteur résolut cette question d'une façon définitive: la génération 15
spontanée n'existe pas. La vie n'est jamais créée sans influence
extérieure; toute génération dans les liquides, par exemple, dérive
des germes qui se trouvent dans l'air. Par ses découvertes dans ce
domaine, Pasteur a fondé la bactériologie.

Bien des savants avaient cherché la cause d'une maladie qui 20
affectait les vers à soie et menaçait de ruiner l'industrie de la
soie; tous avaient échoué. En deux ans, Pasteur reconnut que
la maladie était due à des germes d'une nouvelle espèce et réussit
à empêcher leur propagation. Il sauva ainsi une industrie importante. 25

Découvrir les microbes, améliorer la fabrication de la bière,
expliquer le rôle des germes dans la putréfaction, inventer la
pasteurisation, créer la bactériologie, sauver l'industrie de la soie,
auraient suffi à satisfaire l'ambition de moindres savants. Mais
Pasteur ne limita pas son activité à ces recherches. Il devait 30
compléter son œuvre par de plus grandes découvertes encore. Il
reporta son attention vers les animaux et les hommes. Il découvrit
la cause de la maladie du charbon dont souffrait le bétail, puis
la manière de l'empêcher ou de la guérir. Ensuite il isola le
microbe qui provoquait le choléra des poules. C'est pendant ses 35
recherches sur cette maladie qu'il fit une découverte de la plus
grande importance, celle des sérums et des vaccins. Était-il
possible de trouver un vaccin contre le charbon? Pasteur le
trouva et il en démontra bientôt l'efficacité de façon éclatante.

Enfin ses recherches sur la rage lui donnèrent une renommée internationale. Ayant découvert contre la rage un vaccin qui guérissait les chiens et les lapins, il l'employa pour sauver un enfant qui avait été mordu par un chien enragé (1885).

5 L'œuvre de Pasteur a été continuée jusqu'à nos jours, non seulement à l'Institut Pasteur, fondé à Paris en 1888, mais aussi dans les laboratoires et dans les hôpitaux du monde entier. On a dit, avec raison, que Pasteur a été le plus grand bienfaiteur de l'humanité.

L'Éducation en France

10 En apparence, le système d'éducation en vigueur en France sous la Troisième République ne différait pas beaucoup du système d'éducation américain. On y observait les mêmes divisions — éducation primaire, éducation secondaire, éducation supérieure; les professeurs y enseignaient à peu près les mêmes 15 matières, et insistaient (dans l'enseignement primaire surtout) sur les mêmes sujets — respect dû au pays, histoire nationale, connaissance de la grammaire et de la langue nationales. Mais là, les ressemblances cessent. Il y a en effet des distinctions subtiles qui tiennent aux différences de tempérament des deux 20 nations, aux buts poursuivis; d'autres sont plus faciles à comprendre.

Par exemple, en France, toute l'éducation est sous le contrôle de l'État; même les écoles privées (assez rares en France) y sont sujettes. Aussi la centralisation joue-t-elle un grand rôle. Le 25 plus souvent, les professeurs de même rang ont reçu la même préparation (d'ailleurs excellente), enseignent à leurs élèves les mêmes matières et leur donnent la même formation.

Il semble qu'en général, les élèves français aient plus de travail que les élèves américains: il est bien rare que ceux-là, même 30 lorsqu'ils n'ont que dix ou douze ans, n'aient pas à consacrer plusieurs heures en dehors de leurs classes à leurs devoirs et à leurs leçons.

Les sports ne jouent qu'un rôle secondaire dans les écoles et lés universités françaises. Les dirigeants ne leur accordent que peu d'importance: tout le temps possible doit être consacré au travail intellectuel.

Sauf dans les écoles «professionnelles», il semble que le but essentiel des écoles françaises soit de donner à l'élève une culture 5 générale. Ni la dactylographie, ni la comptabilité, ni les sciences ménagères ne sont enseignées au lycée ou à l'université.

Il faut reconnaître que dans l'éducation secondaire et supérieure, il existe peu de relations suivies entre le professeur et l'élève: le professeur ne rencontre ses élèves que dans ses classes, 10 et souvent ne les connaît pas ou les connaît mal. Il n'y a pas toujours en France cet esprit de camaraderie qui, aux États-Unis, frappe le visiteur.

Il n'est peut-être pas inutile de noter d'autres différences immédiates: la plupart des écoles, des lycées, des universités, 15 n'ont à leur disposition que de vieux bâtiments peu confortables. Dans les universités, il n'y a pas non plus de «campus» et le «college spirit» n'existe pas au même point qu'en Amérique. Enfin, il ne faut pas oublier qu'il y a des lycées séparés pour les garçons et pour les jeunes filles: jusqu'à l'université, lycéens et 20 lycéennes seront soigneusement tenus à l'écart les uns des autres.

L'Éducation primaire. — L'éducation primaire est en grande partie l'œuvre de la Troisième République. Jusqu'en 1881, en effet, l'éducation des jeunes gens était contrôlée presque entièrement par l'Église catholique. Mais sous le ministère de Jules 25 Ferry, l'éducation fut rendue «obligatoire et laïque». De six à treize ans, les enfants du peuple vont à l'école primaire. Là, ils apprennent surtout à lire intelligemment, à écrire d'une manière correcte, à se familiariser avec la géographie de leur pays et les faits essentiels de l'histoire de France, en somme à mieux connaître 30 leur pays et à en être fiers. A l'âge de treize ans, ils passent un examen assez difficile, le certificat d'études primaires, dans lequel ils doivent faire montre non seulement de mémoire, mais aussi de logique. Après avoir obtenu ce diplôme, l'enfant du peuple peut abandonner toute étude, ou bien se présenter au concours des 35 écoles primaires supérieures qui lui enseignent, et le plus souvent fort bien, un métier manuel.

L'Éducation secondaire. — C'est dans les lycées et les collèges que les jeunes Français aisés, depuis plus d'un siècle, ont reçu leur

éducation. Napoléon Ier avait fondé ces collèges et ces lycées pour former ses futurs fonctionnaires et l'élite intellectuelle de la nation. Presque seuls les enfants de «bourgeois» pouvaient aller au lycée: les frais étaient trop élevés pour beaucoup de
5 familles. Depuis 1937, cependant, grâce à un système de bourses et de concours, le lycée a été ouvert à tous les jeunes gens intelligents qui se destinent aux carrières libérales: ainsi, tout jeune Français qui possède les qualités intellectuelles nécessaires peut obtenir le baccalauréat, qui forme le *sine qua non* d'une bonne
10 éducation en France. Il va sans dire, que, dans leurs lycées, les jeunes filles reçoivent la même instruction.

A l'âge de onze ou douze ans, après les études élémentaires (semblables à celles qu'on reçoit dans les écoles primaires), le jeune lycéen reçu à un examen d'entrée difficile entre dans la
15 classe de «6ème». Sept années de dur travail l'attendent. Que va-t-il apprendre?

D'abord du français, beaucoup de français. Les textes des grands écrivains sont soigneusement étudiés, analysés, disséqués presque. Les idées et le style de l'auteur sont examinés avec un
20 soin, un respect presque religieux; des pages entières de Corneille ou de Racine sont apprises par cœur. Le médecin, le professeur, l'homme politique, est souvent jugé par sa culture littéraire, et le jeune lycéen le sait bien. Il devra pouvoir comprendre sans hésiter les allusions empruntées aux «classiques», et, le cas échéant,
25 citer au bon moment des vers de Lamartine ou de Hugo ou une maxime de La Rochefoucauld. Par nécessité, mais aussi par goût, les classes de français sont les plus populaires du lycée, et les compositions françaises sont presque toujours très personnelles et bien écrites. Chaque élève reçoit une place, et le «premier»
30 devient une sorte de héros, envié par ses camarades et félicité publiquement par le proviseur du lycée devant toute la classe. Naturellement le même esprit de rivalité existe dans les autres classes, mais être «le premier de français», «ça, c'est quelque chose»!

35 En même temps, le lycéen consacre une grande partie de son temps à l'étude des langues vivantes. Le système français, en effet, donne une grande place à celles-ci. A la fin des sept années de lycée, l'élève pourra parler deux langues étrangères assez couramment; mais de plus il connaîtra la littérature, l'histoire,

la civilisation des pays dont il a appris la langue. Là, comme dans les autres sujets qu'il étudie, de longues heures de travail sont nécessaires: c'est par des efforts continus, des lectures nombreuses, qu'il réussira à passer l'épreuve redoutable du baccalauréat.   5

Bien entendu, l'étude du français et des langues étrangères ne forme pas tout le programme. Le latin, souvent encore considéré essentiel à l'appréciation du français, est étudié par beaucoup d'élèves, à moins qu'ils ne s'intéressent davantage aux sciences; le grec, l'histoire, la géographie, les mathématiques, ont leurs places 10 dans le programme du lycéen.

La discipline du lycée ou du collège est fort stricte. Les externes, qui vivent chez eux, sont assez libres; mais les internes, dont les familles habitent loin des centres scolaires, et qui doivent vivre la plus grande partie de l'année dans les bâtiments du 15 lycée, sont souvent malheureux. Bien des choses rappellent le fondateur des lycées, Napoléon Ier: c'est par un tambour que sont réveillés les élèves, qu'ils sont appelés en classe ou au réfectoire; c'est dans des dortoirs d'une austérité militaire qu'ils couchent; et les punitions qu'on leur inflige, les «retenues» qui les obligent 20 à rester au lycée un peu en prisonniers, rappellent les arrêts militaires.

Lorsqu'il a terminé la classe de Première, le lycéen se présente à la première partie de l'examen du baccalauréat. S'il est reçu aux nombreux examens écrits et oraux (et plus du tiers des élèves 25 sont refusés le plus souvent!), il entre alors en «Philosophie» ou en «Mathématiques». Cette dernière année de lycée est la plus difficile mais aussi la plus intéressante. L'élève de «philo» a un peu plus de liberté, il appartient à une élite, il a les meilleurs professeurs, hommes de grande valeur. Enfin, après l'année de 30 «philo», il se présente à la deuxième partie du «Bachot».

Ainsi, pendant des années, le lycéen a travaillé du matin au soir. Classes nombreuses, devoirs difficiles, lente préparation de l'examen final, lui ont laissé peu de temps pour s'amuser ou faire du sport. Mais grâce à ce surmenage, grâce à cet effort continu, 35 les éducateurs français sont arrivés à leur but: «L'Éducation secondaire doit offrir une culture générale, et doit avoir pour but, moins de remplir la mémoire, que de former une intelligence non spécialisée, complète et bien faite. Elle doit servir, non à préparer l'élève à exercer telle ou telle profession, mais, sans le préparer à rien, à le rendre propre à tout, à lui donner l'habitude de penser avec force et avec précision.»

Muni de son baccalauréat, l'étudiant peut se présenter à
5 l'université ou aux «grandes écoles», à Polytechnique (où il se spécialisera dans les sciences), à l'École des Sciences Politiques (où il se préparera à la diplomatie), ou bien entrer dans les affaires.

Les Universités. — Il y a en France dix-sept universités, toutes
10 situées dans de grandes villes, Paris, Lyon, Bordeaux, Dijon, Grenoble, etc. Soumises, comme tous les autres établissements d'éducation en France, à une autorité unique, le Ministère de l'Instruction Publique, elles possèdent des qualités uniformes. L'université de Paris, la plus ancienne et de beaucoup la plus
15 grande, est celle où enseignent les maîtres les plus respectés, mais les autres universités ont leur propre personnalité; l'université de Grenoble est celle que les étudiants étrangers ont favorisée le plus souvent; l'université de Toulouse, peu éloignée de la frontière espagnole, a toujours donné une grande importance à l'étude de
20 la littérature espagnole; l'université de Montpellier, déjà célèbre au moyen âge pour sa faculté de médecine, a conservé sa réputation.

Lorsque le jeune étudiant ou la jeune étudiante arrive à l'université, mûri par les sept années de lycée, il possède une culture
25 générale: il est prêt à se spécialiser. Il n'y a donc pas de cours élémentaires, et c'est là sans doute la différence la plus frappante qui existe entre les universités françaises et les universités américaines.

Après les années de demi-servitude du lycée, l'étudiant dé-
30 couvre qu'il est complètement libre; plus de devoirs écrits, plus de récitations, plus d'examens, sauf à la fin de l'année. De novembre à juin, il peut faire ce qu'il veut, assister aux cours qu'il préfère, ou rester éloigné de ceux qu'il dédaigne, lire à loisir les livres indiqués au début de l'année par ses professeurs ou
35 bien au contraire passer son temps dans les cafés de la ville, ou, s'il est à Paris, dans ceux du Quartier Latin. Rares cependant sont les élèves qui ne travaillent pas; la discipline du lycée leur a inculqué l'habitude de l'effort intellectuel.

Par son esprit et ses méthodes, l'enseignement en France a été longtemps différent de l'enseignement aux États-Unis. Dans les lycées français, on s'est intéressé surtout à rendre plus cultivée encore l'élite de la nation; aux États-Unis, au contraire, les écoles ont eu pour but de propager l'instruction parmi le plus grand nombre possible de futurs citoyens. Depuis quelque temps 5 cependant, on peut remarquer un rapprochement graduel entre les deux formes d'enseignement. En facilitant à tous les jeunes Français l'entrée des lycées, l'enseignement français devint démocratique; un jour ou l'autre, le lycée ressemblera à l'école supérieure américaine par le nombre et la tournure d'esprit de ses 10 élèves. Par ailleurs, l'éducation en masse des jeunes Américains fait une part de plus en plus grande aux idées individualistes: dans les écoles au programme modernisé («progressive») et dans les collèges ouverts aux idées nouvelles, il y a une tendance manifeste à s'occuper des besoins particuliers de chaque individu, 15 à donner à chaque élève la plus haute culture qu'il est capable d'acquérir. Par ce rapide exposé, on voit que des échanges fructueux peuvent s'établir entre les deux pays.

« XXIV »

Le Mouvement Intellectuel
(1914–1939)

Avant la première Guerre mondiale, les «grands» écrivains, ceux qu'on lisait le plus, étaient des hommes tels que Paul Bourget, 20 Maurice Barrès, ou Anatole France. Élevés dans des lycées où l'enseignement était encore en grande partie classique, ils écri-

vaient dans une langue claire et facile et n'ignoraient rien des
secrets de la rhétorique. Conservateurs, voulant surtout plaire
à un public quelquefois un peu paresseux, ils n'apportaient en
somme rien d'absolument nouveau à la culture française. Ils
5 étaient, en général, moraux, nationalistes, «bien pensants», et
ne faisaient que continuer avec talent la tradition classique, la
tradition romantique, même la tradition réaliste. On peut
classer dans cette catégorie la plupart des auteurs qui faisaient
partie de l'Académie Française.

10   Les «jeunes» qui, en 1918, revinrent des tranchées, étaient bien
différents de leurs aînés. Au lycée, ils s'étaient intéressés davantage aux langues vivantes qu'aux langues mortes; plus tard, ils
avaient voyagé, non seulement en France, mais dans toute
l'Europe. Ils avaient étudié ou apprécié des écrivains originaux
15 dont on commençait à parler en France, le romancier russe
Dostoievski, le philosophe viennois Freud. Bref, ils avaient
découvert des idées nouvelles, des tournures et des images d'un
pittoresque nouveau, et avaient acquis, en général, un esprit plus
large, plus indulgent, plus sincèrement cosmopolite. Pour eux,
20 après quatre ans de guerre, les traditions auxquelles leurs aînés
obéissaient avaient perdu leur valeur et leur signification: dans
la grande tragédie, «tous les absolus, disaient-ils, avaient fait
faillite». Leurs œuvres devaient logiquement montrer leur inquiétude ou leur nihilisme intellectuel: détruire, et quelquefois
25 sans désir de reconstruire, sera pendant un temps l'idéal de plus
d'un jeune.

Les maîtres de tels révoltés ne pouvaient être ni un Bourget ni
un France. La génération de la Guerre se tourna donc vers des
écrivains peu connus jusqu'alors, mais dont l'originalité était
30 incontestable, Marcel Proust et André Gide.

Marcel Proust (1873–1922) avait fréquenté dans sa jeunesse la
haute société de Paris; retenu chez lui par une maladie cruelle, il
passa les quinze dernières années de sa vie à noter ses souvenirs
dans seize volumes qui forment une des grandes œuvres de la
35 littérature contemporaine, *A la recherche du temps perdu*, et *Le
Temps retrouvé*. Ce long roman est bien plus que l'histoire des
«snobs» de Paris. Appliquant à la littérature les idées les plus
audacieuses des philosophes et des psychologues modernes, Proust
a poussé aussi loin que possible l'analyse des sentiments et l'étude

de l'inconscient. *A la recherche du temps perdu* ressemble donc plus souvent à une profonde étude psychologique qu'à un roman; le style en est touffu, abstrait, entrecoupé, d'une lourdeur presque inconnue dans la littérature française. Pourtant, lire même un volume de la série, par exemple *Du côté de chez Swann*, est une 5 expérience unique: indifférence absolue envers la morale traditionnelle et les conventions littéraires, points de vue originaux sur cent sujets — le temps, l'amour, la mémoire, l'art — qu'il développe jusqu'à leurs conséquences extrêmes, ce sont là les qualités de Proust que les écrivains d'aujourd'hui ont copiées. 10 On peut dire que, grâce à Marcel Proust, le roman n'est plus ce qu'il avait été trop souvent jusqu'alors, un divertissement plus ou moins caché sous un lieu commun philosophique.

André Gide (né en 1860), lui aussi, a influencé la génération de la Guerre autant que la génération d'aujourd'hui. «Mon rôle 15 est d'inquiéter», a dit Gide. Quoiqu'il eût déjà beaucoup écrit, il était encore peu connu lorsque, en 1909, il fonda une revue qui allait devenir très influente, *La Nouvelle Revue française*. Mais c'est surtout après 1920 qu'il a été reconnu comme un très grand écrivain. Son œuvre est immense et complexe. Gide a fait re- 20 présenter des drames d'une forme très originale; il a traduit des œuvres d'écrivains difficiles, Shakespeare, William Blake, Walt Whitman, Goethe; il est l'auteur de poèmes symbolistes de grande valeur, et d'un certain nombre de «récits» qui sont presque des confessions, *L'Immoraliste, La Porte étroite*. Il a écrit une œuvre 25 curieuse, *Les Caves du Vatican*, dont le héros, Lafcadio, cynique, amoral, curieux de tout, commet un meurtre, simplement pour se convaincre qu'il est maître de sa volonté. Enfin, Gide est un grand critique, et ses essais (*Prétextes*) seront peut-être la partie la plus durable de son œuvre. 30

Les romanciers contemporains sont difficiles à classer. En effet, il n'y a plus d'écoles littéraires: être original à tout prix semble être l'idéal de tous ces auteurs. Pourtant, il est possible de les diviser en deux groupes, les conservateurs et les novateurs. Au premier groupe appartiennent, parmi beaucoup d'autres, des 35 romanciers tels que Maurois, Mauriac, Duhamel; dans le second groupe, on peut citer, à titre d'exemple, Jules Romains, Morand et Giraudoux.

André Maurois a écrit des romans d'une clarté presque clas-

sique, tels que *Bernard Quesnay* (1926), qui dépeint d'une manière
fidèle les milieux industriels de la province française. Mais c'est
surtout ses biographies «romancées», *Byron*, *Ariel ou la vie de
Shelley*, sobres et subtiles, qui lui ont donné sa réputation. François
5 Mauriac est le meilleur romancier catholique contemporain. Sa
lucidité lui a donné un pessimisme profond qu'il a exprimé dans
des œuvres d'une grande valeur psychologique: par exemple,
L'Enfant chargé de chaînes est l'histoire d'un jeune idéaliste que la
vie effraie. Les ouvrages de Georges Duhamel sont le plus
10 souvent pessimistes. Dans *Les Hommes abandonnés*, dans le *Journal
de Salavin*, les héros sont les hommes que Duhamel connaît le
mieux, ceux qui sont humbles, isolés, perdus dans la vie moderne
qu'ils renoncent à comprendre. Duhamel est aussi l'auteur d'une
des œuvres les plus nobles de la littérature d'aujourd'hui, *Posses-*
15 *sion du monde*, dans laquelle il montre que la vraie richesse n'est
pas la possession matérielle, mais l'appréciation de la beauté.

Il est significatif que ces écrivains, Maurois, Mauriac, Duhamel,
font partie de l'Académie Française: ils ont les qualités qu'on
attend des académiciens, leur style est sobre et élégant, leurs
20 romans sont bien construits, ils respectent les idées traditionnelles,
ils représentent avec dignité et talent ce qu'il y a de permanent
dans la littérature française.

Parmi les «jeunes» écrivains que nous avons appelés les
«novateurs», il n'est que juste de placer Jules Romains. Poète,
25 dramaturge, romancier, il a écrit, depuis plus de trente ans,
quelques-unes des œuvres les plus subtiles du siècle; son long
roman, *Les Hommes de bonne volonté*, qui comprend déjà plus de
vingt volumes, donne un tableau varié, profondément humain,
de la société française contemporaine. Romains a développé
30 une doctrine nouvelle, l'Unanimisme, qui consiste à prétendre
qu'«une conscience unique englobe les consciences éparses». Cette
doctrine a connu un grand succès. Paul Morand personnifie
l'écrivain cosmopolite. Son premier livre célèbre, *Ouvert la nuit*
(1922), se passe dans plusieurs villes de l'Europe d'après-guerre
35 et reste un précieux document. Depuis cette époque, il a décrit,
dans un style aux images imprévues, une grande partie du globe:
Champions du monde raconte la vie de jeunes Américains que
Morand croit typiques; *Bouddha vivant* est l'histoire d'un jeune
prince hindou qui, ayant quitté son pays natal, fait littéralement

le tour du monde. Jean Giraudoux découvre à chaque instant une nouvelle raison d'aimer la vie; indifférent à la logique, à la vérité, il a écrit des romans tels que *Suzanne et le Pacifique*, *Juliette au pays des hommes*, dans lesquels l'intrigue est fort secondaire, ou même incohérente. Ce qu'il veut, c'est transformer, 5 poétiser les petits faits de la vie quotidienne, leur donner une importance que nous ne leur connaissions pas. Et Giraudoux y réussit à merveille.

Il y a dix, vingt autres romanciers français contemporains dont l'étudiant américain pourrait lire les œuvres avec profit. Citons 10 Henri de Montherlant (*Les Célibataires*), André Malraux (*La Condition humaine*), Julien Green (*Léviathan*), Jean Cocteau (*Le Grand Écart*).

Le roman est sans aucun doute le genre littéraire le plus populaire du vingtième siècle. Mais la poésie et surtout le 15 théâtre continuent à jouer un rôle important dans la vie intellectuelle française.

Paul Valéry, longtemps resté inconnu, est devenu le plus respecté des poètes français. Dans son poème célèbre, *Le Cimetière marin*, il a ajouté aux meilleures qualités des symbolistes 20 une intelligence, un ordre tout classiques, dont malheureusement certains poètes qui se proclament ses disciples n'ont pas compris la leçon. La poésie d'après-guerre continue les tendances extrémistes qui se développaient depuis le début du siècle. L'unanimisme avait produit dès 1908 le recueil de Jules Romains 25 appelé *La Vie unanime*. Les recueils de Paul Morand, aux titres évocateurs, *Lampes à Arc*, *Feuilles de température*, ont une originalité de bon aloi. Vers 1920, la poésie a connu une crise curieuse: le dadaïsme, qui, étant la négation de toute règle, de toute logique, de tout désir d'être compris, ne peut avoir qu'une valeur his- 30 torique.

Le théâtre n'a rien perdu de sa vitalité; il a dû, cependant, s'adapter aux idées nouvelles et évoluer. A côté de dramaturges qui suivent plus ou moins les règles conventionnelles, tels que Paul Raynal (*Le Tombeau sous l'Arc de triomphe*) ou René Fauchois 35 (*Prenez garde à la peinture*), des intellectuels plus hardis ont voulu transformer le théâtre, soit par les sujets qu'ils choisissent, soit par la technique. Jacques Copeau avait fondé quelque temps avant la guerre de 1914 un théâtre d'avant-garde, *Le Vieux*

Colombier, dont l'influence fut très grande. Les disciples de Copeau, Jouvet, Dullin, Baty, ont donné au théâtre une vie nouvelle: leur sincérité, leur discrétion, leur subtilité, leur goût de l'invention et de la synthèse, ont aidé bien des dramaturges.
5 Citons ici H. R. Lenormand (*Le Simoun*), Pellerin (*Têtes de rechange*), Ch. Vildrac (*Le Paquebot Tenacity*). La scène a attiré aussi deux grands romanciers, Jules Romains et Jean Giraudoux: Romains est l'auteur de plusieurs comédies, parmi lesquelles il faut citer *Knock*, qui refait la satire moliéresque des médecins.
10 Giraudoux, de son côté, a écrit des pièces d'une grande valeur littéraire, dans lesquelles ses dons poétiques se montrent mieux encore que dans ses romans: *Siegfried*, *La Guerre de Troie n'aura pas lieu*, sont peut-être les chefs-d'œuvre du théâtre français contemporain.

15   En peinture, Paul Cézanne, mort en 1906, fut un des grands créateurs de formes de tous les temps. Pour lui, comme pour les impressionnistes, un tableau doit être une création absolument personnelle du peintre: représenter la nature comme elle est devient inutile et dangereux; il faut «refaire» la nature, croit-il,
20 en simplifier les formes. Mais Cézanne dépasse Monet et Renoir: il veut faire de l'impressionnisme, si fluide, si immatériel, «un art solide et durable comme l'art des musées»; pour cela, il s'efforce de donner en peinture une troisième dimension, la profondeur. Il invente des formes «organisées», des masses
25 géométriques qui évoquent, simplifiées et embellies, les formes qu'on trouve dans la nature. Son art est donc un art psychologique, dans lequel la vraisemblance passe au second plan. Son génie a fait de Cézanne l'inspirateur de toute la peinture du vingtième siècle.
30   Il est impossible de mentionner tous les peintres français importants de notre temps: ils sont trop nombreux. Les noms qui suivent, cependant, sont ceux d'artistes dont la célébrité ne semble pas être basée sur le désir d'étonner ou de choquer, ce qui a été, il faut le reconnaître, le défaut de quelques peintres
35 d'avant-garde.
    Maurice Denis est un peintre à la fois traditionnel et profondément moderne. Ses œuvres, d'inspiration religieuse, ont la simplicité et la fraîcheur des fresques de Fra Angelico, mais

rappellent en même temps la composition subtile des tableaux de Cézanne. Henri Matisse fut, vers 1906, le chef des «Fauves», comme on appelait les premiers disciples de Cézanne. Aujourd'hui, Matisse est reconnu comme un des plus grands maîtres de la peinture: ses natures mortes, ses portraits de femmes, sont 5 caractérisés par la richesse de leur coloris.

Le cubisme, qui conçoit la nature comme un ensemble, sinon de cubes, du moins de formes géométriques, interpréta les idées de Cézanne. Il faut ajouter que les jeunes peintres qui firent du cubisme une doctrine furent aussi influencés par les sculptures 10 égyptiennes et les masques nègres: c'est significatif, car le «primitif» de toute sorte a plu profondément à la génération de l'après-guerre. Sous prétexte de «construction», de conception plastique, de symétrie abstraite, les cubistes déforment les objets les plus simples, au point que ceux-ci en deviennent mécon- 15 naissables; c'est évidemment l'art pur, dans lequel le sujet n'est qu'un point de départ. Braque, Juan Gris, Picasso surtout, furent les plus représentatifs du groupe.

D'autres mouvements qui s'inspiraient plus ou moins de Cézanne et du cubisme se sont succédé; on peut dire cependant 20 qu'il y a eu, de 1920 à 1940, une *École de Paris*, dont les peintres, vivant à Montparnasse, ont influencé l'Europe et les États-Unis. L'Américain Pascin, l'Espagnol Picasso, le Polonais Kisling, le Russe Chagall, appartiennent à cette école de peinture autant que les Français Derain, Dunoyer de Segonzac, Utrillo.   25

L'école française de sculpture est aussi riche que l'école de peinture. De très grands sculpteurs ont pris la succession de Rodin lorsque celui-ci mourut en 1917. Bourdelle, qui se faisait appeler sculpteur-architecte, rappelle Rodin par sa puissance et son intensité. Les œuvres de Maillol, robustes et rustiques, ont 30 la sérénité des plus nobles sculptures de la Grèce antique. Despiau a créé des bustes merveilleux de vie et d'élégance.

En France, la musique a toujours suivi de près les autres mouvements intellectuels. Elle a été tour à tour sentimentale avec Rameau à l'époque de Rousseau et de Greuze, romantique avec 35 Berlioz à l'époque de Delacroix et de Hugo, réaliste avec Bizet à l'époque de Zola et de Manet, impressionniste avec Debussy à l'époque de Loti et de Degas. Mais pouvait-il y avoir une musique

cubiste? La réponse est affirmative. Les œuvres du *Groupe des Six* (dont les représentants principaux sont Milhaud, Honegger, Poulenc, Auric) le prouvèrent bien vers 1920. *La Création du monde* de Milhaud, *Pacific 231* de Honegger, sont des œuvres qui
5 vont de pair avec les *Arlequins* de Picasso et les poèmes de Paul Morand. Maurice Ravel, le compositeur de *Boléro*, mais surtout de *L'Heure espagnole* et de *Daphnis et Chloé*, connaît une renommée mondiale.

Si l'on osait prédire ce que sera l'avenir de la poésie ou de la
10 peinture françaises, on pourrait dire qu'après les exagérations du cubisme, du dadaïsme et d'autres mouvements semblables, on reviendra à la modération et au bon sens. En littérature et en art, les Français aiment en général la clarté et la logique. Pour eux, aujourd'hui comme au temps de Molière, «la parfaite raison
15 fuit toute extrémité».

Paris au XXe Siècle

P<small>ARIS</small>. Le nom évoque des idées, des rêves, des désirs divers. Chez les uns, il suscite la méfiance inspirée par une réputation d'immoralité que le temps n'a pas réussi à détruire; chez les autres, des idées d'indépendance, de gaieté libre, d'élégance se
20 sont toujours associées avec la vie de Paris. Certains espèrent y trouver l'excitation nécessaire à une activité intellectuelle ou à une carrière artistique, et, peut-être, voient en Paris le lieu où ils recevront la consécration de leur talent.

Il serait faux de croire que Paris puisse être connu rapidement,
25 entièrement, comme l'ont cru trop souvent des touristes pressés, au hasard de quelques promenades sans méthode. Il faut y habiter longtemps, et encore plus qu'un long séjour, il faut cette sympathie pour les choses, ce goût des lieux, qui permet d'apprécier l'atmosphère de la ville.

30 *Les Monuments*. — Paris est une ville moderne, dix, quinze fois plus étendue qu'elle ne l'était lorsque les habituées de l'hôtel de Rambouillet s'y promenaient dans leurs chaises à porteurs. Elle s'est donc bien transformée depuis cette époque. Mais c'est aussi

une ville qui a conservé la plupart de ses plus beaux monuments anciens.

L'Île de la Cité a peut-être changé plus qu'aucun autre quartier de Paris; mais elle est encore riche de souvenirs. Notre-Dame, la Notre-Dame de Philippe-Auguste, est toujours là, se reflétant 5 dans les eaux calmes de la Seine; la Sainte-Chapelle de Saint Louis est presque intacte; le vieux Palais des rois conserve encore ses tourelles. Le Pont-Neuf, après trois siècles, est aussi fréquenté qu'il l'était sous Henri IV.

Le Paris de la Rive gauche a subi bien des transformations, lui 10 aussi, mais dans ses rues étroites, tracées au dix-septième siècle ou même au moyen âge, il est encore facile d'évoquer le passé. On peut y voir un joyau d'architecture médiévale, l'Hôtel des Abbés de Cluny, devenu un musée. L'église bâtie par Richelieu pour la Sorbonne qu'il protégeait est encore dans la cour de la 15 nouvelle Sorbonne, et le Cardinal lui-même y est enterré. Sainte Geneviève, la patronne de Paris, repose près de Descartes, dans une église pittoresque, Saint-Étienne du Mont; et, dans le Panthéon, tout en haut de la colline où vécut la Sainte, reposent les cendres de Rousseau, Voltaire, Hugo, Zola. Tout près de 20 là, dans la rue d'Ulm, Pasteur avait son laboratoire. C'est dans le Quartier Latin aussi qu'on trouve le lycée Louis-le-Grand, qui n'est autre que le collège où Molière étudia, et le lycée Henri IV, que fréquenta Musset. Le palais du Luxembourg, où vécut Marie de Médicis, est entouré du plus beau jardin de Paris. 25

Le Faubourg Saint-Germain, au charme provincial, est encore le quartier aristocratique de Paris. Les vieux hôtels nobles présentent au rare passant leurs façades sévères et un peu mystérieuses. L'Hôtel des Invalides, l'hôpital élevé par Louis XIV pour ses soldats âgés, n'a pas changé d'apparence non plus; il 30 renferme dans son église les restes de Napoléon.

La Rive droite, elle, est plus moderne. Mais ici encore, églises et vieilles maisons sont nombreuses. Le Marais des Précieuses reste plein de charmes, et s'est enrichi de souvenirs historiques: Richelieu, Madame de Sévigné, Victor Hugo, Alphonse Daudet, 35 y ont habité. Le Louvre, ce palais bâti et rebâti par dix rois de France, est devenu un musée, le plus grand et le plus riche du monde. De ses fenêtres, on peut voir la place de la Concorde, où furent guillotinés Louis XVI et Marie-Antoinette. Sous l'Arc

de Triomphe, se trouve la tombe du Soldat Inconnu de la
première Guerre mondiale. Il y brûle une flamme éternelle: le
peuple parisien n'oublie pas.

Sur la Rive droite, pourtant, les bâtiments modernes pré-
5 dominent. Des avenues spacieuses, bien aérées, y ont été percées
par Napoléon III, autant pour embellir Paris que pour se
protéger contre la guerre de barricades. La vie y est plus nerveuse
que sur la Rive gauche; c'est là que se traitent les affaires, là que
naît la mode de Paris, là que sont les grands magasins et les grands
10 hôtels. C'est aussi sur la Rive droite que se trouvent les grands
théâtres, les salles de concert, la Bibliothèque Nationale avec ses
quatre millions de livres.

La Vie intellectuelle. — Depuis longtemps, l'enseignement supérieur a trouvé son symbole dans la Sorbonne. La renommée de
15 la vieille université de Paris est si grande que l'étranger ignore
souvent que la ville possède d'autres centres de culture. Autour
de la Sorbonne se sont développés d'autres organismes dont
chacun remplit un rôle spécial. Le Collège de France, créé par
François Ier, offre des cours sur des sujets très spécialisés. L'Insti-
20 tut de Physique et de Chimie s'honore d'avoir eu Pierre Curie
parmi ses professeurs. L'École Polytechnique, créée par Napoléon
Ier, fournit à l'armée ses officiers du génie et d'artillerie, et, à
l'industrie, des ingénieurs hautement qualifiés. L'École Normale
Supérieure forme des professeurs distingués et a donné au jour-
25 nalisme, à la politique et à la diplomatie des hommes célèbres.
«Normale» s'est souvent signalée par ses tendances libérales et
ses élèves ont pris part aux révolutions démocratiques. L'École
des Chartes prépare des archivistes cultivés dont les travaux
apportent des renseignements précieux sur le passé de la France,
30 ses vieux monuments et ses manuscrits. L'École des Sciences
Politiques donne au pays beaucoup de ses hauts fonctionnaires
et de ses diplomates. Signalons enfin que l'université de Paris
possède une bonne faculté de droit et une école de médecine
souvent considérée comme la première d'Europe.

35 Pour bien des Français, l'Académie Française n'a rien perdu de
son prestige. Les élections y ont toujours été ardemment dis-
putées, et ont retenu l'attention de la presse et du public cultivé.
L'Académie ne limite pas son choix aux hommes de lettres. Des
soldats comme Joffre et Foch, des hommes d'église, des hommes

d'état y sont admis. Des écrivains célèbres, cependant (Flaubert, Maupassant, Baudelaire), n'ont pu en faire partie. On a souvent raillé l'esprit conservateur de l'Académie. Il convient de dire à sa décharge qu'elle a servi de modérateur contre les initiatives littéraires trop hardies, et qu'elle a toujours maintenu la liaison 5 avec le passé, si nécessaire aux choses de l'esprit.

Pour réagir contre l'autorité parfois un peu hautaine de l'Académie Française, un autre groupement littéraire s'est formé à la fin du siècle dernier: l'Académie Goncourt. L'Académie Goncourt est composée de dix membres exclusivement recrutés 10 parmi les écrivains professionnels. Elle doit décerner chaque année un prix destiné à attirer l'attention sur un jeune écrivain jusqu'alors inconnu; son choix a été souvent heureux.

En dehors de ces groupements officiels, la vie littéraire se présente à Paris sous une forme entièrement originale. On sait 15 le goût des Français pour les cafés. Certains cafés ont été célèbres, parce qu'ils ont été les rendez-vous d'hommes politiques, d'artistes et d'écrivains. Le Procope, au dix-huitième siècle, a vu Voltaire, Beaumarchais et Diderot; Paul Verlaine passa la fin de sa vie dans les cafés; le Vachette, avant la Grande Guerre, accueil- 20 lait Jean Moréas. Au vingtième siècle le café de Flore a été le plus populaire: on y jugeait les livres qui venaient de paraître, et on y élaborait des théories nouvelles. Bien que les cafés aient perdu de leur importance et de leur atmosphère, ils demeurent néanmoins des sortes de «Bourses» de l'esprit, des endroits de rencontre 25 pour écrivains, pittoresques aux yeux de l'étranger et propices aux jeux de l'intelligence.

La vie artistique de Paris s'est concentrée plus particulièrement dans les quartiers de Montparnasse et de Montmartre. C'est là qu'ont habité les vrais et les faux artistes, et le sculpteur célèbre 30 y a côtoyé le peintre obscur. Que de rêves ambitieux, que d'efforts sincères, souvent sans résultats, ont été poursuivis dans les ateliers de Montparnasse!

Paris a de nombreux musées. Le Musée du Louvre, à lui seul, mériterait une longue description. Du moins disons qu'il possède 35 la *Vénus de Milo*, la *Victoire de Samothrace*, la *Mona Lisa* du Vinci, trente tableaux de Rembrandt. Citons parmi les autres musées, le Musée Rodin, où sont exposées les œuvres du grand sculpteur, le musée Carnavalet, où l'étude de la vie du vieux Paris est rendue si vivante, le Musée de Cluny, qui réunit beaucoup de souvenirs du moyen âge et de la Renaissance, le Musée des Invalides, où revivent les gloires militaires de la France.

5 Le théâtre à Paris a été longtemps, mais surtout depuis la seconde moitié du siècle dernier, une des manifestations les plus importantes de la vie intellectuelle. Le gouvernement a créé des théâtres officiels, la Comédie Française et l'Odéon, qui ont un répertoire consacré par le temps et composé surtout de pièces
10 classiques et d'œuvres du dix-neuvième siècle. Mais leur caractère conservateur n'exclut pas certaines audaces et certaines concessions à l'époque. A côté de ces théâtres se sont créées d'autres scènes dues à l'initiative privée. Malgré le temps qui efface les distinctions, chacun de ces théâtres a gardé en partie
15 son originalité, et chacun d'eux choisit ses pièces suivant ses traditions propres. Le groupe des théâtres du Boulevard met surtout en scène des comédies pleines d'esprit. D'autres théâtres, comme le Vieux Colombier, ont favorisé des tendances plus avancées, et un art théâtral plus purement intellectuel.

20 Parmi les innombrables revues qui ont influencé la vie intellectuelle des Parisiens, il y en a beaucoup qui mériteraient d'être citées. Les plus importantes, par leur renommée ou par leur influence, sont les suivantes. La *Revue des Deux Mondes* (fondée en 1832) est la revue des conservateurs; ses articles ont un style
25 impeccable, conservent presque toujours un ton modéré, reflètent en littérature le point de vue qu'on pourrait appeler «le point de vue de l'Académie»; de Musset à Barrès ou à Maurois, la plupart des écrivains «établis» y ont collaboré. Le *Mercure de France* (fondé en 1890) est la revue des écrivains symbolistes;
30 elle s'est consacrée en grande partie à la glorification des poètes de la fin du dix-neuvième siècle. La *Nouvelle Revue Française* (fondée en 1909 par André Gide) est beaucoup plus moderne: elle ne s'effraie ni des idées audacieuses ni du style quelquefois bien inattendu des écrivains qui y participent, tels que Morand
35 et Giraudoux.

Il existe aussi un autre Paris dont nous n'avons pas parlé; c'est pourtant celui que la plupart des touristes connaissent le mieux: le Paris cosmopolite des «boîtes de nuit». On n'y trouve pas de «culture» française: le jazz parisien vient de Harlem, les artistes de l'Amérique du Sud — et les clients des quatre coins du monde.

Il y a d'autres aspects de Paris qui sont de meilleur aloi. Qui n'a entendu parler des petits artisans parisiens, si fiers de leurs travaux délicats, des midinettes qui aident à créer la mode de 5 demain, des marchandes des quatre-saisons qui poussent, au hasard des rues, leurs voitures chargées de légumes? C'est le Paris travailleur, celui dont les Parisiens peuvent être fiers.

Il y a un côté de la vie parisienne que les étrangers ne voient que rarement. Quelques romanciers modernes ont donné une 10 idée fâcheuse de la vie de famille en France. Mais il existe, à Paris comme dans toute la France, des foyers, des «homes», où règnent la paix, l'amour, les vertus familiales.

France d'Hier et de Demain

Nous arrivons au point où doit se terminer cette Initiation à la culture française. Considérons donc dans son ensemble l'évolu- 15 tion du grand pays qu'est la France depuis tant de siècles.

Que de noms et que de dates! Que de belles œuvres créées en art et en littérature! Que de triomphes et que de catastrophes! Bien des fois, il a semblé que la «doulce France» dont parlait déjà la *Chanson de Roland* allait disparaître, et sa civilisation avec 20 elle. Mais la France ressemble à ce vaisseau qu'on voit sur les armes de la ville de Paris: «Il flotte, mais ne sombre pas», dit la devise en parlant du vaisseau symbolique. Toute l'histoire de la France est dans ces mots.

En l'an 1000, les rois capétiens n'étaient rois que de nom, et le 25 royaume n'était qu'un domaine sans limites bien définies entouré de grands domaines féodaux hostiles; que pouvait bien réserver l'avenir à un tel royaume? Mais les Capétiens étaient énergiques. Le petit royaume s'étend, l'autorité du roi est reconnue: au début du treizième siècle, Philippe-Auguste est plus puissant qu'aucun 30 de ses rivaux. Sous ce grand roi la France connaît la prospérité économique. Il y a déjà une littérature florissante; trouvères et troubadours ont célébré les exploits de Charlemagne et du Roi Arthur ou bien ont écrit des poèmes d'amour.

Puis une catastrophe arrive: la Croisade des Albigeois ruine le Midi de la France; la civilisation provençale disparaît. Mais le
5 Nord n'en devient que plus fort. Pendant le treizième siècle, les villes se développent, la bourgeoisie s'enrichit, Saint Louis fait respecter et aimer la royauté, l'université de Paris attire les étudiants des quatre coins de l'Europe. La culture française est suprême, et rien n'indique que son importance puisse diminuer.
10   Alors éclate la guerre de Cent ans. La plus belle armée d'Europe est vaincue par les Anglais qui ont développé des tactiques nouvelles; la bataille de Crécy n'est que le prélude de désastres plus grands: le roi de France est fait prisonnier, la plus grande partie du royaume est occupée par l'ennemi; les grands seigneurs
15 féodaux cherchent à regagner leur puissance; la guerre civile divise la France en deux camps; la Grande Peste cause la mort de millions de Français. Au début du quinzième siècle, lorsque Charles VI devient fou, tout semble perdu. De plus haut, il était impossible de tomber plus bas. Est-ce la fin de la France?
20 Non, car un miracle arrive: une jeune bergère lorraine se présente au roi, lui demande une armée, l'obtient, fait couronner le jeune souverain à Reims, et, en trois ans, sauve la France. Mais une nation peut-elle survivre à un siècle de guerres sans être à jamais épuisée? Il n'y a plus de grands écrivains, on n'élève plus de
25 palais ni de cathédrales. La gloire de la France est-elle donc tout entière dans son passé? Non, répond l'historien.

Au seizième siècle, en effet, les horreurs de la guerre de Cent ans sont déjà oubliées. La Renaissance couvre la France d'un manteau doré de châteaux et de palais; la vie de cour devient
30 délicate, raffinée; Rabelais, Ronsard, les humanistes rendent sa gloire à la littérature française. La splendeur du règne de François Iᵉʳ semble devoir durer. Mais une fois de plus, la catastrophe qui suit si souvent les périodes de trop grande prospérité éclate: les guerres de religion sont pires encore que la guerre de
35 Cent ans. Quatre millions de Français tués par des Français, des villages entiers ruinés, des provinces dévastées. Montaigne, dans son château, est sceptique à juste raison.

Mais la France, comme le phénix, renaît toujours de ses cendres. Un roi énergique et populaire, Henri IV, pacifie le royaume, proclame la liberté de conscience; le commerce et l'agriculture ramènent en quelques années la prospérité. Grâce à Henri IV, puis à Richelieu, puis au Roi-Soleil, la splendeur du Siècle de Louis XIV surpasse celle de la Renaissance. Versailles s'élève, copié bientôt par tous les souverains d'Europe. Corneille, 5 Descartes, Pascal, Molière, Racine, Poussin, Le Brun, cent autres écrivains et artistes rendent illustres l'art et la littérature classiques.

Le dix-huitième siècle n'est pas seulement le siècle de Watteau, de Fragonard, de Marivaux, et de la «joie de vivre». C'est aussi 10 le siècle de Voltaire, de Montesquieu, de Rousseau et de la Révolution. En cinq ans, le système monarchique qui depuis dix siècles avait prévalu en France, disparaît. Une fois encore, la guerre civile divise la nation; la guillotine fonctionne sans arrêt, l'étranger pénètre en France. Cette fois-ci, tout est bien perdu, 15 semble-t-il: le pays ne pourra pas se relever; les miracles ne se produisent plus. Et pourtant . . . Et pourtant, ce vieux pays a encore assez de vie pour survivre aux pires excès, aux pires désordres. En 1800, la Révolution est terminée, la France a un gouvernement fort, celui de Napoléon Bonaparte: le pays peut 20 panser ses blessures. Une crise de plus est passée.

Quinze ans plus tard, une autre crise éclate. La défaite de Waterloo exile Napoléon à Sainte-Hélène; des millions de jeunes hommes ont été tués; Paris, pour la première fois depuis la guerre de Cent ans, a été occupé par l'étranger. 25

Mais la France est immortelle. Au dix-neuvième siècle, on assiste à de grands progrès économiques et sociaux, à de grands changements en art et en littérature. C'est un autre Age d'Or pour la France. Jamais la vie n'a été plus brillante que sous le Second Empire, jamais la France n'a été si riche et si respectée. 30 Puis la guerre franco-prussienne éclate. L'Alsace et la Lorraine sont perdues, la guerre civile divise la France. Mais en France l'histoire se répète toujours: à une période de décadence succède une période de gloire. On le voit bien à la fin du siècle, sous la Troisième République. Et la première Guerre mondiale prouve 35 au monde que le vieux, vieux pays sait encore trouver de nouvelles sources d'énergie.

Ne soyons donc jamais trop pessimistes: la leçon de cette étude est que la France ne peut pas mourir. Elle a survécu à la guerre

de Cent ans, aux guerres de religion, aux extravagances de
Louis XIV, aux horreurs de la Révolution, à la chute de Napoléon, à la débâcle de la guerre franco-prussienne, aux fléaux
de la première Guerre mondiale. Après chaque désastre elle se
5 relève et monte toujours plus haut. L'esprit de la France est un
esprit de jeunesse éternelle.

EXERCISES

« I »

Les Premiers Habitants du Pays

A. Answer the following questions:

1. Comment sait-on que la France était habitée il y a trente mille ans?
2. Quelles traces de leur civilisation les Ibères et les Ligures ont-ils laissées?
3. D'où sont venus les Celtes?
4. A quelle époque ont-ils pénétré en Gaule?
5. Qui a donné le nom de *Galli* (Gaulois) aux Celtes?

B. Are the following statements true or false? Revise each false statement so that it will be true:

1. C'est en Auvergne qu'on a trouvé des traces des premiers habitants du sol français.
2. Les Ibères et les Ligures se servaient du fer et du bronze.
3. Les Basques sont les descendants des Ibères et des Ligures.
4. Les Celtes, après avoir pénétré en Gaule, y sont tous restés.
5. Alexandre le Grand fut un roi celtique.

Carnac

A. Answer the following questions:

1. Dans quelle province se trouve la plaine de Carnac?
2. Pourquoi peut-on appeler Carnac «la terre des morts»?
3. Qu'est-ce qu'un menhir? un dolmen?
4. Qu'est-ce qui ennoblissait la religion cruelle des hommes primitifs?
5. Quelle était l'occupation principale de ces hommes?
6. Est-ce que les alignements de Carnac sont beaux?

B. Complete the following sentences:

1. On trouve les monuments les plus frappants des races préhistoriques en _____.

2. Les pierres énormes de la plaine de Carnac ressemblent à
   _____.

3. Dans un seul champ de la plaine de Carnac il y a plus de
   _____ tombeaux.

4. La religion des hommes primitifs exigeait _____.

5. Les chefs morts furent enterrés à Carnac avec leurs _____ et
   leurs _____.

6. Les menhirs et les dolmens sont un symbole des _____.

La Bretagne

A. Answer the following questions:

1. Lorsque les Celtes ont dû quitter le territoire que leurs ancêtres avaient conquis, où se sont-ils réfugiés?

2. Quels sont quelques-uns des sujets des légendes celtiques?

3. Pourquoi la Bretagne a-t-elle pu conserver son individualité
   mieux que les autres provinces?

4. Est-ce que la Bretagne a un grand nombre d'habitants?

5. Quelles sont les villes principales de la Bretagne?

6. Qu'a fait Jacques Cartier?

7. Quelles sont les qualités des Bretons?

*B. Match each item in the first column with an associated item in the
second column:*

1. Pierre Loti	1. Port militaire
2. Le roi Arthur	2. Port de commerce
3. Saint-Malo	3. *Pêcheur d'Islande*
4. La Bretagne	4. Port de pêche et de commerce
5. Brest	5. Légendes celtiques
6. Nantes	6. Les Bretons

SUGGESTED TOPICS FOR INVESTIGATION

The Stone Age in Europe.
The Basques.
King Arthur in English Literature.

RECOMMENDED READINGS

1. Tennyson: *Idylls of the King.*
2. Chateaubriand: *Mémoire. d'Outre-Tombe* (first part).
3. Pierre Loti: *Pêcheur d'Islande.*
4. Anatole Le Braz: *Contes bretons.*

« II »

L'Occupation Romaine

A. Answer the following questions:

1. Pourquoi peut-on appeler la France un «carrefour»?
2. Qu'est-ce qui a empêché la civilisation gauloise de se développer rapidement?
3. Qui a contribué au développement de cette civilisation?
4. Que reste-t-il aujourd'hui de la civilisation gauloise?
5. Quel auteur latin a décrit la conquête de la Gaule?
6. Est-ce que la conquête romaine a été un bienfait ou un désastre pour les Gaulois? Pourquoi?

B. Complete each of the following sentences by that one of the given phrases which will make the sentence correct:

1. La longue domination des Celtes est marquée en Gaule (par un développement rapide de la civilisation) (par un lent développement de la civilisation).
2. La partie de la France qui est près de la Méditerranée s'appelle (le Midi) (l'Orient).
3. César commença sa conquête de la Gaule (en 123 av. J.-C.) (en 58 av. J.-C.).
4. Sous la domination romaine, les Gaulois (commencèrent à parler latin) (créèrent une littérature celtique à l'imitation de la littérature latine).
5. Les Romains se servirent en Gaule des routes (que les Gaulois avaient construites) (qu'ils construisirent).

Arles

A. Answer the following questions:

1. Pourquoi est-ce qu'Arles avait une grande importance stratégique?
2. A quoi servaient les Arènes d'Arles?
3. Comment les habitants d'Arles, à l'époque romaine, se sont-ils procuré l'eau dont ils avaient besoin?
4. Pourquoi le théâtre d'Arles a-t-il été en partie détruit?
5. De quoi la ville d'Arles est-elle le symbole?

B. *Are the following statements true or false? Revise those that are false so that they will be true.*

1. L'influence romaine en Gaule commença à se faire sentir en 52 av. J.-C.
2. Arles était le seul endroit où l'on pouvait traverser le Rhône.
3. C'est dans les Thermes que beaucoup de chrétiens furent tués.
4. Le théâtre d'Arles était un édifice gracieux.
5. On appelait Arles la «Rome Gauloise».

La Provence

A. *Answer the following questions:*

1. Quel est le climat de la Provence?
2. Pourquoi le littoral de la Provence s'appelle-t-il «la Côte d'Azur»?
3. Les monuments romains qui se trouvent en Provence sont-ils bien conservés?
4. A quel port de la Bretagne Toulon peut-il être comparé?
5. Des trois villes suivantes: Marseille, Toulon, Arles, laquelle est la plus grande?
6. Quelles sont les qualités des Provençaux?

B. *Which word in parentheses is most closely associated with the word at the beginning of each series?*

1. Le Midi (la Provence, l'Italie, l'Espagne).
2. Les cyprès (champs, arbres, montagnes).
3. Marseille (commerce, guerre).
4. Le Provençal (mysticisme, tristesse, gaieté).

SUGGESTED TOPICS FOR INVESTIGATION

Caesar's Gallic Wars.
Vercingetorix: His Struggle Against Julius Caesar; the Battle of Alesia; His Defeat; His Captivity and Death.
A Comparison of Arles and Nîmes.

RECOMMENDED READINGS

1. Daudet: *Tartarin de Tarascon.*
2. Daudet: *Numa Roumestan* (for advanced students).
3. Roth: *Contes des provinces.*

« III »

Mérovingiens et Carolingiens

A. Answer the following questions:

1. Contre qui les Romains ont-ils essayé de défendre la Gaule?
2. A quelle époque les invasions de la Gaule ont-elles commencé?
3. Est-ce que la langue latine fut remplacée par la langue des envahisseurs?
4. Quelle a été l'invasion barbare la plus redoutable?
5. Comment Sainte Geneviève a-t-elle sauvé Paris?
6. Comment la Gaule a-t-elle reçu le nom de «France»?
7. Est-ce que le roi Clovis était chrétien?
8. Pourquoi Charles-Martel est-il célèbre?
9. Comment s'appellent les trois petits-fils de Charlemagne?
10. Quel événement important a eu lieu en 843?
11. Quelles sont les deux premières dynasties françaises?
12. Quelle est l'importance du *Serment de Strasbourg?*

B. Give one fact about each of the following names:

1. Le Rhin	6. Clovis
2. Attila	7. Poitiers
3. Lutèce	8. Pépin le Bref
4. Châlons	9. Lothaire
5. Mérovée	10. Lotharingie

Charlemagne

A. Answer the following questions:

1. Pourquoi le peuple admirait-il Charlemagne?
2. Comment s'appelaient le père et la mère de Charlemagne?
3. Est-ce que Charlemagne était instruit?
4. Comment Charlemagne a-t-il montré qu'il appréciait la valeur de la culture?

B. Use each group of words in an original French sentence making a true statement:

(*E.g.* Charlemagne — âgé de — à sa mort. «Le peuple croyait que Charlemagne, à sa mort, était âgé de deux cents ans.»)

1. Charlemagne — petit-fils de — fils de —.
2. Charlemagne — roi — empereur.
3. Charlemagne — Lombards — Saxons — Musulmans — Danois.
4. Charlemagne — 800 — 814.
5. Charlemagne — écoles — monastères.

La Lorraine

A. Answer the following questions:

1. Est-ce que la Lotharingie était plus grande ou plus petite que la Lorraine actuelle?
2. Pourquoi y a-t-il en Lorraine plus de pâturages que de champs de blé?
3. Qu'est-ce qui favorise l'industrie en Lorraine?
4. Quelles sont les villes principales de la Lorraine?
5. Pourquoi a-t-on parlé de la Lorraine à propos de Charlemagne?
6. Pourquoi la Lorraine a-t-elle eu une histoire douloureuse?

B. Match each item in the first column with an associated item in the second column:

1. Lothaire	1. Usines
2. Metz	2. Poète
3. Verdun	3. Auteur dramatique
4. Longwy	4. Charlemagne
5. Verlaine	5. Forteresse
6. Curel	6. Première Guerre mondiale

SUGGESTED TOPICS FOR INVESTIGATION

The Invasion of the Huns Under Attila.
Life of Sainte Geneviève.
Life of Clovis.
The Campaigns of Charlemagne.
The Empire of Charlemagne.
Charlemagne and Education.
History of Lorraine.

RECOMMENDED READINGS

1. André Theuriet: *La Saint-Nicolas.*
2. François de Curel: *Le Repas du lion.*
3. Lorine Pruette: *Saint in Ivory* (The Story of Genevieve of Paris and Nanterre).
4. Creasy: *Fifteen Decisive Battles of the World* (Battle of Poitiers, 732).
5. Ch. Des Granges: *Histoire illustrée de la littérature française,* pp. 1–9. (History of the French Language, *Serment de Strasbourg.*)
6. Eginhardus (Einhard): *Life of Charlemagne.*
7. Douglas Woodruff: *Charlemagne.* (This book contains a bibliography which offers valuable suggestions for the further study of Charlemagne.)

« **IV** »

Le Système féodal

A. *Answer the following questions:*

1. L'histoire de la dynastie mérovingienne ressemble à celle de la dynastie carolingienne. Pourquoi?
2. Comment les comtes de Blois ont-ils gagné le respect et la gratitude des Français?
3. Qu'est-ce que c'est qu'un vassal? un serf?
4. Pourquoi les grands seigneurs ont-ils souvent refusé d'obéir aux rois?
5. Quelles étaient les fonctions des seigneurs sous le système féodal?
6. Pour quelles raisons les seigneurs n'ont-ils pas toujours été injustes envers leurs vassaux?
7. Quelle a été l'œuvre principale des Capétiens?
8. Pendant combien de temps la dynastie capétienne a-t-elle régné?
9. Quelles sont les trois premières dynasties françaises?

*B. Are the following statements true or false? Revise those that are
false so that they will be correct.*

1. Les comtes de Blois étaient plus énergiques que les rois
carolingiens.
2. La dynastie capétienne a succédé à la dynastie carolingienne
en 814.
3. Les seigneurs devaient protéger leurs vassaux et leurs serfs.
4. Les suzerains devaient obéir à leurs serfs.
5. Les rois ont représenté l'individualisme.
6. Au neuvième siècle le domaine royal comprenait déjà la
plus grande partie de la France.
7. La ville de Blois se trouve dans l'Île-de-France. (Voyez une
carte de France.)

Le Château de Falaise

A. Answer the following questions:

1. Comment la Normandie a-t-elle reçu son nom?
2. Quand Guillaume le Conquérant a-t-il vécu?
3. Qui était Rollon?
4. Qui était Robert le Diable?
5. Peut-on dire que le château de Falaise était une forteresse?
6. Quels meubles se trouvaient dans la grand'salle du château?
7. Quels ont été les amusements préférés du duc Guillaume?
8. Au onzième siècle comment passait-on la soirée dans les
châteaux?

B. Complete the following sentences:

1. Le premier chef normand qui s'établit en France s'appelait
_____.
2. Guillaume le Conquérant remporta une grande victoire à
Hastings en _____.
3. Le château de Falaise fut bâti par _____.
4. Le château était entouré d'_____.
5. Certains des murs du château avaient _____ d'épaisseur.
6. A la chasse les seigneurs normands se servaient de _____, de
_____ et de _____.
7. Les tournois, au onzième siècle, étaient des combats _____.
8. Dans les tournois les armes des seigneurs étaient des _____
et des _____.

La Normandie

A. *Answer the following questions:*

1. Par quoi la Normandie est-elle limitée au nord? au sud?
2. Pourquoi la Normandie jouit-elle d'un climat tempéré?
3. Qu'est-ce qui est plus important en Normandie, l'agriculture ou l'industrie?
4. Quel fleuve important traverse la Normandie?
5. Quelle est la plus grande ville de la Normandie?
6. Que fait-on dans une station balnéaire?
7. Quels animaux chassait-on autrefois dans les forêts de la Normandie?
8. Quels animaux élève-t-on de nos jours dans les pâturages de la Normandie?
9. Quelle tapisserie fameuse se trouve à Bayeux?
10. Quelles sont les qualités des Normands?

B. *State one identifying fact about each of the following names:*

1. La Manche	6. Deauville
2. Le Havre	7. Caen
3. Dieppe	8. Cherbourg
4. Rouen	9. Corneille
5. Château-Gaillard	10. Millet

SUGGESTED TOPICS FOR INVESTIGATION

The Feudal System in England.
The Conquest of England by William the Conqueror.
The Public Buildings of Rouen.

RECOMMENDED READINGS

1. Maupassant: *La Ficelle; Aux champs.*
2. Flaubert: *Madame Bovary* (for advanced students).
3. Bulwer-Lytton: *Harold, the Last of the Saxon Kings.*
4. Hilaire Belloc: *William the Conqueror.*

« V »

L'Eglise au Moyen Age

A. Answer the following questions:

1. Est-ce que les progrès du christianisme ont été lents ou rapides en Gaule?
2. Qu'est-ce que c'était que la «trêve de Dieu»?
3. Si un seigneur se révoltait contre l'Église, qu'est-ce que celle-ci menaçait de faire?
4. Comment l'Église est-elle devenue riche?
5. Dans les conflits entre l'Église et les rois capétiens, qui l'a emporté?
6. Quel était le but primitif des Croisades?
7. Combien de croisades y a-t-il eu?
8. Mentionnez trois Français qui ont joué un rôle important dans les Croisades.
9. Comment les Croisades ont-elles appauvri les nobles et enrichi les bourgeois?
10. Quelle est la date de la première Croisade? de la dernière?

B. Explain as fully as possible:

1. The relationship between the Church in the Middle Ages and (a) the feudal lords; (b) the common people; (c) the Capetian kings.
2. The significance of the Crusades in relation to (a) the growth of the royal power; (b) commerce; (c) arts and sciences; (d) the power of the Church.

L'Abbaye de Conques

A. Answer the following questions in French:

1. Quelles sont les caractéristiques principales de l'art roman?
2. Qu'est-ce qu'on voyait au portail principal de l'église de Conques?
3. Décrivez la statue de Sainte Foy.
4. De quels bâtiments se composait l'abbaye de Conques?
5. A quoi s'occupaient les moines?
6. Quelles matières enseignait-on dans les écoles du monastère?

7. Qu'est-ce que les bibliothèques des monastères contenaient au moyen âge?

B. Answer the following questions in English:

1. How does the Abbey of Conques illustrate the prestige of the Church in the Middle Ages?
2. What two types of persons became monks?
3. What influence did Roman architecture have upon Romanesque architecture?
4. Where would you find Conques on a map of France? In the north or in the south? In what province? In what section of the province?

Le Languedoc

A. Answer the following questions:

1. Quels sont les deux sens de l'adjectif «provençal»?
2. Qu'est-ce que c'est qu'un fief?
3. A quelle époque la civilisation provençale a-t-elle fleuri?
4. Qu'est-ce que c'est qu'un troubadour?
5. Quelle a été la cause de la Croisade des Albigeois?
6. Quels ont été les résultats de cette croisade (a) pour la civilisation provençale, (b) pour le domaine royal français?
7. Quels aspects des villes et des villages du Languedoc nous font penser aujourd'hui à la Croisade des Albigeois?
8. Pourquoi certaines villes du Languedoc sont-elles plus prospères que d'autres?
9. Quelle est la ville principale du Languedoc?

B. Give one fact about each of the following names:

1. Le Rhône
2. La Garonne
3. Le Massif Central
4. Dante
5. Le Catharisme
6. Simon de Montfort
7. Albi
8. Carcassonne
9. Nîmes
10. Montpellier

SUGGESTED TOPICS FOR INVESTIGATION

The Crusades.
Examples of Romanesque Architecture in France.
Education in the Monasteries.
The Troubadours.
The "Croisade des Albigeois."
The University of Montpellier.

RECOMMENDED READINGS

1. Villehardouin: *Conquête de Constantinople* (in a modern French version or an English translation).
2. Anatole France: *Le Jongleur de Notre-Dame.*
3. Huisman: *Contes et légendes du moyen âge français.*
4. Konrad Bercovici: *The Crusades* (1929).
5. Francis Hueffer: *The Troubadours* (1878).
6. J. Anglade: *Les Troubadours.*

« VI »

Les Communes et la Bourgeoisie

A. Answer the following questions:

1. A quelle époque la bourgeoisie est-elle devenue importante?
2. Donnez deux raisons pour lesquelles les villes se sont développées.
3. Quel a été le rôle des banques?
4. Que devait faire l'ouvrier avant de devenir patron?
5. Quelle était l'importance des corporations?
6. Pourquoi les bourgeois se sont-ils révoltés contre leurs seigneurs?
7. Expliquez pourquoi les rois de France n'ont pas toléré longtemps les *villes libres.*
8. Quelles étaient les qualités des bourgeois?

B. Are the following statements true or false? Revise those that are false so that they will be correct.

1. Quand les nobles revinrent des Croisades, leur influence diminua.
2. Le *Tour de France* est le nom donné aux croisades entreprises par les nobles français.
3. Le *patron* était le seigneur qui protégeait une ville.
4. Une *charte* est un traité d'alliance entre un seigneur et une ville libre.
5. Les bourgeois ont fait autant pour la grandeur de la France que les nobles eux-mêmes.

La Cathédrale de Reims

A. Answer the following questions:

1. Entre quelles provinces la Champagne est-elle située?
2. Pourquoi la Champagne était-elle une province prospère au moyen âge?
3. En quoi consistait la cérémonie du Sacre?
4. Pourquoi les bourgeois de Reims pouvaient-ils appeler avec raison la cathédrale de Reims *leur* cathédrale?
5. Où l'art gothique s'est-il développé d'abord?
6. La cathédrale de Reims est-elle une des plus anciennes cathédrales gothiques?
7. Quelles sont les caractéristiques principales de la cathédrale de Reims?
8. Quelle différence essentielle existe-t-il entre l'architecture romane et l'architecture gothique?
9. Quelle est la hauteur (en «pieds») de la nef de la cathédrale de Reims?
10. Pourquoi la cathédrale de Reims est-elle une «Bible de pierre»?

B. Complete the following sentences:

1. Historiquement, la cathédrale de Reims est la plus importante des cathédrales parce que · · ·.
2. La cathédrale de Reims est une des plus belles cathédrales gothiques de France parce que · · ·.
3. Grâce à la découverte des nervures croisées, les cathédrales gothiques sont très différentes des églises romanes parce que · · ·.
4. Une cathédrale gothique est belle, non seulement parce que l'architecture en est parfaite, mais aussi parce que · · ·.
5. On peut dire que l'art gothique a redécouvert la nature, parce que · · ·.

La Champagne

A. Answer the following questions:

1. D'où vient le mot Champagne?
2. Comment la Champagne s'est-elle enrichie?
3. On a pu dire avec raison qu'Attila a été vaincu par une jeune fille. Qui était cette jeune fille? Dans quelle ville vivait-elle?

4. Vous connaissez la situation de la Champagne. Pourquoi la bataille de la Marne a-t-elle été une bataille décisive de la première Guerre mondiale?
5. Montrez par des exemples concrets que la Champagne a joué un grand rôle dans la vie intellectuelle de la France.

B. *Match each item in the first column with an associated item in the second column:*

1. Bataille de la Marne	1. Fabuliste
2. Attila	2. Plaine de Châlons
3. Chrétien de Troyes	3. première Guerre mondiale
4. Joinville	4. poète romancier
5. La Fontaine	5. foire célèbre
6. Troyes	6. récit des Croisades

SUGGESTED TOPICS FOR INVESTIGATION

Comparison Between the Life of the French Bourgeoisie of the Middle Ages and the American Middle Class of Today.
French Cathedrals — Resemblances and Differences.
Characteristics of Medieval Works of Art.
Medieval Guilds.
Manufacture of Champagne Wine.

RECOMMENDED READINGS

1. Henry Adams: *Mont Saint-Michel and Chartres.*
2. Émile Mâle: *L'Art religieux du treizième siècle.*
3. S. Sitwell: *The Gothic North.*

« VII »

Les Capétiens

A. *Answer the following questions:*
1. Par qui les derniers rois carolingiens étaient-ils choisis?
2. Quel était le danger de ce genre d'élection?

3. Qu'a fait Hugues Capet pour assurer l'avenir de sa dynastie?
4. Pourquoi Philippe-Auguste s'est-il battu contre les rois d'Angleterre?
5. Quelles sont quelques-unes des innovations de Philippe-Auguste?
6. Pourquoi Louis IX a-t-il été appelé Saint Louis?
7. Quel a été le résultat de la domination capétienne?

B. Complete each of the following sentences by that one of the suggested words or phrases that will make the sentence correct:

1. Hugues Capet est célèbre (parce qu'il s'est battu contre le roi d'Angleterre) (parce qu'il a rendu sa dynastie indépendante) (parce qu'il était le petit-fils de Charlemagne).
2. Philippe-Auguste est le roi capétien (qui organisa la dernière croisade) (qui vainquit les Anglais à Bouvines) (qui reconnut la supériorité de la civilisation provençale).
3. Louis IX mourut (à Vincennes) (à Taillebourg) (à Tunis).
4. En 1220, les rois n'avaient pas encore rattaché au domaine royal (la Normandie) (la Provence) (le Languedoc).

La Littérature du XIIe et du XIIIe Siècles

A. Answer the following questions:

1. Quand les premières œuvres françaises ont-elles été écrites?
2. Pourquoi ont-elles paru à cette époque?
3. Dans quelle partie de la France la littérature s'est-elle d'abord développée?
4. Mentionnez au moins deux différences qui existent entre la *Chanson de Roland* et les faits historiques qui en furent l'origine.
5. Qu'est-ce que c'est qu'un «roman antique»?
6. Quelles différences existe-t-il entre une chanson de geste et un roman antique?
7. Qui est-ce qui a introduit dans la littérature française le personnage du roi Arthur?
8. Quel a été le rôle joué par la comtesse de Champagne dans le développement de la littérature du douzième siècle?
9. Quelle sorte d'ouvrages les bourgeois lisaient-ils?
10. A quels groupes d'ouvrages les drames suivants appartiennent-ils? (a) le *Miracle de Théophile*, (b) le *Jeu de la feuillée?*
11. Dans quelle province surtout la littérature bourgeoise s'est-elle développée?

12. Citez (a) une chanson de geste; (b) un roman d'aventures; (c) un roman allégorique.

B. *Are the following sentences true or false?　Revise those that are false so that they will be correct.*

1. Pendant les siècles qui ont précédé les Croisades, seuls les moines écrivaient des livres.
2. Toutes les œuvres composées en France au moyen âge sont écrites dans le même dialecte.
3. Les gens de Provence ne parlaient pas un dialecte de la langue d'oïl.
4. Le sujet de la *Chanson de Roland* est celui d'une pièce de Shakespeare.
5. L'«esprit courtois» se trouve surtout dans les œuvres où l'amour joue un grand rôle.
6. L'«esprit gaulois» est le sentiment patriotique qu'on trouve dans la *Chanson de Roland*.
7. Les pièces les plus anciennes du moyen âge étaient représentées dans les châteaux.
8. Le *Jeu de Robin et de Marion* est un drame religieux.

La Picardie

A. *Answer the following questions:*

1. Donnez une preuve de l'esprit civique des Picards.
2. Qu'est-ce que c'est qu'une province-frontière?
3. Quel est le résultat de la situation de la Picardie?
4. Qui était Pierre l'Hermite?　Jean Calvin?
5. Quelle est l'industrie picarde la plus importante?
6. Décrivez le paysage picard.

B. *Complete the following sentences correctly:*

1. Le royaume mérovingien avait son centre dans la province de · · ·.
2. La ville de Beauvais est célèbre dans l'histoire de la bourgeoisie française parce que · · ·.
3. Les Picards n'aiment pas à émigrer parce que · · ·.
4. Certaines œuvres ont été écrites en Picardie; · · · est peut-être la plus célèbre.
5. Les Picards ont deux qualités, · · · et · · ·.

SUGGESTED TOPICS FOR INVESTIGATION

The Early Medieval Drama.

Philip Augustus and Richard the Lion-Hearted.

The Life of Saint Louis.

Cultural Contacts Between France and England in the Middle Ages.

The Holy Grail.

RECOMMENDED READINGS

1. Joinville: *Vie de Saint Louis* (in a modern French version or an English translation).
2. J. Bédier: *La Chanson de Roland* (modernized version).
3. Tuffrau: *Guillaume d'Orange; Raoul de Cambrai.*
4. Chrétien de Troyes: *Lancelot ou le Chevalier à la Charrette* (modernized version by J. Boulenger); *Yvain ou le Chevalier au Lion* (modernized version by André Mary).
5. J. Bédier: *Tristan et Iseut* (modernized version).
6. *Aucassin et Nicolette.*
7. *Le Roman de Renart.*

« VIII »

La Guerre de Cent Ans

A. Answer the following questions:

1. Pourquoi le mariage d'une princesse française avec un roi d'Angleterre a-t-il été la cause de la guerre de Cent ans?
2. Qu'est-ce que c'est que la Loi Salique?
3. A quelle famille Philippe VI appartenait-il?
4. Qui a été vainqueur dans la première partie de la guerre?
5. Combien de temps les Valois ont-ils régné?
6. Pourquoi Charles V est-il un des grands rois de France?
7. Qui a été l'allié des rois d'Angleterre?
8. Pourquoi Charles VII était-il appelé le petit roi de Bourges?

9. Quelle était la situation de la France quand Jeanne d'Arc est arrivée à Chinon?

10. Mentionnez quatre des batailles les plus importantes de la guerre de Cent ans. Qui les a gagnées?

11. Comparez brièvement Charles V, Charles VI, Charles VII.

B. *Match each item in the first column with an associated item in the second column:*

1. Philippe de Valois	1. Traité de Troyes
2. Crécy	2. grand général
3. Du Guesclin	3. Philippe VI
4. Isabeau de Bavière	4. le petit roi de Bourges
5. Charles VII	5. Charles le Fou
6. Orléans	6. défaite française
7. Charles VI	7. victoire française

Jeanne d'Arc

A. *Answer the following questions:*

1. Pourquoi est-il difficile de parler de Jeanne d'Arc?

2. Vous vous souvenez de la situation de la Lorraine. Est-il logique qu'une grande patriote comme Jeanne d'Arc y soit née?

3. Pourquoi Jeanne d'Arc a-t-elle décidé de sauver la France?

4. Pourquoi Charles VII a-t-il eu finalement confiance en Jeanne?

5. Qu'a fait Jeanne d'Arc pour Charles VII?

6. De quel crime Jeanne a-t-elle été accusée?

B. *Are the following statements true or false? Revise those that are false so that they will be correct.*

1. La Lorraine était au quinzième siècle une province française.

2. La ville de Chinon, où se trouvait Charles VII, était peu éloignée de Domrémy.

3. Orléans avait une grande importance stratégique.

4. Aux yeux des Français le roi d'Angleterre n'était qu'un usurpateur, car il n'avait pas été couronné à Reims.

5. Jeanne d'Arc a été brûlée à Rouen près de cinquante ans après le début de la guerre.

Dijon

A. *Answer the following questions:*

1. Pourquoi la Bourgogne est-elle plus importante que le reste de la France au quinzième siècle?
2. D'où vient le nom de Bourgogne?
3. L'art bourguignon est-il purement français?
4. En quoi le palais des ducs diffère-t-il du château de Falaise?
5. A quelle époque les tableaux à l'huile apparaissent-ils?
6. Qu'est-ce que c'est qu'un gisant? un pleurant?
7. Pourquoi la ville de Dijon est-elle encore importante?

B. *Complete each of the following sentences by the words in parentheses which will make the sentence correct.*

1. Pendant la guerre de Cent ans, les artistes se réfugièrent (à Paris) (à Chinon) (en Bourgogne).
2. La capitale du royaume des Burgondes était (Dijon) (Autun) (Mâcon).
3. Les ducs de Bourgogne au quinzième siècle appartenaient à la famille (des Valois) (des Capétiens) (des Dijonnais).
4. Une nouvelle forme d'art se voyait dans le palais des ducs: (des fauteuils) (des sculptures en marbre) (des tableaux à l'huile).
5. Les pleurants étaient (les soldats de Jeanne d'Arc) (un ordre religieux de Bourgogne) (des sculptures en pierre).

La Bourgogne

A. *Answer the following questions:*

1. Pourquoi la Bourgogne est-elle la plaine la plus importante de France?
2. Quelle est la rivière qui traverse la Bourgogne?
3. Quelle impression la Bourgogne donne-t-elle?
4. Donnez une preuve de l'importance de l'abbaye de Cîteaux.
5. Quelle qualité Saint Bernard, Bossuet et Lamartine ont-ils en commun?

B. *Give one fact about each of the following:*

1. Les Vosges
2. Le Massif Central
3. La Saône
4. Clairvaux
5. Mâcon

The New Tactics and the New Weapons of the Hundred Years' War.

Flemish Civilization in the 15th Century; Its Influence on Burgundian Civilization.

Jeanne d'Arc; Her Message.

Dijon and the Dukes of Burgundy.

The Influence of the Burgundian Religious Orders, Clairvaux, Cîteaux, Cluny.

RECOMMENDED READINGS

1. Cambridge Medieval History: *The Hundred Years' War.*
2. A. Lang: *The Maid of France.*
3. V. Sackville-West: *Joan of Arc.*
4. S. Huddelston: *Burgundy.*
5. Creasy: *Fifteen Decisive Battles of the World* (Orléans).
6. Michelet: *Jeanne d'Arc* (in *Histoire de France*, edited by Buffum, published by Holt, 1909).

« IX »

Louis XI et la Fin du Moyen Age

A. Answer the following questions:

1. En quoi l'époque à laquelle vécut Louis XI est-elle différente des époques précédentes?
2. En quoi Louis XI diffère-t-il de ses prédécesseurs?
3. Pourquoi Louis XI a-t-il encouragé les bourgeois français à devenir les rivaux des marchands vénitiens?
4. Qui était Charles le Téméraire?
5. Quelles sont les grandes qualités de Louis XI?

B. Are the following statements true or false? Revise those that are false so that they will be correct.

1. Après la mort de Jeanne d'Arc, Charles VII devint un bon roi.

2. Louis XI est un souverain moderne, parce qu'il donna plus d'importance aux questions économiques qu'à la guerre.
3. Les bourgeois français avaient le monopole du commerce dans la Méditerranée.
4. Louis XI est appelé le «roi-araignée» parce qu'il était cruel.
5. Louis XI pensa plus à la grandeur de la France qu'à sa dignité de roi.

La Littérature du XIVe et du XVe siècles

A. Answer the following questions:

1. Joinville avait accompagné Louis IX aux croisades. A quelle époque, par conséquent, vivait-il?
2. Pourquoi Froissart a-t-il été appelé le «prince des chroniqueurs»?
3. Qui est le personnage principal des *Miracles?*
4. Pour qui les farces ont-elles été écrites?
5. A quel genre d'œuvres du treizième siècle peut-on comparer les farces? Pourquoi?
6. Les *Mystères* étaient-ils des drames purement religieux?
7. A quelle classe de la société Charles d'Orléans appartenait-il?
8. Donnez le sujet d'au moins deux poèmes de Villon.
9. Villon est-il un personnage sympathique? Pourquoi?
10. Qui est l'historien de Louis XI?

B. Give one fact about each of the following:

1. Chroniques de Froissart   3. Charles d'Orléans
2. Maître Pathelin   4. Ballade pour prier Notre Dame
5. Commines

Paris au XVe Siècle

A. Answer the following questions:

1. Quelles étaient les deux villes les plus célèbres d'Europe au quinzième siècle?
2. Pourquoi la Sainte-Chapelle a-t-elle été bâtie?
3. Citez trois bâtiments importants qui se trouvent dans l'Ile de la Cité.
4. Savez-vous pourquoi le quartier de l'Université était appelé Quartier Latin?

5. Qu'est-ce qu'on entendait par «Philosophie»?
6. Qu'est-ce que c'est que la Théologie?
7. Qui vivait sur la Rive Droite?
8. Qu'avaient fait les Parisiens pendant la guerre de Cent ans?
9. Qu'est-ce que le grand écrivain Montaigne pensait de Paris?

B. Complete:

1. Paris fut protégé contre les Normands par (Sainte Geneviève) (les comtes de Blois) (Hugues Capet).
2. Le Louvre était (une chapelle construite par Saint Louis) (le musée offert aux Parisiens par Philippe-Auguste) (le palais où habitait Charles V).
3. Notre-Dame de Paris est un bâtiment (roman) (gothique) (romain).
4. Le Quartier Latin est appelé ainsi parce que (les étudiants y parlaient latin) (les professeurs y enseignaient le latin) (les étudiants étaient de race latine).
5. Les bourgeois parisiens (accueillirent Jeanne d'Arc avec enthousiasme) (se révoltèrent contre le roi d'Angleterre) (se révoltèrent contre le roi de France).

L'Île-de-France

A. Answer the following questions:

1. L'Île-de-France est-elle véritablement une île?
2. Donnez deux preuves de l'importance culturelle de l'Île-de-France.
3. Qu'est-ce qui donne à l'Île-de-France un charme unique?
4. Pourquoi peut-on dire que l'Île-de-France est «le Musée de l'Histoire de France»?

B. Match each item in the first column with an associated item in the second column:

1. Oise	1. cathédrale
2. Seine	2. palais
3. Fontainebleau	3. forêt
4. Pierrefonds	4. château-fort
5. Chartres	5. fleuve
6. Versailles	6. rivière
7. Saint-Denis	7. abbaye

SUGGESTED TOPICS FOR INVESTIGATION

Charles the Bold, Last of the Great Feudal Lords.
The Life of François Villon.
The Mystères (Origins, Staging, Decline).
Education in the Middle Ages.
The Castles of Île-de-France.

RECOMMENDED READINGS

1. Hugo: *Notre-Dame de Paris*.
2. Scott: *Quentin Durward*.
3. D. Wyndham-Lewis: *François Villon*.
4. Coulton: *The Chronicler of European Chivalry*.
5. *La Farce de Maître Pierre Pathelin*.

« X »

La France et l'Europe au XVIᵉ Siècle

A. *Answer the following questions:*

1. En quelle année le moyen âge se termine-t-il?
2. Quand la Renaissance commence-t-elle en France?
3. Quelles sont les quatre causes principales de la Renaissance?
4. Si l'imprimerie avait été inventée en 1200, est-ce qu'on aurait pu s'en servir pour faire un grand nombre de livres?
5. Quelle influence les «grandes découvertes» géographiques ont-elles eue sur l'industrie européenne?
6. Pourquoi la richesse de la bourgeoisie a-t-elle favorisé le développement de la littérature et des arts?
7. Pourquoi peut-on parler d'une «découverte» de l'Italie à la fin du quinzième siècle?
8. Comment la province de Bretagne a-t-elle été rattachée au domaine royal?
9. Quel était le rêve de Charles VIII?
10. De quelles parties de l'Italie Louis XII a-t-il voulu s'emparer?

11. Qui a été le plus grand adversaire de François Ier?
12. Pourquoi la France, quoique plus petite, a-t-elle pu se battre longtemps contre un immense empire?
13. Quelle a été la plus grande victoire de François Ier?
14. Où sa plus grande défaite a-t-elle eu lieu?
15. Est-ce que François Ier a réussi finalement à vaincre Charles-Quint?

B. *Give two facts about each of the following names:*

1. Louis XI
2. Louis XII
3. Charles VIII
4. Don Carlos
5. Henri II
6. Henri VIII

C. *Mention one event that happened in each of the following years:*

1. 1470
2. 1492
3. 1513
4. 1515
5. 1521
6. 1525
7. 1547
8. 1557

La Cour de Fontainebleau

A. *Answer the following questions:*

1. Est-ce que François Ier a fait bâtir le Louvre? le château de Chambord?
2. Où se trouve le palais de Fontainebleau?
3. Quelles sont les caractéristiques de l'extérieur de Fontainebleau?
4. Qui sont les peintres qui ont décoré l'intérieur du palais?
5. Quels ont été les sujets préférés des artistes de la Renaissance?
6. Quels tableaux se trouvaient dans la bibliothèque du palais?
7. Comment s'amusait-on à la cour de François Ier?
8. Quelle influence politique la vie de cour a-t-elle eue?
9. Est-ce que François Ier, pendant la plus grande partie de sa vie, était gai ou triste?

B. *Are the following statements true or false? Revise those that are false so that they will be correct.*

1. La Renaissance se développa surtout en France à partir de 1515.
2. Aujourd'hui on considère François Ier un grand roi à cause de ses victoires militaires.

3. En Italie, François Ier admira les tableaux de Donatello et les sculptures de Botticelli.
4. En faisant reconstruire et redécorer Fontainebleau, François Ier s'est inspiré de l'art italien.
5. Michel-Ange est un des plus grands artistes du monde.
6. François Ier fit apporter d'Italie des tableaux italiens célèbres.
7. A Fontainebleau la vie de cour ressemblait de près à celle que menait Guillaume le Conquérant à Falaise.
8. La sœur de François Ier était la duchesse d'Étampes.
9. François Ier avait moins de pouvoir que ses prédécesseurs.

SUGGESTED TOPICS FOR INVESTIGATION

The Invention and Development of Printing in Europe.
Incunabula.
The Voyages of Verrazano.
The Voyages of Jacques Cartier.
The Beginnings of Capitalism in Europe.
Life of Charles V.
Life of Bayard.
The Italian Renaissance.

RECOMMENDED READINGS

1. Victor Hugo: *Hernani.*
2. Victor Hugo: *Le Roi s'amuse.* (The portrayal of Francis I in this play is excessively prejudiced, but the scenes of court life are excellent.)
3. Louis Battifol: *La Renaissance.*
4. Hackett: *Francis the First.*
5. Michelet: *La Découverte de l'Italie* (in *Histoire de France,* edited by Buffum, published by Holt).

« XI »

Les Guerres de Religion

A. Answer the following questions:

1. Donnez trois raisons pour lesquelles une réforme de l'Église était nécessaire au seizième siècle.
2. En quels groupes peut-on diviser les réformateurs?
3. Lequel de ces groupes a gagné le plus d'adhérents en France?
4. Comment la Sorbonne a-t-elle essayé de supprimer les idées luthériennes?
5. Pourquoi François Ier, roi catholique, a-t-il toléré les premiers protestants?
6. Comment le roi a-t-il essayé de diminuer le prestige de la Sorbonne?
7. Quel événement a eu lieu en 1534?
8. Comment Jean Calvin a-t-il exercé son influence sur les idées religieuses de son temps?
9. Pourquoi François Ier, d'abord libéral et tolérant, a-t-il fini par persécuter les protestants?
10. Dans quelles parties de la France les Huguenots sont-ils devenus le plus nombreux?
11. Combien de temps les guerres de religion ont-elles duré?
12. De combien de rois Catherine de Médicis a-t-elle été la mère?
13. Comment les catholiques ont-ils essayé d'anéantir le parti protestant en 1572?
14. Quelles étaient les caractéristiques de Henri III?
15. Pourquoi les Français n'ont-ils pas voulu accepter Henri IV pour roi?
16. Quelles grandes victoires Henri IV a-t-il remportées?
17. Pourquoi Henri IV s'est-il fait catholique?
18. Qu'est-ce que c'était que l'Édit de Nantes?·
19. Comment Henri IV est-il mort?
20. Pourquoi le peuple aimait-il Henri IV?

B. What happened in each of the following years:

1. 1517		5. 1572	
2. 1534		6. 1589	
3. 1536		7. 1598	
4. 1562		8. 1610	

C. Give one fact about each of the following names:

1. Le Collège de France
2. Charles IX
3. Le Duc de Guise
4. Ivry
5. Sully
6. Champlain

Une Grande Ville au XVIe Siècle: Lyon

A. Answer the following questions:

1. Expliquez comment la situation de Lyon a favorisé la vie économique de la ville.
2. Au moyen âge, comment transportait-on les marchandises de Marseille à Lyon?
3. Au quinzième siècle, quelles ont été les industries les plus importantes de Lyon?
4. Pour quelles raisons Lyon est-il devenu le centre de la Renaissance en France?
5. Pourquoi la ville est-elle devenue la capitale calviniste de la France?
6. Comment les calvinistes ont-ils essayé de supprimer le catholicisme à Lyon?
7. Qui est le roi qui a rétabli l'ordre dans la ville?
8. Quand les dissensions religieuses ont-elles recommencé?
9. Qui est le roi qui a rétabli la paix de nouveau?
10. Qu'est-ce qui fait la richesse de la ville aujourd'hui?

B. Locate on a map of France:

1. La Saône
2. Le Rhône
3. Lyon
4. Marseille
5. Genève

C. Fill in the following outline:

I. Reasons for the importance of Lyons
1. Situated at junction of · · ·
2. Not far from · · ·
3. In size, the · · · city of France

II. Lyons during the Roman occupation
1. Was capital of · · ·
2. · · · Roman emperors born there
3. First Christian martyrs · · ·

III. Lyons as a commercial center in the 15th century
1. Goods brought there from · · · and · · · to be · · ·
2. Fairs attracted merchants from · · ·
3. · · · established.

IV. Book-printing in Lyons
    1. First introduced in · · ·
    2. Before 1500 number of printers was · · ·
    3. The printers not merely businessmen but also · · ·
V. Repercussions of the wars of religion on Lyons
    1. Government controlled first by · · ·
    2. Government controlled next by · · ·
    3. City pacified by · · ·
    4. Huguenots persecuted in the year · · ·
    5. City devastated by · · ·
    6. City pacified again by · · ·

SUGGESTED TOPICS FOR INVESTIGATION

Martin Luther.
Calvinism in France, England, Scotland, and America.
The Massacre of St. Bartholomew.
Catherine de Medici.
Henry IV.

RECOMMENDED READINGS

1. Palm: *Calvinism and the Religious Wars.*
2. Prosper Mérimée: *Chronique du règne de Charles IX.*
3. Alexandre Dumas père: *Henri III et sa cour.*
4. Pierre de Lanux: *La Vie de Henri IV.*
5. Moffett: *Récits historiques.*

« XII »

Trois Grands Écrivains du XVIᵉ Siècle

A. Answer the following questions:

1. Pourquoi est-ce à Montpellier que Rabelais est allé étudier la médecine?
2. Pourquoi est-il logique qu'il ait demeuré à Lyon?
3. Quelles sont les qualités principales de Rabelais?

4. Pourquoi aurait-il été dangereux pour Rabelais d'exprimer ouvertement ses idées?
5. A quoi Rabelais s'attaque-t-il dans ses livres?
6. Est-ce que Rabelais aime le plaisir et le luxe?
7. Pourquoi est-il souvent difficile de comprendre ce que Rabelais veut dire?
8. Qu'est-ce que c'est que la Pléiade?
9. Quelles réformes Ronsard et du Bellay ont-ils voulu faire?
10. Mentionnez quelques-uns des sujets des poèmes de Ronsard.
11. Pourquoi y a-t-il eu peu de grands écrivains dans la seconde moitié du seizième siècle?
12. Où est-ce que Montaigne a composé ses *Essais?*
13. De quoi parle-t-il dans ses *Essais?*
14. Croyez-vous que Montaigne ait été absolument égoïste?
15. Qu'est-ce que c'est que l'humanisme?
16. Qu'est-ce que Plutarque a écrit?
17. Qui a traduit en français les œuvres de Plutarque?
18. Mentionnez les travaux principaux des humanistes.

B. *Fill in the following outline:*

I. L'éducation de Rabelais
   1. Rabelais étudie le _____ et la _____.
   2. Rabelais lit beaucoup de livres écrits en _____ et en _____.
   3. Rabelais suit des cours à l'université de _____ et à l'université de _____.

II. Vie de Rabelais
   1. Rabelais est médecin à _____.
   2. Rabelais attaque _____.
   3. Pour éviter d'être persécuté, Rabelais se réfugie en _____, en _____ et en _____.

III. Œuvres de Rabelais
   1. Rabelais raconte la vie de _____, qui s'appellent _____ et _____.
   2. Parmi les abus de son époque qu'il attaque sont:
      (a) _____   (c) _____   (e) _____
      (b) _____   (d) _____   (f) _____
   3. Rabelais exprime des idées optimistes à propos de:
      (a) _____   (b) _____   (c) _____
   4. Ses œuvres ont les défauts suivants:
      (a) _____
      (b) _____
      (c) _____

5. Les qualités de Rabelais sont:
   (a) ——
   (b) ——
   (c) ——
   (d) ——

C. *Make similar outlines for Ronsard and Montaigne.*

Les Bords de la Loire

A. *Answer the following questions:*

1. A quelle époque est-ce que la civilisation a fleuri (a) dans le Languedoc? (b) en Champagne? (c) en Bourgogne? (d) dans le Val de Loire?
2. Quelle dynastie a favorisé la culture dans le Val de Loire?
3. De quelles provinces cette région se compose-t-elle?
4. Pourquoi peut-on appeler le château de Blois «une vivante leçon d'architecture»?
5. De quelle façon le château de Chambord montre-t-il l'influence italienne sur l'architecture de la Renaissance?
6. A quels rois de France le château d'Amboise nous fait-il penser?
7. Pourquoi Chenonceaux a-t-il l'air plus délicat que les autres châteaux?
8. Nommez trois écrivains célèbres qui sont nés à Tours.
9. Deux châteaux ont des escaliers merveilleux. Lesquels?
10. Pourquoi les touristes ont-ils toujours voulu visiter la Touraine?

B. *Match:*

1. Chinon	1. escalier double
2. Dijon	2. province
3. Chambord	3. Léonard de Vinci
4. Anjou	4. pont gracieux
5. Chaumont	5. Descartes
6. Amboise	6. Duc de Bourgogne
7. Chenonceaux	7. Charles VII
8. Tours	8. Catherine de Médicis

SUGGESTED TOPICS FOR INVESTIGATION

The Influence of Italy on French Literature of the Renaissance.
Rabelais' Destructive and Constructive Ideas on Education.

Montaigne's Philosophy.

The Activities of the Humanists of the Renaissance.

The Conflict Between the Latin and French Languages in the Sixteenth Century.

RECOMMENDED READINGS

1. C. Causeret: *Ce qu'il faut connaître de Rabelais.*
2. Anatole France: *Rabelais* (in English, Holt).
3. Ronsard: selected poems in anthologies.
4. Lanson: *Les Essais de Montaigne.*
5. Montaigne: selected essays.
6. R. Tilley: *Modern France.*
7. M. Bishop: *Ronsard, Prince of Poets.*

« XIII »

Louis XIII et Richelieu

A. Answer the following questions:

1. Pourquoi Marie de Médicis est-elle devenue régente?
2. Donnez trois adjectifs qui décrivent Marie de Médicis.
3. Comment la régente a-t-elle apaisé les seigneurs qui se sont révoltés contre elle?
4. Pourquoi Richelieu a-t-il pu exercer plus de pouvoir qu'aucun ministre précédent?
5. Quel était le triple programme de Richelieu?
6. Quel a été le résultat de la lutte entre Richelieu et les Huguenots?
7. Qui était Gaston d'Orléans? Anne d'Autriche?
8. Qu'est-ce que Richelieu a fait pour diminuer le pouvoir des seigneurs fidèles?
9. Comment Richelieu s'est-il montré bon diplomate?
10. En quelle année Richelieu est-il devenu premier ministre? En quelle année est-il mort?

B. Complete the following sentences:

1. Louis XIII est le fils de _____ et de _____.
2. Les rébellions des seigneurs contre Marie de Médicis n'étaient pas très dangereuses parce que _____.
3. Quand Richelieu devint premier ministre, Louis XIII était âgé de _____.
4. L'Angleterre aida les Huguenots à combattre Richelieu parce que _____.
5. Richelieu voulut que la France prît part à la guerre de Trente ans parce que _____.
6. Beaucoup de Français étaient heureux quand Richelieu mourut parce que _____.
7. On ne reconnut les grands services rendus par Richelieu qu'après _____.
8. Par le traité des Pyrénées, la France acquit trois provinces: _____, _____ et _____.

La Vie de Province au XVIIe Siècle:
Clermont-Ferrand

A. Answer the following questions:

1. Pourquoi les villes et les villages d'Auvergne étaient-ils isolés du reste de la France pendant une grande partie de l'année?
2. Pourquoi pourrait-on croire que les habitants de Clermont-Ferrand étaient peu intelligents?
3. Comment se tenait-on au courant, en province, de ce qui se passait à Paris?
4. Qu'est-ce que c'était qu'une «corporation»? un «compagnon»?
5. Comment un bourgeois pouvait-il devenir noble?
6. Pourquoi les seigneurs du dix-septième siècle ont-ils été moins respectés par le peuple que ceux des siècles précédents?
7. Quelle était l'occupation ordinaire du fils aîné d'un seigneur? d'un fils cadet?
8. Mentionnez quelques-uns des privilèges des seigneurs.
9. Pourquoi les paysans se sont-ils révoltés au dix-septième siècle?
10. Quel a toujours été le résultat de leurs révoltes?

B. *Define the following terms:*

1. la province
2. un hôtel (à Clermont-Ferrand)
3. un atelier
4. un métier
5. un manoir
6. une ferme
7. un intendant

C. *Locate on a map of France:*

1. La Rochelle
2. l'Alsace
3. l'Artois
4. le Roussillon
5. l'Auvergne
6. Clermont-Ferrand

SUGGESTED TOPICS FOR INVESTIGATION

Origin and Development of Newspapers and Magazines in France
Before the Revolution.
The Thirty Years' War.
Economic Organization in the 17th Century.

RECOMMENDED READINGS

1. Hilaire Belloc: *Richelieu.*
2. Alexandre Dumas père: *Les Trois Mousquetaires.*
3. Alfred de Vigny: *Cinq-Mars.*
4. Alfred de Vigny: *La Maréchale d'Ancre.*
5. Théophile Gautier: *Le Capitaine Fracasse.*
6. Victor Hugo: *Marion Delorme.*
7. Edmond Rostand: *Cyrano de Bergerac.*

« XIV »

Louis XIV

A. *Answer the following questions:*

1. Pourquoi Anne d'Autriche est-elle devenue régente?
2. Pourquoi les grands seigneurs se sont-ils révoltés contre Anne d'Autriche et Mazarin?
3. Qu'est-ce que c'est que le Parlement?

4. A quelle guerre les traités de Westphalie et des Pyrénées ont-ils mis fin?
5. Que veut dire l'expression: «L'État, c'est moi»?
6. Est-ce que Louis XIV se croyait roi par droit divin?
7. Qu'est-ce que Colbert a fait (a) pour l'industrie? (b) pour le commerce?
8. Qui avait signé l'Édit de Nantes? Pourquoi Louis XIV l'a-t-il révoqué? Quels ont été les résultats de cette révocation?
9. Quel a été le résultat principal des guerres de Louis XIV?

B. Complete the following sentences:

1. La Fronde est le nom donné (à la régence d'Anne d'Autriche) (à une guerre civile) (à la guerre contre l'Espagne).
2. On prétend que les mots «L'État, c'est moi» ont été prononcés par (Mazarin) (Colbert) (Louis XIV).
3. Colbert posséda les mêmes qualités qu'un autre grand ministre; ce ministre était (Sully) (Mazarin) (Condé).
4. Au dix-septième siècle, Madagascar appartenait (à la France) (à l'Angleterre) (à la Hollande).
5. Le général Marlborough (a été vaincu par Louis XIV) (a triomphé des armées de Louis XIV) (se repentit du goût qu'il avait eu pour la guerre).

Versailles

A. Answer the following questions:

1. Dans quelle province se trouve Versailles?
2. Décrivez brièvement le parc de Versailles.
3. Décrivez la Galerie des Glaces.
4. Pourquoi la présence de tant de nobles à Versailles était-elle nuisible à la France?
5. Pourquoi la présence des nobles à la cour a-t-elle aidé Louis XIV à devenir un roi absolu?
6. Quels ont été les dangers de la vie de cour?

B. Give one fact about each of the following:

1. Mansard	5. l'étiquette
2. Le Nôtre	6. le «Roi-Soleil»
3. Le Brun	7. le «petit château de cartes»
4. Taine	8. les courtisans

SUGGESTED TOPICS FOR INVESTIGATION

Versailles — the Palace and the Park.

Architecture During the Age of Augustus in Rome and During the 17th Century in France.

Colbert and the French Colonies.

Consequences of the Revocation of the *Édit de Nantes*.

French Protestants in America.

RECOMMENDED READINGS

1. Saint-Simon: *Mémoires* (Nelson edition).
2. A. Dumas: *Vingt ans après*.
3. A. Dumas: *L'Homme au masque de fer*.
4. J. Boulanger: *Le Grand Siècle*.

« XV »

La Littérature Classique

A. Answer the following questions:

1. Quelles sont les deux périodes de la littérature classique?
2. Qu'est-ce que Malherbe a fait pour la langue française?
3. Quel est le sujet du *Cid?*
4. Qu'est-ce que la «règle des trois unités»?
5. Quelle est l'originalité de la méthode de Descartes?
6. Mentionnez trois des inventions pratiques de Pascal.
7. Quels sont ses chefs-d'œuvre littéraires?
8. A quelle classe de la société Molière s'est-il surtout intéressé?
9. Comment peut-on résumer la philosophie de Molière?
10. Citez une des maximes de La Rochefoucauld.
11. A qui peut-on comparer La Fontaine? Pourquoi?
12. En quoi les héroïnes de Racine diffèrent-elles des héroïnes de Corneille?
13. Pourquoi Racine a-t-il la réputation d'être un des plus grands poètes français?
14. A quel écrivain du début du siècle peut-on comparer Boileau?
15. De qui parle Mme de Sévigné dans ses lettres?

16. Pourquoi Mme de Lafayette nous fait-elle penser à Corneille et à Racine?
17. Quelles sont les caractéristiques principales de la littérature classique?

B. Give one fact concerning the following:

1. La Pléiade
2. La querelle du *Cid*
3. *Polyeucte*
4. *L'Avare*
5. *Les Femmes savantes*
6. Les *Maximes*
7. *Phèdre*
8. *L'Art poétique*
9. Les *Caractères*
10. *L'Astrée*

C. Complete:

1. L'Académie française fut constituée par (Richelieu) (Malherbe) (Corneille).
2. *Le Cid* est une tragédie dans laquelle (le sentiment religieux l'emporte sur l'amour) (le sentiment de l'honneur l'emporte sur l'amour) (il existe un conflit entre l'amour et le patriotisme.)
3. Les Jansénistes étaient les membres d'une secte religieuse à laquelle appartenait (Descartes) (Corneille) (Pascal).
4. Le plus pessimiste des écrivains classiques est sans doute (Molière) (Descartes) (La Rochefoucauld).
5. Racine était un contemporain de (Chaucer) (Shakespeare) (Milton).

D. Match:

1. Molière
2. Racine
3. Boileau
4. Descartes
5. Voiture
6. Bossuet
7. La Bruyère
1. philosophe
2. auteur tragique
3. auteur de portraits littéraires
4. critique littéraire
5. orateur religieux
6. auteur comique
7. auteur de lettres

Paris au XVIIe Siècle

A. Answer the following questions:

1. Comparez brièvement Paris à la province.
2. Qu'est-ce que les armes de la ville de Paris représentent?
3. Quelle est la devise de la capitale? Est-elle justifiée?
4. Mentionnez quelques-unes des transformations de Paris au dix-septième siècle.

5. Donnez deux raisons pour lesquelles le Palais est important au dix-septième siècle.
6. Qui Molière a-t-il vu sur le Pont-Neuf?
7. Qui a vécu au Luxembourg?
8. Qu'est-ce que c'est que le Marais?
9. Qui étaient les Précieuses? Qui s'est moqué d'elles? Dans quelle pièce?
10. Quelle a été l'utilité des Salons parisiens?

B. Are the following statements true or false?
1. Corneille et Racine sont nés à Paris.
2. Les Parisiens n'ont pas un très grand respect pour l'architecture gothique de la Sainte-Chapelle.
3. La Galerie du Palais est le musée où se trouvent les portraits des Parisiens élégants.
4. Racine a été influencé dans ses œuvres par les bateleurs parisiens.
5. Vincent de Paul était l'un des habitants les plus célèbres du Marais.
6. Au dix-septième siècle, le palais du Louvre n'était pas encore terminé.
7. La Préciosité était le nom donné à l'exagération des belles manières et du beau langage.
8. L'influence des Salons disparut après la construction du palais de Versailles.
9. Poussin et Mignard sont des peintres français du dix-septième siècle.

C. Make an outline of seventeenth-century French literature.

SUGGESTED TOPICS FOR INVESTIGATION

Preciosity and Euphuism.
History of the *Académie Française*.
The Evolution of French Classicism.
Advantages and Disadvantages of Literary Rules.

RECOMMENDED READINGS

1. A. Guérard: *Life and Death of an Ideal*.
2. Frances Elliot: *Old Court Life in France*, vol. 2.
3. L. Packard: *The Age of Louis XIV*.
4. E. Bourgeois: *Le Grand Siècle*.

(N.B. There are so many excellent histories of French literature that give information about classic writers and their works and so many available editions of the works themselves that it has been considered unnecessary to give authors or editions in this brief bibliography. Henceforth, in these exercises, the recommended readings will not include literary works which are mentioned in the text.)

« XVI »
Louis XV et Louis XVI

A. *Answer the following questions:*
1. Quels étaient les deux principes du système de Law?
2. Contre quoi la société de la Régence s'est-elle révoltée?
3. Pourquoi Louis XV a-t-il été un mauvais roi?
4. Quel a été le résultat de la guerre de Sept ans?
5. Quelles sont les dates de la guerre de Sept ans?
6. Quels étaient les défauts du roi Louis XVI?
7. Quelles étaient les qualités de Louis XVI?
8. Pourquoi était-il impossible d'éviter la Révolution?

B. *Fill in the following outline:*

La France au XVIIIᵉ siècle (1715–1789)

I. La régence du duc d'Orléans
　　1. Le trésor royal était vide à cause de · · ·
　　2. John Law proposa de · · ·
　　3. Le système de Law ruina · · ·
　　4. L'idéal classique fut remplacé par · · ·
　　5. Les classes sociales commencèrent à · · ·
II. Le règne de Louis XV
　　1. Parmi les personnes qui ont joué un rôle politique important sont ＿＿＿, ＿＿＿, et ＿＿＿.
　　2. Par la guerre de la Succession de Pologne, la France acquit ＿＿＿.
　　3. A la fin de la guerre de Sept ans, la France perdit deux colonies: ＿＿＿ et ＿＿＿.

    4. Cette dernière guerre est connue, dans l'histoire d'Amérique, sous le nom de _____.

III. Le règne de Louis XVI

    1. Louis XVI fut incapable de rendre à la France son prestige parce que · · ·

    2. Les réformes proposées par Turgot ne furent pas exécutées parce que · · ·

    3. La France aida les colonies américaines à obtenir leur indépendance parce que · · ·

    4. En 1789, personne n'aurait pu sauver l'ancien régime parce que · · ·

L'Art et la Littérature au XVIIIe Siècle

A. Answer the following questions:

1. Quels sont les traits communs à l'art français du moyen âge et à celui du dix-huitième siècle?

2. Par quel pays l'art français du dix-septième siècle a-t-il été influencé?

3. A quoi les peintres du dix-huitième siècle s'intéressent-ils davantage, au dessin ou à la couleur?

4. Quelles sortes de pièces aimait-on au dix-huitième siècle?

5. Pour qui le Petit Trianon a-t-il été bâti?

6. Quelles sont les qualités des tableaux de Watteau?

7. Quelles sont les qualités des tableaux de Chardin?

8. Quels sont les sujets favoris de Boucher?

9. Comparez Fragonard et David.

10. Qu'est-ce que La Tour et Houdon ont en commun?

B. Answer the following questions:

1. Quelles sont les qualités propres à la littérature du dix-huitième siècle?

2. Qui était Madame du Deffand?

3. Pourquoi Montesquieu et Le Sage prennent-ils comme personnages principaux de leurs œuvres des Espagnols ou des Persans?

4. Qui a influencé la comédie du dix-huitième siècle?

5. A-t-on respecté au dix-huitième siècle le principe classique de la séparation des genres?

6. Pourquoi peut-on dire que l'*Esprit des Lois* est l'ouvrage le plus profond du dix-huitième siècle?

7. Quel était le véritable but de l'*Encyclopédie?*
8. Quelles étaient les qualités de Voltaire?
9. Où l'esprit satirique de Voltaire se montre-t-il le mieux, dans le *Siècle de Louis XIV* ou dans *Candide?*
10. Quelles différentes sortes d'ouvrages Rousseau a-t-il écrites?

C. *Match:*

1. Boucher	1. peintre gracieux et mélancolique
2. Greuze	2. peintre de scènes populaires
3. Houdon	3. peintre moralisateur
4. Chardin	4. peintre de Mme de Pompadour
5. Watteau	5. sculpteur célèbre

D. *Are these statements true or false?*

1. La légèreté du style était une des caractéristiques de la littérature classique.
2. Les «bureaux d'esprit» étaient des sectes religieuses organisées par des femmes.
3. Saint-Simon a montré les vices de la cour dans ses *Mémoires.*
4. La délicatesse de Marivaux dans ses pièces fait penser à celle de David dans ses tableaux.
5. L'*Encyclopédie* est l'œuvre la plus profonde de Montesquieu.
6. Dans les *Lettres anglaises*, Voltaire attaque le système monarchique.
7. Rousseau croit à la bonté naturelle de l'homme.

SUGGESTED TOPICS FOR INVESTIGATION

The System of John Law.
France and the American Revolution.
Lafayette.
The Life of Voltaire.
The Life of Rousseau.
The Intellectual Causes of the Revolution.
French Colonies in America in the 18th Century.

RECOMMENDED READINGS

1. C. Stryienski: *Le dix-huitième Siècle.*
2. D. Mornet: *La Pensée française au XVIIIe siècle.*
3. H. Taine: *Les Origines de la France contemporaine.*
4. E. Lauvrière: *Histoire de la Louisiane française.*
5. Edmond et Jules de Goncourt: *L'Art du XVIIIe siècle; La Femme au XVIIIe siècle.*

6. Michelet: *L'Élan pour l'Amérique* (in *Histoire de France*, edited by Buffum, published by Holt).
7. Biographies of Voltaire by Morley, Lanson, and Maurois.
8. Biographies of Rousseau by Morley and M. Josephson.

« XVII »

La Révolution

A. Answer the following questions:

1. Pourquoi peut-on dire que, par leurs attaques contre les dogmes religieux, les écrivains du dix-huitième siècle ont été en partie responsables de la Révolution?
2. Quelles sont les causes immédiates de la Révolution?
3. A quelles classes de la société les membres du Tiers État appartenaient-ils?
4. La France avant 1789 avait-elle une constitution?
5. Qu'est-ce que c'était que l'Assemblée Constituante?
6. Qu'est-il arrivé le 14 juillet 1789?
7. Qu'est-il arrivé le 4 août 1789?
8. Quelle est l'importance de cet événement?
9. Qui a gagné la bataille de Valmy?
10. Qu'est-ce que c'était que la Convention?
11. Qu'est-ce qu'elle a fait?
12. Qu'est-il arrivé en Vendée?
13. Combien de temps la Révolution a-t-elle duré?
14. Quel avait été le but de la Révolution?

B. Complete:

1. Louis XVI (fut un débauché) (eut un caractère très faible) (fut un despote).
2. Les États-Généraux furent réunis par Louis XVI (pour discuter des questions religieuses) (pour voter l'aide à l'Amérique) (pour voter de nouveaux impôts).

3. Les «cahiers» étaient (les listes des revendications du Tiers État) (les impôts votés par l'Assemblée) (les Droits de l'homme, basés sur la «Declaration of Independence»).

4. Pendant la nuit du 4 août 1789 (la Bastille fut occupée par le peuple) (les nobles renoncèrent à leurs privilèges) (les bourgeois renoncèrent à leurs privilèges).

5. Le parti républicain fut surtout puissant (dans l'Assemblée Constituante) (dans l'Assemblée Législative) (aux États-Généraux).

6. La Commune était (le gouvernement des Parisiens) (un autre nom pour la Convention) (un système basé sur le Communisme).

7. La Vendée est (une province qui s'est révoltée contre le gouvernement républicain) (la province où se sont réfugiés les émigrés) (le nom donné au gouvernement qui était au pouvoir lors de la Terreur).

8. La Révolution française (amena l'anarchie en Europe) (fut cause de la Révolution américaine) (répandit en Europe les idées d'égalité).

9. Sous le Directoire (les idées révolutionnaires diminuèrent d'intensité) (la Terreur atteignit son plus haut point) (Robespierre triompha).

Trois Hommes de la Révolution

A. Answer the following questions:

1. Quelle sorte de gouvernement Mirabeau voulait-il? Danton? Robespierre?

2. Savez-vous pourquoi on appelait «Américains» certains nobles français?

3. Qu'est-ce que c'était qu'une «lettre de cachet»?

4. Par qui Mirabeau a-t-il été envoyé aux États-Généraux?

5. Pourquoi appelait-on Mirabeau l'Hercule de la Révolution?

6. Qui a fait condamner Danton à mort?

7. Qui étaient les Girondins?

8. Comment Danton est-il mort?

9. Décrivez l'apparence de Robespierre.

10. Quelles sont quelques-unes des décisions prises par Robespierre?

B. Answer these general questions on the chapter as a whole:

1. Quelles sont les causes lointaines et les causes immédiates de la Révolution?

2. Quels sont les faits principaux se rapportant (a) aux États-Généraux, (b) à l'Assemblée Législative, (c) à la guerre contre l'Europe, (d) à la Convention, (e) à la Terreur?

3. Analysez brièvement le caractère de Mirabeau, de Danton et de Robespierre.

SUGGESTED TOPICS FOR INVESTIGATION

The «Biens Nationaux.»
The «Émigrés» in America.
Marie-Antoinette.

RECOMMENDED READINGS

1. V. Hugo: *Quatre-vingt Treize.*
2. H. de Balzac: *Un Épisode sous la Terreur.*
3. C. Dickens: *A Tale of Two Cities.*
4. S. Zweig: *Marie-Antoinette.*
5. Gouverneur Morris: *A Diary of the French Revolution.*
6. F. L. Higgins: *The French Revolution.*
7. L. Madelin: *The French Revolution.*
8. D. Mornet: *Les Origines intellectuelles de la Révolution.*
9. H. de Jouvenel: *The Stormy Life of Mirabeau.*
10. Michelet: *La Prise de la Bastille* (in *Histoire de France*, edited by Buffum, published by Holt).
11. Hilaire Belloc: *Robespierre.*
12. Mme de la Tour du Pin: *Journal d'une femme de cinquante ans.*

« XVIII »

Napoléon

A. Answer the following questions:

1. Donnez deux preuves de la faiblesse du Directoire.
2. Où est né Bonaparte?
3. Quel âge avait-il au début du Directoire?
4. Qu'a-t-il fait le 18 Brumaire?

5. Mentionnez trois réformes accomplies par Bonaparte consul.
6. Donnez une preuve de la puissance de Napoléon en 1810.
7. Quels ont été les deux ennemis principaux de Napoléon?
8. Pourquoi l'empire de Napoléon n'a-t-il pas pu durer?
9. Quel a été le résultat des guerres de Napoléon?
10. Que reste-t-il de l'œuvre de Napoléon?

B. *Give one fact about each of the following:*

1. Paix d'Amiens   5. Austerlitz
2. Concordat   6. Trafalgar
3. lycées   7. blocus
4. La Malmaison   8. campagne de Russie
9. Sainte-Hélène

C. *Identify the following dates:*

1. 1799   4. 1812
2. 1804   5. 1814
3. 1810   6. 1815
7. 1821

La Malmaison et l'Art Empire

A. *Answer the following questions:*

1. Dans quelle province se trouve la Malmaison?
2. Pourquoi Joséphine aimait-elle la Malmaison?
3. Pourquoi Bonaparte aimait-il la Malmaison?
4. Quelles sont les caractéristiques des meubles Empire?
5. Pourquoi les meubles Empire sont-ils de si bonne qualité?
6. Décrivez la chambre à coucher de Joséphine.
7. Qui sont les trois grands peintres de l'Empire?
8. Pourquoi Joséphine n'était-elle pas trop malheureuse après son divorce?
9. A quelle occasion Napoléon a-t-il vu la Malmaison pour la dernière fois?
10. D'où vient le nom de «Malmaison»?

B. *Are the following sentences true or false?*

1. Joséphine a fait construire la Malmaison.
2. La Malmaison est peu éloignée des châteaux de la Loire.
3. Le Trianon est un petit château situé dans le parc de Versailles.
4. Les décorateurs de l'Empire se sont inspirés de l'Antiquité.

5. Joséphine était une créole née à la Martinique.
6. Le grand écrivain Chateaubriand était un des habitués favoris de la Malmaison.
7. Joséphine a passé les dernières années de sa vie à la Malmaison.
8. Le petit roi de Rome était le fils de Napoléon et de Joséphine.

SUGGESTED TOPICS FOR INVESTIGATION

Napoléon et l'Angleterre.
Napoléon et la Russie.
Le génie stratégique de Napoléon d'après ses campagnes.
Le Style Empire.
Napoléon et Joséphine.
Le petit Roi de Rome.

RECOMMENDED READINGS

1. E. Ludwig: *Napoleon*.
2. H. Belloc: *Napoleon*.
3. P. Guedalla: *The Hundred Days*.
4. L. Madelin: *Le Consulat et l'Empire*.
5. E. Rostand: *L'Aiglon*.
6. Creasy: *Fifteen Decisive Battles of the World* (Waterloo).
7. A. de Vigny: *La Canne de Jonc* (episode of *Servitude et grandeur militaires*).
8. Eugene Tarle: *Napoleon's Invasion of Russia, 1812*.

« XIX »

La Monarchie Constitutionnelle

A. Answer the following questions:

1. Quel avait été le sort de Louis XVI?
2. Que sait-on du sort de Louis XVII?
3. Où Louis XVIII avait-il vécu depuis 1790?

4. Qu'est-ce que c'était que la *Charte?*
5. Pourquoi le gouvernement de Louis XVIII n'était-il pas véritablement libéral?
6. Qui a succédé à Louis XVIII?
7. Quelles sont les causes de la Révolution de 1830?
8. Pourquoi cette révolution a-t-elle été un échec pour les Républicains?
9. Quels partis politiques se développent rapidement pendant le règne de Louis-Philippe?

B. *Complete the following sentences:*

1. Louis XVIII était le frère de (Marie-Antoinette) (Louis XVI) (Louis XVII).
2. Les conseillers de Louis XVIII étaient (libéraux) (réactionnaires) (républicains).
3. Charles X était (plus réactionnaire que Louis XVIII) (plus libéral que Louis XVIII).
4. Louis-Philippe s'entourait de (gentilshommes) (bonapartistes) (bourgeois).

C. *List the changes in government from 1799 to 1848; give the name and title of each new sovereign, and indicate briefly the general character of his administration.*

Le Romantisme

Answer the following questions:

A. *Histoire du romantisme; les poètes romantiques*

1. Quelles caractéristiques du romantisme se trouvent dans l'œuvre de Jean-Jacques Rousseau?
2. Quel est le sujet d'*Atala?* de *René?*
3. Quelle thèse Mme de Staël a-t-elle développée dans son livre *De la littérature?*
4. Quelles influences étrangères ont contribué au développement du romantisme en France?
5. Pourquoi Lamartine est-il un grand poète?
6. Quel a été le trait dominant d'Alfred de Vigny?
7. Comment Victor Hugo a-t-il transformé le vers alexandrin?
8. Quels sont les traits principaux de son style poétique?
9. De quoi Hugo parle-t-il dans la *Légende des siècles?*
10. Quel est le seul sujet important dont parle Musset dans ses poèmes?

B. Le théâtre romantique

1. Qui a écrit les pièces suivantes: *Antony, Chatterton, Henri III et sa cour, Hernani, Ruy Blas?*
2. Quel auteur classique avait créé des personnages ayant une grande force de volonté? Est-ce que le héros de *Chatterton* avait une volonté forte?
3. Dans quels pays Corneille et Racine ont-ils situé la plupart de leurs pièces?
4. Où se passe l'action de *Chatterton?* de *Henri III et sa cour?*
5. A quelle époque se passe l'action de *Henri III et sa cour?*
6. Racine s'est inspiré des tragédies d'Euripide et de Sénèque. Pour Victor Hugo, qui est le plus grand auteur dramatique qui ait jamais vécu?

C. Les romans historiques

1. A quelle époque se passe l'action de *Cinq-Mars?* de *Notre-Dame de Paris?* des *Trois Mousquetaires?*
2. Pourquoi ne peut-on pas apprendre l'histoire de France en lisant des romans historiques?

D. Les écrivains réalistes

1. Nommez quatre écrivains de la première moitié du dix-neuvième siècle dont les œuvres sont plus réalistes que romantiques.
2. A quelle classe de la société George Sand s'intéresse-t-elle dans la *Mare au diable* et la *Petite Fadette?*
3. Dans quel genre Mérimée s'est-il distingué?
4. Quelles sont les caractéristiques des personnages de Stendhal?
5. Qu'est-ce que la *Comédie humaine?*
6. Pourquoi Balzac nous fait-il penser à Molière?
7. Quelle a été l'ambition de Balzac?

E. L'art romantique

1. Quels sont les défauts des tableaux de David?
2. Quelles sont les qualités de son portrait de Madame Récamier?
3. Quels ont été les maîtres des jeunes artistes romantiques?
4. Pourquoi Delacroix a-t-il été longtemps méconnu?
5. Quels sont les chefs-d'œuvre de Corot?
6. Quelle nouveauté Millet a-t-il introduite dans l'art?

F. La musique romantique

1. Qui est le seul grand compositeur romantique?
2. Quelles sont ses qualités?
3. Quels musiciens étrangers ont vécu à Paris?

G. Les apports du mouvement romantique

1. A quels principes les romantiques se sont-ils attaqués?
2. Quelles qualités les romantiques ont-ils rendues à la culture française?

SUGGESTED TOPICS FOR INVESTIGATION

L'Évolution des Idées Politiques de Victor Hugo.

Les Journaux et les Revues en France pendant la première moitié du dix-neuvième siècle.

Le Romantisme en Allemagne et en Angleterre.

L'Influence de Sir Walter Scott sur les Romans Historiques Français.

L'Influence de Byron sur la Poésie Française.

RECOMMENDED READINGS

1. E. Schermerhorn: *Benjamin Constant.*
2. André Maurois: *Chateaubriand.*
3. Paul Hazard: *Lamartine.*
4. E. Lauvrière: *Alfred de Vigny.*
5. J. Charpentier: *Alfred de Musset.*
6. M. Josephson: *Victor Hugo.*
7. Hubert Gorman: *The Incredible Marquis* (Alexandre Dumas père).
8. René Doumic: *George Sand.*
9. F. C. Green: *Stendhal.*
10. René Benjamin: *La Vie prodigieuse de Balzac.*
11. V. Hugo: *Les Misérables.*
12. Philip Barry: *Days with the French Romanticists.*

« XX »

La Deuxième République et le Second Empire

A. *Answer the following questions:*
1. Comment fut élue l'Assemblée Constituante?
2. Pourquoi les membres de l'Assemblée furent-ils choisis parmi les conservateurs?
3. Quels étaient les défauts de Louis-Napoléon?
4. Pourquoi Louis-Napoléon fut-il élu?
5. Donnez trois preuves de la prospérité de la France sous Napoléon III.
6. Quelle fut la cause de la guerre de Crimée? de la guerre d'Italie?
7. Pourquoi la Savoie et Nice étaient-ils nécessaires à la sécurité de la France?
8. Quels furent les résultats de la guerre du Mexique?
9. Qui était Bismarck?
10. Quelle fut la cause lointaine de la guerre franco-prussienne? la cause immédiate?

B. *Complete the following sentences:*
1. Dès le début de la Deuxième République, les bourgeois français s'inquiétèrent parce que · · ·
2. Le résultat de leur mécontentement se fit voir dans · · ·
3. Quatre hommes de caractère bien différent cherchèrent à devenir président: _____, _____, _____, _____.
4. Après l'élection du président, l'Assemblée Législative commit des fautes, par exemple · · ·
5. C'est alors que le président accomplit son coup d'état du · · ·
6. Le Second Empire est une époque prospère; Paris joue alors un grand rôle dans la vie européenne, car · · ·
7. Sous l'Empire, quatre guerres ont eu lieu. L'une d'elles, la guerre d'Italie, donna deux territoires importants à la France, _____ et _____.
8. La guerre du Mexique, au contraire, fut un désastre pour la France, car · · ·
9. La guerre franco-prussienne fut un désastre plus grand encore: le ministre allemand _____ l'avait préparée depuis longtemps.

Le Mouvement Intellectuel (1850–1870)

A. Answer the following questions:

1. En quoi les œuvres réalistes du dix-neuvième siècle diffèrent-elles des œuvres réalistes des époques précédentes?
2. Quels étaient les défauts des ouvrages romantiques?
3. Quelle a été l'influence d'Auguste Comte sur la littérature?
4. Quelle est la théorie la plus célèbre de Taine?
5. Quel est le sujet de *Madame Bovary?*
6. Quelle est la qualité essentielle de ce roman?
7. Qu'est-ce qu'un *roman documentaire?*
8. Donnez trois traits caractéristiques des poèmes parnassiens.
9. Pourquoi le titre *Émaux et Camées* est-il typiquement parnassien?
10. Qui est le plus pessimiste des Parnassiens?
11. Quelles sont les caractéristiques des *Fleurs du mal?*
12. Quelles sont les qualités des comédies de mœurs?
13. Quelle est la qualité commune à toutes les œuvres, romans, pièces de théâtre, poèmes, mentionnées dans ce chapitre?

B. Answer the following questions:

1. Qu'est-ce que les peintres de cette époque ont de commun avec la plupart des écrivains?
2. En quoi un tableau de Courbet diffère-t-il d'un tableau de Delacroix?
3. Quelle classe de la société Daumier a-t-il peinte?
4. Pourquoi le public du Second Empire n'aime-t-il pas les meilleurs peintres de l'époque?
5. Quel a été pour les bons peintres l'avantage de cette attitude?
6. Quelle différence principale y a-t-il entre un peintre «académique» tel que Meissonier, et un peintre tel que Daumier?

C. Complete:

1. Le Réalisme est un des traits frappants (des poèmes de Vigny) (des poèmes de François Villon) (des tragédies de Corneille).
2. Les œuvres romantiques avaient des défauts, parmi lesquels on peut mentionner (l'indécence) (la sentimentalité) (l'impersonnalité).
3. Taine est un philosophe qui base ses théories sur (la psychologie) (l'idéalisme) (l'observation).
4. *Madame Bovary* se passe (en province) (à Paris) (à l'étranger).

5. *Germinie Lacerteux* se rapproche le plus (de *Madame Bovary*) (des *Trois Mousquetaires*) (des poèmes parnassiens).

6. Les Parnassiens aiment surtout à décrire (la vie intime de la province) (la vulgarité de la vie moderne) (la beauté des choses qui les entourent).

7. L'œuvre principale de Baudelaire est (*Poèmes antiques*) (*Émaux et Camées*) (les *Fleurs du mal*).

8. *Le Gendre de M. Poirier* est (un drame romantique) (un roman de Baudelaire) (une comédie de mœurs).

9. Courbet a peint surtout (des déesses) (des paysans) (des saltimbanques).

10. Daumier a une grande qualité: (la pitié) (l'originalité) (l'idéalisme).

SUGGESTED TOPICS FOR INVESTIGATION

Le Socialisme et la Deuxième République.
La guerre d'Italie et l'idéalisme de Napoléon III.
Le Réalisme en France et en Angleterre.
Comparaison de la littérature réaliste et de l'art réaliste.
Les caricatures de Daumier.
La vie de Courbet.

RECOMMENDED READINGS

1. André Bellesort: *La Société française sous Napoléon III.*
2. P. Guedalla: *The Second Empire.*
3. C. H. C. Wright: *The Background of Modern French Literature.*
4. George Boas (editor): *Courbet and the Naturalistic Movement.*
5. R. Dumesnil: *Le Réalisme.*
6. A. Guérard: *Napoleon III.*

« XXI »

Les Questions Sociales et Économiques

A. Answer the following questions:

1. Quelle nouvelle classe s'est développée en France pendant la première moitié du dix-neuvième siècle?

2. Avec quelle autre classe cette nouvelle classe s'est-elle trouvée en conflit?

3. Puisque Napoléon Ier était un souverain absolu, comment peut-on dire que la bourgeoisie a exercé une forte influence politique sous l'Empire?

4. Comment la bourgeoisie a-t-elle montré sa puissance sous la Restauration?

5. Louis-Philippe n'a pas été «roi de France» mais «roi des Français»: quelle est la signification de ce titre?

6. Quels avantages la Révolution a-t-elle donnés aux paysans?

7. Si la France d'aujourd'hui a environ quarante millions d'habitants, combien de paysans a-t-elle?

8. Quelles sont les causes de la transformation économique de la France entre 1830 et 1848?

9. Pourquoi la condition de l'ouvrier pendant cette période était-elle pitoyable?

10. Quand les ouvriers se sont-ils révoltés contre le gouvernement?

11. Quelles lois libérales ont été votées pendant la Deuxième République?

12. Quand le Second Empire a-t-il été établi?

13. Pourquoi Louis-Napoléon craignait-il le peuple de Paris?

14. Quelles ont été les causes de la chute du Second Empire?

B. *Give two facts about each of the following names:*

1. Charles X
2. Louis-Philippe
3. Thiers
4. Saint-Simon
5. Fourier
6. Louis Blanc
7. Proudhon
8. Louis-Napoléon

Les Sciences avant 1870

A. *Answer the following questions:*

1. Citez trois preuves de l'intérêt qu'on portait aux sciences au dix-septième siècle.

2. Quels progrès dans les méthodes de recherche scientifique a-t-on faits au dix-huitième siècle?

3. Qu'est-ce qui a favorisé le développement des sciences au dix-neuvième siècle?

4. Quand est-ce que l'étude de l'électricité est devenue une science exacte?

5. Comment avait-on étudié la médecine au seizième siècle?
6. Qui s'est moqué des médecins au dix-septième siècle?
7. Qui s'est moqué des médecins au dix-huitième siècle?
8. Pourquoi la médecine fait-elle des progrès rapides au dix-neuvième siècle?
9. Donnez quelques exemples de l'application des sciences aux procédés industriels.
10. Quels effets le développement de l'industrie a-t-il eus sur les classes sociales au dix-neuvième siècle?

B. *Give one fact about each of the following names:*

1. *L'Encyclopédie*	9. Gay-Lussac
2. Buffon	10. Berthollet
3. Newton	11. Benjamin Franklin
4. D'Alembert	12. Ampère
5. Lagrange	13. Cuvier
6. Laplace	14. Claude Bernard
7. Lavoisier	15. Fresnel
8. Blanchard	16. Le Creusot

SUGGESTED TOPICS FOR INVESTIGATION

Les Paysans français d'après les romans de Balzac et de George Sand.
La Révolution Industrielle en Angleterre et en France.
Les Théories socialistes françaises et Brook Farm.
Les Réformes sociales de la Deuxième République et le «New Deal» en Amérique.
Le Mouvement socialiste en France, 1850–1870.
Histoire de la Médecine en France.
Les Voyages transatlantiques, 1800–1870.

RECOMMENDED READINGS

1. A. Guérard: *French Civilization in the 19th century.*
2. Sas: *Les grands Savants Français.*
3. G. Hanotaux: *Histoire de la Nation française* (vol. XIV; vol. XV: *Histoire des Sciences*).

« XXII »

La Troisième République (1870–1914)

A. Answer the following questions:

1. Quelles étaient les conditions du traité de Francfort?
2. Qu'est-ce que c'était que l'Assemblée Nationale?
3. Contre qui Thiers a-t-il dû combattre?
4. Dans la constitution de 1875, à qui appartient le pouvoir exécutif?
5. Quels sont les devoirs des Chambres?
6. Comment est choisi le président de la République?
7. Qui est le véritable chef du gouvernement?
8. Quelle est l'origine de l'Affaire Dreyfus?
9. Qui appartenait au camp des Dreyfusards?
10. Parmi les réformes sociales de la Troisième République, citez celles que vous jugez les plus importantes.
11. Qui étaient les alliés de la France avant la première Guerre mondiale?
12. Quel a été l'idéal de la colonisation française?

B. Give one fact about each of the following:

1. Traité de Francfort
2. Hohenzollern
3. la Commune
4. le Président du Conseil
5. Émile Zola
6. la Triplice
7. Jules Ferry

Les Lettres (1870–1914)

A. Answer the following questions:

1. Quels sont les deux mouvements littéraires principaux de la période 1870–1914?
2. Comparez le naturalisme et le réalisme.
3. Quel est le titre complet des *Rougon-Macquart?*
4. Quelles théories est-ce que Zola a voulu démontrer dans ses romans?
5. Pourquoi peut-on appeler Zola un disciple de Taine?
6. Quel est le genre littéraire qui a rendu Maupassant célèbre?
7. A qui peut-on comparer Alphonse Daudet? Pourquoi?

8. En quoi les poèmes de Verlaine sont-ils différents des poèmes parnassiens?
9. Pourquoi Mallarmé a-t-il peu écrit?
10. Pourquoi les romans de Pierre Loti rappellent-ils les œuvres romantiques?
11. Quel reproche peut-on adresser à Anatole France?
12. Pourquoi Paul Bourget a-t-il été l'adversaire des écrivains naturalistes?
13. De quels problèmes Barrès s'est-il occupé?
14. Pourquoi peut-on comparer les pièces de Maeterlinck aux poèmes de Mallarmé?
15. Quel est le sujet de la *Nouvelle Idole?*

B. *Match the following:*

1. *Les Rougon-Macquart*	1. pièce pessimiste
2. *La Parure*	2. série de romans
3. *Les Corbeaux*	3. chef-d'œuvre de Maupassant
4. *Le Disciple*	4. roman qui parle des Bretons
5. *Pêcheur d'Islande*	5. pièce qui rappelle les poèmes de Mallarmé
6. *Le Crime de Sylvestre Bonnard*	6. roman rempli d'indulgence et d'ironie
7. *Cyrano de Bergerac*	7. drame en vers
8. *Pelléas et Mélisande*	8. roman psychologique

C. *Match the following:*

1. Émile Zola	1. poète symboliste d'origine étrangère
2. Antoine	2. romancier patriote
3. Maurice Barrès	3. dramaturge lyrique
4. Jean Moréas	4. fondateur d'un théâtre avancé
5. Paul Claudel	5. auteur d'une œuvre qui rappelle la *Comédie humaine* de Balzac
6. Rimbaud	6. poète qui fut le maître de Verlaine

Les Beaux-Arts

A. *Answer the following questions:*

1. Pourquoi peut-on comparer les peintres impressionnistes à Émile Zola?
2. Pourquoi peut-on comparer un tableau impressionniste à un poème symboliste?

3. Claude Monet a peint souvent l'étang de son jardın, et chaque fois son tableau est différent. Pourquoi?
4. Quelles sont les caractéristiques des tableaux de Monet?
5. Qui a été le chef du mouvement impressionniste?
6. Qui est le plus grand sculpteur de la Troisième République?
7. Quelles sont les qualités de l'opéra *Carmen?*
8. Quel est le défaut des œuvres de Massenet?
9. Qui est l'auteur de la *Passion de Saint Mathieu?*
10. Quelle est l'importance historique de Debussy?

B. *Match the following:*

1. Manet	1. peintre exotique
2. Degas	2. sculpteur célèbre
3. Renoir	3. peintre de la vie moderne
4. Gauguin	4. musicien qui s'intéresse aux thèmes populaires
5. Rodin	5. peintre des danseuses et des chevaux
6. Bizet	6. peintre influencé par Watteau
7. Saint-Saëns	7. auteur de *Samson et Dalila*

SUGGESTED TOPICS FOR INVESTIGATION

L'Affaire Dreyfus.
Les colonies françaises.
Les réformes sociales de la Troisième République.
Les théories naturalistes.
Le symbolisme.
Le Théâtre-Libre.
Les théories de l'impressionnisme.
L'originalité de Gauguin (Degas, Van Gogh, etc.).

RECOMMENDED READINGS

1. R. Valeur: *Democratic Government in Europe* (edited by R. Buell).
2. J. Lhéritier: *La France depuis 1870.*
3. M. Josephson: *Zola.*
4. Albert Barnes: *Art in Painting.*
5. Albert Barnes: *Renoir.*
6. R. Schneider: *L'Art français (Du réalisme à notre temps).*
7. R. Rey: *Essai sur une renaissance du sentiment classique.*

« XXIII »

La Première Guerre Mondiale et la France Contemporaine

A. Answer the following questions:

1. Quelle a été la cause immédiate de la Guerre mondiale?
2. Quand cette guerre a-t-elle éclaté?
3. L'Allemagne avait promis de respecter la neutralité de la Belgique; pourquoi a-t-elle envahi ce pays?
4. Pourquoi la France a-t-elle été attaquée par l'Allemagne?
5. Pourquoi la Russie et l'Angleterre ont-elles déclaré la guerre à l'Allemagne?
6. Comment Paris a-t-il été sauvé?
7. Quelle a été la bataille la plus sanglante de la guerre?
8. Pourquoi la Russie a-t-elle abandonné l'Angleterre et la France?
9. Quand les États-Unis sont-ils entrés en guerre?
10. Combien de temps est-ce que la guerre a duré?
11. Quelles ont été les conditions les plus importantes du traité de Versailles?
12. Quelles dépenses extraordinaires la France a-t-elle été obligée de faire après la guerre?
13. Pourquoi y a-t-il eu une crise économique en France après 1930?
14. Donnez trois raisons pour lesquelles cette crise a été moins sévère en France qu'aux États-Unis.
15. Quel était le but du parti radical-socialiste?
16. A quoi Aristide Briand s'est-il surtout intéressé?
17. Quel était le but du parti socialiste?
18. Est-ce que la France a voulu augmenter ou affaiblir la puissance de la Société des Nations?
19. Avec quel pays la France a-t-elle conclu des pactes d'assistance mutuelle?
20. Pourquoi la France a-t-elle été obligée d'entrer en guerre contre l'Allemagne en 1939?

B. Fill in the following outline:

La Première Guerre Mondiale

I. La cause immédiate de la guerre fut · · ·

II. L'Allemagne se servit de cet incident pour provoquer la guerre parce que · · ·

III. Parmi les nations qui déclarèrent la guerre à l'Allemagne sont:

    1. · · ·   4. · · ·   7. · · ·

    2. · · ·   5. · · ·   8. · · ·

    3. · · ·   6. · · ·   9. · · ·

IV. Parmi les nations qui s'allièrent à l'Allemagne sont:

    1. · · ·   2. · · ·   3. · · ·

V. Les batailles principales de la guerre sont:

    1. Bataille de · · · gagnée par · · ·

    2. Bataille de · · · gagnée par · · ·

    3. Bataille de · · · gagnée par · · ·

    4. Bataille de · · · gagnée par · · ·

VI. L'Armistice fut signé en · · ·

VII. La paix fut signée à · · ·

C. Give two facts about each of the following names:

    1. Raymond Poincaré   3. Aristide Briand

    2. Édouard Herriot   4. Léon Blum

Les Sciences (1870–1940)

Complete the following sentences:

1. On ne peut pas raconter en détail l'histoire des sciences en France en quelques pages parce que · · ·

2. Du principe du transformisme établi par Lamarck, Darwin a tiré sa doctrine · · ·

3. Les frères Wright doivent à Octave Chanute · · ·

4. Blériot a traversé la · · · en · · ·

5. Grâce aux découvertes de · · ·, Marconi a pu inventer la · · ·

6. Il n'est pas très difficile de lire des livres scientifiques français parce que · · ·

7. Un physicien est un savant qui s'intéresse à · · ·

8. Pour faire marcher les moteurs à explosion, il faut de · · ·

9. Becquerel découvrit · · ·

10. Pierre Curie et Mme Curie découvrirent · · ·

11. Les chimistes ont favorisé le développement de l'agriculture en $\cdots$

12. Henri Moissan a étudié $\cdots$

13. La Tour Eiffel, haute de $\cdots$, est un exemple de l'emploi de $\cdots$ dans les constructions modernes.

14. Pasteur a découvert l'existence des microbes en $\cdots$; il a montré que la putréfaction est toujours causée par $\cdots$; il a inventé le procédé qu'on appelle $\cdots$; il a fondé la science qui s'appelle $\cdots$; il a sauvé la vie d'un enfant en se servant d'un $\cdots$ contre la $\cdots$

15. On a dit que Pasteur a été le plus grand bienfaiteur de l'humanité parce que $\cdots$

L'Éducation en France

A. Answer the following questions:

1. Quelles sont les trois divisions du système d'enseignement en France?

2. Quels sont les résultats principaux de la centralisation de l'enseignement?

3. Quel rôle les sports jouent-ils dans l'éducation française?

4. Quelles matières enseigne-t-on dans les écoles primaires?

5. Depuis quelle époque existe-t-il des lycées?

6. Est-il vrai que seuls les enfants riches peuvent aller au lycée?

7. Combien d'années les élèves passent-ils au lycée?

8. Comment étudie-t-on le français au lycée?

9. Quel est le but, dans les lycées, de l'enseignement des langues modernes?

10. Citez quelques sujets qu'on enseigne dans votre *high school*, mais qu'on n'enseigne pas au lycée.

11. Dans la discipline du lycée, qu'est-ce qui rappelle Napoléon Ier?

12. Qu'est-ce que c'est que la «6ème»? la «Première»? la «Philo»? le «Bachot»?

13. Quel est le but principal de l'éducation qu'on donne au lycée?

14. Est-ce qu'on retrouve la centralisation dans l'organisation des universités françaises?

15. Pourquoi est-il rare qu'un étudiant abuse de sa liberté quand il va à l'université?

B. Answer the following questions, justifying your answers:

1. Si vous étiez un élève dans un lycée, vous attendriez-vous à bien connaître vos professeurs?
2. Si vous étiez le fils (ou la fille) de paysans français, iriez-vous au lycée?
3. Si vous étiez français, à quel âge pourriez-vous obtenir le Baccalauréat?
4. Si vous alliez au lycée, pourquoi ne pourriez-vous pas consacrer beaucoup de temps aux sports?
5. Quelle différence y a-t-il entre un externe et un interne?
6. Si vous étiez reçu au Baccalauréat, qu'est-ce que vous pourriez faire ensuite?

C. Locate on a map of France the following cities in which universities are located:

1. Paris	7. Poitiers	12. Strasbourg
2. Caen	8. Bordeaux	13. Besançon
3. Rennes	9. Clermont-Ferrand	14. Toulouse
4. Dijon	10. Aix-Marseille[1]	15. Lille
5. Grenoble	11. Lyon	16. Nancy
6. Montpellier		17. Alger

SUGGESTED TOPICS FOR INVESTIGATION

La Bataille de la Marne.
Le Traité de Versailles.
La Société des Nations.
L'Enseignement des Langues Modernes en France.
Les Universités Françaises.

RECOMMENDED READINGS

1. Renouvin: *La Crise européenne et la Grande Guerre.*
2. André Siegfried: *France, a Study in Nationality.*
3. Ève Curie: *Madame Curie.*
4. Valéry-Radot: *Vie de Pasteur.*
5. F. Strowski: *Étudiants et Étudiantes.*
6. Barrett Wendell: *France of To-day.*
7. G. Chinard: *Scènes de la vie française.*

[1] Part of the University is in Aix-en-Provence, part is in Marseilles.

« XXIV »

Le Mouvement Intellectuel (1914–1939)

Answer the following questions:

A. La littérature contemporaine

1. Quelles sont les qualités et les défauts d'écrivains tels que Bourget et France?
2. En quoi leurs successeurs diffèrent-ils de ces écrivains?
3. Quels ont été les inspirateurs des «jeunes»?
4. A quoi fait penser *A la Recherche du temps perdu?*
5. Quelles sont les caractéristiques de Marcel Proust que les écrivains d'aujourd'hui ont souvent copiées?
6. Mentionnez trois genres littéraires dans lesquels André Gide a triomphé.
7. Quelles sont les qualités que Maurois, Mauriac et Duhamel possèdent en commun?
8. Quelle est la théorie développée avec succès par Jules Romains?
9. En quoi consiste l'originalité de Jean Giraudoux?
10. Qu'est-ce que le dadaïsme?
11. Comment s'appelait le plus célèbre des théâtres d'avant-garde?
12. Citez deux romanciers qui sont en même temps des dramaturges.

B. L'art contemporain

1. Qu'est-ce que Cézanne veut dire par ces mots: «Il faut refaire la nature»?
2. En quoi Cézanne diffère-t-il des impressionnistes?
3. Pourquoi les tableaux de Maurice Denis font-ils souvent penser aux tableaux de Cézanne?
4. Comment appelait-on les premiers disciples de Cézanne?
5. De quelles formes d'art les Cubistes se sont-ils inspirés?
6. A quel groupe de peintres Picasso appartient-il?
7. Qui sont quelques-uns des peintres de l'École de Paris?
8. Dans quel quartier de Paris vivaient-ils?
9. Comparez brièvement les sculpteurs Bourdelle et Maillol.
10. Quelles sont les qualités traditionnelles de la littérature et de l'art français?

Give two facts about each of the following:

1. Marcel Proust	7. le Dadaïsme
2. André Gide	8. le Vieux Colombier
3. André Maurois	9. Paul Cézanne
4. Georges Duhamel	10. Maurice Denis
5. Jules Romains	11. le Cubisme
6. Jean Giraudoux	12. le Groupe des Six

Paris au XXᵉ Siècle

A. Answer the following questions:

1. Quels sont les monuments du moyen âge qui existent encore à Paris?
2. Mentionnez une église parisienne du XVIIᵉ siècle.
3. Qu'est-ce que le Panthéon?
4. Dans quel quartier de Paris Pasteur avait-il son laboratoire?
5. Où Molière a-t-il étudié?
6. Où Marie de Médicis a-t-elle vécu?
7. Où Napoléon est-il enterré?
8. Pourquoi l'Arc de Triomphe évoque-t-il des idées patriotiques?
9. Qui a habité le quartier du Marais?
10. Quelle est l'importance de l'École Normale Supérieure?
11. Parmi quelles professions choisit-on les membres de l'Académie Française?
12. Comparez brièvement l'Académie Française et l'Académie Goncourt.
13. Pourquoi les cafés parisiens sont-ils souvent des centres intellectuels?
14. Quelles sont les œuvres conservées au musée du Louvre dont vous avez vu des photographies?
15. Comparez brièvement le musée Carnavalet, le musée de Cluny, et le musée Rodin.
16. Comment le gouvernement protège-t-il la Comédie Française?
17. Mentionnez une revue conservatrice; une revue aux idées très modernes.
18. Quel est l'aspect de Paris que les étrangers ne connaissent pas souvent?

B. In what century were the following buildings erected?

1. Notre-Dame (commencée sous Philippe-Auguste)
2. La Sainte-Chapelle (bâtie par Saint Louis)
3. Le Pont-Neuf (terminé sous Henri IV)
4. Le palais du Luxembourg (construit pour Marie de Médicis)
5. La Place Royale (au Marais)
6. L'Hôtel des Invalides (élevé par Louis XIV)

C. In what century were the following founded?

1. La Sorbonne (fondée sous Louis IX)
2. Le Collège de France (créé par François Ier)
3. L'École Polytechnique (créée par la Convention)
4. L'Académie Française (créée par Richelieu)
5. L'Académie Goncourt (créée par un des frères de Goncourt)

SUGGESTED TOPICS FOR INVESTIGATION

L'esprit «d'après-guerre» en littérature; ce qu'il a favorisé, ce qu'il a détruit.

Comparez un livre français moderne que vous avez lu soigneusement avec un livre américain du même genre (par exemple, un roman de Hemingway ou de Steinbeck et un roman d'André Malraux; un poème de Paul Morand et un poème de Gertrude Stein, etc.)

L'Influence de Cézanne aux États-Unis.

L'Œuvre religieuse de Maurice Denis.

Picasso et l'art nègre.

L'Histoire de Paris par ses monuments.

Les Chefs-d'œuvre du Musée du Louvre.

RECOMMENDED READINGS

1. G. Lemaître: *Four French Novelists.*
2. F. C. Green: *French Novelists from the Revolution to Proust.*
3. G. Lemaître: *From Cubism to Surrealism in French Literature.*
4. R. Michaud: *Modern Thought and Literature in France.*
5. P. Brodin: *Les Écrivains français de l'Entre-deux-guerres.*
6. W. Pach: *Ananias or the False Artist.*
7. G. Stein: *The Autobiography of Gertrude B. Toklas.*
8. A. Warnod: *Visages de Paris.*
9. H.G. Daniels: *The Framework of France.*
10. A. Feuillerat: *French Life and Ideals.*
11. Helen Hill: *The Spirit of France.*

VOCABULARY

In the text and exercises approximately 4750 different words are used. Many of these resemble English words either exactly or so closely that they offer no difficulty to most students. The meaning of many other words can be easily and accurately derived from their context. Still others (articles, pronouns, possessive adjectives, etc.) are well known to everyone who has studied elementary French. Students will find therefore that the vocabulary burden of this book is not great.

From the Vocabulary, in line with the above remarks, there have been omitted some 320 words which can offer no difficulty to students because of their close similarity, both in spelling and in meaning, in French and English. Likewise omitted are the articles, pronouns, etc., which students must have learned early in their study of French. Except for these omissions, the Vocabulary is intended to be complete and to furnish all necessary information for the understanding of the text.

Vocabulary

A

s'abaisser to fall, sink, slope down, lower oneself

abandonner to abandon

abbaye *f.* abbey

abbé *m.* abbot

abdiquer to abdicate

abîme *m.* abyss

abolir to abolish

abondance *f.* abundance

abondant abundant, plentiful

abord *m.* approach, access; **d'—, tout d'—** first, at first

abri *m.* shelter; **à l'—** sheltered, safe

abriter to shelter

abrupt rugged, steep

absolu *adj. and n.m.* absolute

absolument absolutely

abstrait abstract

abus *m.* abuse, error

abuser (de) to take advantage (of), impose (on, upon)

Abyssinie *f.* Abyssinia, Ethiopia

académie *f.* academy (*of learned men*)

académique academical

accéder to accede, rise

accent *m.* accent, tone

accentuer to accentuate, lay emphasis on; **s'—** to become accentuated, become more marked

acceptation *f.* acceptance

ccidenté uneven, hilly

accompagner to accompany

accompli: fait — accomplished fact

accomplir to accomplish, achieve, execute, perform; **s'—** to be accomplished, be fulfilled, be brought about

accomplissement *m.* accomplishment, achievement

accordée *f.* bride, engagement, betrothal

accorder to accord, grant, give; **s'—** to agree, coincide

accoutumé accustomed

accrocher to hang, hang up

accroître to increase, enlarge, extend; **s'—** to increase, grow

accrut *past def. of* **accroître**

accueillir to receive, welcome

accumuler to accumulate

acétylène *m.* acetylene

acheter to buy, bribe

acheteur *m.* buyer, purchaser

achever to achieve, complete, finish

acide *m.* acid

acier *m.* steel

acquérir to acquire, obtain

acquis, acquit *from* **acquérir**

acte *m.* act, action

acteur *m.* actor

acti-f, -ve active

action *f.* action, influence; (*business*) share (*of stock*); *pl.* stock

actuel, -le present, contemporary, of the present time

adapter to adapt; **s'—** to be adapted to, conform to, fit, suit

adhérent *m.* adherent, supporter

adjectif *m.* adjective

admettre to admit, allow

administrateur *m.* administrator

administrer to administer, manage

adorer to adore, worship

adoucir to soften, make *or* render mild, make *or* render gentle; **s'—** to soften, become, get, *or* grow gentle *or* more refined

adresser to address, send; **s'— à** to apply to, turn to

adversaire *m.* adversary, opponent

aéré aired, airy

affaiblir to weaken; **s'—** to become, get, *or* grow weak

affaiblissement *m.* weakening

affaire *f.* affair; *pl.* business

affairé busy

affamé starving, famished

affecter to affect

affermir to make firm, strengthen

afficher to stick up, post, paste up

affirmer to affirm

affluent *m.* tributary

affreu-x, -se frightful, horrible, terrible, dreadful, shocking

afin de in order to

Afrique *f.* Africa

âge *m.* age; **en — de** old enough to; **être d'— à** to be of an age to, be old enough to; **le moyen —** the Middle Ages; **le haut moyen —** the early Middle Ages, the Dark Ages (*7th to 10th centuries inclusive*)

âgé of age, aged, old

s'agenouiller to kneel, kneel down

aggraver to aggravate

agir to act; **s'— de** to be a question of

agité agitated

s'agiter to be agitated, move, bustle

agneau *m.* lamb; **peau d'—** lambskin, vellum

agrafer to clasp, hook

agrandir to enlarge

agréable agreeable, pleasant

agresseur *m.* aggressor

agricole agricultural

aide *f.* aid, help; **à l'— de** with the aid *or* help of

aider to aid, help, assist

aient *from* **avoir**

aïeul (*pl.* **aïeux**) *m.* ancestor

aigle *m.* eagle

aiglon *m.* eaglet

aigrir to sour, embitter, exasperate

aigu sharp, shrill

aile *f.* wing

ailé winged

ailleurs elsewhere, somewhere else; **d'—** besides, moreover; **par —** besides, furthermore, otherwise

aimable lovely, agreeable, pleasant

aimer to love, to like; **— mieux** to prefer

aîné *m.* elder, senior; *adj.* eldest

ainsi so, thus, in this *or* that manner *or* way; **et — de suite** and so on, and so forth

air *m.* air, appearance, look; **en plein —** in the open air, out-of-doors

aise *f.:* **à son —** well off, comfortable

aisé well off, well to do

ajouter to add

Albigeois *m.pl.* Albigenses

alerte *adj.* alert, lively, sprightly

alerte *f.* alert, alarm

Alexandre *m.* Alexander

alexandrin *adj. and n.m.* alexandrine (*line of poetry having 12 syllables*)

algèbre *f.* algebra

Alger *m.* Algiers (*capital of Algeria*)

Algérie *f.* Algeria (*colony in northern Africa on the Mediterranean*)

Algérien *m.* Algerian (*native or inhabitant of Algeria*)

alignement *m.* line, straight line

allée *f.* path, walk

allégorie *f.* allegory

allégorique allegorical

Allemagne *f.* Germany

allemand German

aller to go; **s'en —** to go away, go off

allié *m.* ally

allier to ally; **s'— à** to form an alliance with, combine with, unite with

allure *f.* manner

aloi *m.* quality

alors then, at that time; **jusqu'—** till then, until then; **— que** when, whereas, while

alouette *f.* lark

alourdir to make heavy

amant *m.* lover

amateur *m.* lover, connoisseur

ambitieu-x, -se ambitious

âme *f.* soul; **état d'—** soul state, mental and emotional condition

amélioration *f.* improvement

améliorer to ameliorate, improve, better; **s'—** to improve

amener to bring, bring on, cause

am-er, -ère bitter

américain American

Américain *m.* American

Amérique *f.* America; **l'— du Nord** North America

amertume *f.* bitterness

améthyste *f.* amethyst

ami *m.* friend; *adj.* friendly

amiable friendly; **à l'—** amicably

amitié *f.* friendship

amoral unmoral (*without moral sense; neither good nor bad*)

amour *m.* love; *pl.* love affair; **—-propre** conceit, vanity

amoureu-x, -se in love; *n.m.* lover

amphithéâtre *m.* amphitheater

amusant amusing, entertaining

amuser to amuse, entertain

an *m.* year; **avoir (20) —s** to be (20) years old

analyse *f.* analysis

analyser to analyze

analytique analytical

anarchie *f.* anarchy

ancêtre *m.* ancestor

ancien, -ne ancient, old, former; **— régime** *see* **régime**

ancienneté *f.* ancientness, oldness

âne *m.* donkey; *see also* **peau**

anéantir to annihilate, destroy, crush

ange *m.* angel

anglais English; **à l'—e** in (the) English fashion *or* style

Anglais *m.* Englishman; *pl.* English, British

Angleterre *f.* England

animé animated

animer to incite

année *f.* year

annexer to annex

annonce *f.* announcement

annoncer to announce, foretell, be the forerunner of

annuel, -le annual, yearly

anonyme anonymous

antan *m.* last year, yesteryear

anti-Dreyfusard *m.* opponent of Dreyfus

antique ancient; **à l'—** in old-fashioned style (*see also* **coiffer**)

antiquité *f.* antiquity

août *m.* August

apaiser to appease, quell, quiet

apathie *f.* apathy

apercevoir to perceive, observe; **s'— de** to perceive, be aware of, notice, take notice of

apogée *m.* height, climax

apothéose *f.* apotheosis, glorification

apothicaire *m.* apothecary

apôtre *m.* apostle
apparaître to appear
apparat *m.* pomp; **robe d'**— ceremonial, court, *or* state gown *or* robe
apparemment apparently
apparence *f.* appearance; **en** — in appearance, apparently
apparent apparent, visible, clear
appartement *m.* apartment, room
appartenir to belong
appauvrir to impoverish
appel *m.* appeal; **faire** — **à** to appeal to, make an appeal to
appeler to call, summon; **s'**— to be called, be named
applaudir to applaud, commend
appliquer to apply; **s'**— to be applied
apport *m.* contribution, gift, share
apporter to bring
apprécier to appreciate
apprendre to learn
apprentissage *m.* apprenticeship
s'apprêter to prepare, get ready
approbation *f.* approbation, approval
approcher to approach, draw near; **s'**— to approach
approuver to approve, approve of, pass
appui *m.* support, protection
âprement roughly, sharply, acrimoniously, fiercely, ardently, violently
après *prep.* after; **d'**— according to, adapted from; *adv.* after, afterwards; **peu** — soon afterwards
après-guerre *f.* post-war years *or* period
âpreté *f.* bitterness, fierceness, violence
aqueduc *m.* aqueduct
aquitain Aquitanian
arabe Arabian
Arabe *m.* Arabian

Arabie *f.* Arabia
araignée *f.* spider
arbitraire *m.* arbitrariness, absoluteness, willfulness
arbre *m.* tree; — **fruitier** fruit tree
arc *m.* arch; **lampe à** — arc lamp *or* light
arc-boutant *m.* flying buttress
arche *f.* arch, arching
archéologie *f.* archeology
archéologique archeological
archéologue *m.* archeologist
archevêque *m.* archbishop
archiduc *m.* archduke
archiduchesse *f.* archduchess
archiviste *m.* archivist
ardemment ardently, intensely, spiritedly
ardeur *f.* ardor, fervency, passion
arènes *f.pl.* arena
argent *m.* silver, money
argenté silvery
aride dry, barren, unfruitful
aristocratie *f.* aristocracy
aristocratique aristocratic
arithmétique *adj.* arithmetical; *n.f.* arithmetic
arlequin *m.* harlequin, buffoon
arme *f.* arm, weapon; *pl.* coat of arms
armé armed
armée *f.* army
armer to arm (**de** with); **être armé chevalier** to be made a knight, be dubbed a knight
armoiries *f.pl.* coat of arms
armure *f.* armor
arrêt *m.* sentence (*judicial*), rest, stop, imprisonment; **temps d'**— stoppage, pause
arrêter to stop, arrest, put a stop to, hold back; **s'**— to stop
arrière: en — back, behind
arrière-garde *f.* rear guard
arrière-petit-fils *m.* great-grandson
arrivée *f.* arrival, coming

arriver to arrive, come, happen; **en — à** to come to the point of, go so far as to

arrogant arrogant, overbearing, highhanded

s'arroger to arrogate to oneself, claim as one's own, usurp

arrondir to round out, enlarge, increase; **s'—** to round oneself out, increase one's size

arroser to water

art *m.* art; **beaux- —s** fine arts; **objet d'—** objet d'art (*article of artistic worth*)

artésien, -ne Artesian, of Artois

articulé articulate

artifice *m.* artifice, trick

artificiel, -le artificial

artillerie *f.* artillery

artisan *m.* artisan, workman

artiste *m. and f.* artist

artistique artistic

Artois *m. province of northern France*

Asie *f.* Asia

assassin *m.* assassin, murderer

assassinat *m.* assassination, murder

assassiner to assassinate, murder

assemblée *f.* assembly

assembler to assemble, bring *or* call together; **s'—** to assemble, meet

s'asseoir to sit down

assez enough, rather, quite

assidu assiduous, diligent

assiéger to besiege, lay siege to

assiette *f.* plate

assigner to assign, give

assimiler to assimilate

assister (à) to be present at, attend, witness

association *f.:* **droit d'—** right of forming unions (*labor*)

associer to associate (**à** with)

assoiffé thirsty, eager

s'assoupir to become dull, quiet, drowsy *or* sleepy

assouplir to render *or* make supple

assuré sure, certain, positive

assurer to assure, assert; **s'—** to secure

astronomie *f.* astronomy

atelier *m.* workshop, studio

Atlantique *adj. and n.m.* Atlantic

atome *m.* atom

atroce atrocious, cruel

attachant engaging, pleasing, interesting

attacher to attach, fasten, tie; **s'—** to unite, adhere, devote oneself, interest oneself, take an interest (in)

attaquable assailable, liable to attack

attaque *f.* attack

attaquer to attack; **s'— à** to attack, defy

atteindre to attain, reach, arrive at

attendre to await, wait for, expect; **s'— à** to expect

attente *f.* waiting; **salon d'—** waiting room, antechamber

attention *f.* attention; **faire — à** to pay attention to

atténuer to attenuate, soften, weaken

attester to attest, testify

attirer to attract, draw; **s'—** to draw upon oneself, obtain, gain, win

attitré appointed, regular, usual

attitude *f.* attitude, position, posture, pose

attrait *m.* attraction

attraper to catch, take

attrayant attractive

attribuer to attribute

aube *f.* dawn

aucun *adj. and pron.* no, none, not one

audace *f.* audacity, boldness

audacieu-x, -se audacious, daring, bold

au-dessus de over, above

audience *f.* hearing, sitting (*judicial*)

augmentation *f.* increase

augmenter to augment, increase, enlarge

Augsbourg Augsburg (*city in Germany*)

Auguste *m.* Augustus (*Roman emperor, 29* B.C.–*14* A.D.)

aujourd'hui today

aumônier *m.* chaplain

auparavant before

auprès de near, close to

aussi also, too, so, therefore; — ... **que** as ... as

aussitôt immediately; — **que** as soon as

austère austere, stern

austérité *f.* austerity, sternness, severity

austro-russe Austro-Russian

autant as much, as many

autel *m.* altar

auteur *m.* author; — **dramatique** dramatist

authentique authentic

automne *m.* autumn

autonome autonomous, self-governing

autonomie *f.* autonomy, self-government

autoriser to authorize, warrant

autorité *f.* authority

autour de around, about

autre other, different; **qui n'est** — **que** which is none other than

autrefois formerly

autrement otherwise; — **dit** in other words

Autriche *f.* Austria

autrichien, -ne Austrian

Autrichien *m.* Austrian

auvergnat of Auvergne

Auvergnat *m.* native *or* inhabitant of Auvergne

Auvergne *f. province in south-central France*

av. J.-C. = avant Jésus-Christ B.C.

avance: d'— in advance, beforehand; **à l'**— **de** before

avancé advanced

avancer to advance; **s'**— to advance

avant before; — **Jésus-Christ** B.C.; — **que** before

avantage *m.* advantage, benefit

avantageu-x, -se advantageous

avant-garde *f.* vanguard

avare *m.* miser

avarice *f.* avarice, stinginess

avec with

avènement *m.* accession, coming

avenir *m.* future

aventure *f.* adventure

aventurier *m.* adventurer

aveugle blind, deluded

aveuglément blindly, implicitly

aveugler to blind

avion *m.* airplane; — **sans moteur** glider

avis *m.* opinion; **à son** — in one's opinion

s'aviser (de) to bethink oneself of, think of, venture

avocat *m.* lawyer, advocate, defender

avoir to have

avoisiner to be adjacent to, be in the neighborhood of, border upon

avouer to acknowledge, confess

azur *m.* azure

B

baccalauréat *m.* baccalaureate, bachelor's degree

«Bachot» *m. students' abbreviation of* **baccalauréat**

bactériologie *f.* bacteriology

badin playful, jesting

bague *f.* ring

baie *f.* bay

baiser *m.* kiss
bal *m.* ball, dance
balance *f.* balance, scales
se balancer to swing
balcon *m.* balcony
Balkans *m.pl.* Balkans
ballade *f.* ballad
ballon *m.* balloon
balnéaire *see* **station**
banal commonplace, ordinary
banalité *f.* commonplaceness
bande *f.* band, strip, troop
bannière *f.* banner
banque *f.* bank
banqueroute *f.* bankruptcy
banquier *m.* banker
barbare *adj.* barbarous, barbaric, savage; *n.m.* barbarian
barbe *f.* beard
barbier *m.* barber
baromètre *m.* barometer
barque *f.* bark (*boat*)
barre *f.* bar; *pl.* base, prisoner's base (*game*)
barricade *f.* barricade; **guerre de —** war of barricades (*the populace of Paris, when in revolt, erected barricades for defense*)
barrière *f.* barrier
bas, -se *adj.* low, base, lower
bas *adv.* low; **en — de** at the bottom of, below
base *f.* base, basis, foundation
baser to base; **se — sur** to take as a basis, depend upon, rely on
bas-fonds *m.pl.* bottom, lowest level, lowest strata
basilique *f.* basilica
bas-relief *m.* bas-relief
bassin *m.* basin
Bastille *f.* Bastille (*state prison in Paris*)
bataille *f.* battle; **champ de —** battlefield, battleground
bateau *m.* boat; **— à vapeur** steamer
bateleur *m.* juggler, buffoon

bâtiment *m.* building
bâtir to build, construct, erect
battre to beat; **se —** to fight
bavarder to talk, gossip
Bavière *f.* Bavaria
beau, bel, -le beautiful, fine, handsome; **avoir —** to be useless, be in vain to
beaucoup much, many, a good deal; **de —** by far
beau-père *m.* father-in-law
beauté *f.* beauty
beaux-arts *m.pl.* fine arts
bel *see* **beau**
belge Belgian
Belgique *f.* Belgium
belliqueu-x, -se warlike, belligerent
bénédiction *f.* blessing, benediction, consecration
bénéfice *m.* profit
bénéficier to profit
bénitier *m.* holy-water basin
berger *m.* shepherd
bergère *f.* shepherdess
bergeries *f.pl.* pastorals
Berthe Bertha
besoin *m.* need, necessity; **au —** in case of need, on occasion; **avoir — de** to need; **si — est** if need be, if necessary
bétail *m.* cattle, livestock
bête *f.* animal, beast
bêtise *f.* folly, stupidity
bey *m.* bey (*ruler of Tunisia*)
bibliothèque *f.* library
bien *adv.* well, very, much, many; **ou —** or else, or indeed; **— que** although, though
bien *m.* good, benefit, welfare, well-being; *pl.* estate, property
bienfaisant beneficent, benevolent, kind, kindly
bienfait *m.* benefit, good deed, act of kindness, blessing; *pl.* advantages
bienfaiteur *m.* benefactor

bienséance *f.* propriety, decorum, decency

bientôt soon

bienveillant kind, friendly, benevolent

bière *f.* beer

bilan *m.* balance sheet

biographie *f.* biography

biologie *f.* biology

bizarre odd, strange

blâmer to blame

blanc, -he white

blasphème *m.* blasphemy

blé *m.* grain

blesser to wound

blessure *f.* wound

bleu *adj. and n.m.* blue

bloc *m.* block

blocus *m.* blockade

blond light

bœuf *m.* ox

bohème *m.* Bohemian

boire to drink

bois *m.* wood

boiserie *f.* wainscoting

boîte *f.* box; **— de nuit** night club

bolcheviste *m.* bolshevik, bolshevist, communist

bon, -ne good

bonapartiste *m.* Bonapartist (*supporter of Napoleon Bonaparte*)

bonheur *m.* happiness, good fortune

bonhomie *f.* good nature, amiableness

bonhomme *m.* simple, easygoing man

bonnet *m.* cap

bonté *f.* kindness, goodness

bord *m.* border, bank, shore

border to border

borne *f.* bound, limit; **sans —s** unbounded, unlimited

borné limited, narrow, petty, shallow

bosquet *m.* thicket, clump of trees *or* of shrubbery

bouche *f.* mouth

boucher *m.* butcher

Bouddha *m.* Buddha (*founder of Buddhism, a religion of central and eastern Asia*)

boueu-x, -se muddy

bouffon *m.* buffoon, fool, jester

boulanger *m.* baker

bourg *m.* town

bourgeois *m.* citizen, man of the middle class, commoner

bourgeoise: petite — woman of modest circumstances

bourgeoisie *f.* middle class

Bourgogne *f.* Burgundy

bourguignon, -ne Burgundian

bourreau *m.* executioner

bourse *f.* purse; scholarship

Bourse *f.* Stock Exchange

bout *m.* end; **à — de force** exhausted; **de — en —** from end to end; **d'un — à l'autre** from end to end, from one end to the other; **jusqu'au —** to the end, completely; **venir à — de** to get the better of

bouteille *f.* bottle

bouter to drive, put

boutique *f.* shop; **fermer —** to close shop, shut up shop

boutiquier *m.* shopkeeper

branchage *m.* branches, boughs

br-ef, -ève brief, short; **bref** *adv.* in short

Bretagne *f.* Brittany

breton, -ne *adj.* Breton, of Brittany

Breton *m.* Breton (*native or inhabitant of Brittany*)

brièvement briefly

brillant brilliant

briller to glitter, shine

brique *f.* brick

briser to break, break down, shatter; **se —** to break, break to pieces, be shattered

britannique British, English

brochure *f.* pamphlet
broder to embroider
broderie *f.* embroidery
brouillard *m.* fog, mist
Bruges *city in Belgium*
bruit *m.* noise
brûler to burn
Brumaire *m.* Brumaire (*second month of the calendar of the first French Republic, Oct. 25–Nov. 21*)
brumeu-x, -se foggy, misty
brun brown
bruyamment noisily, clamorously
bruyant noisy, blusterous
bûcher *m.* pile, stake; **mourir sur le —** to die *or* perish at the stake
Bulgarie *f.* Bulgaria
bulle *f.* bubble
bureau *m.* office; **— d'esprit** drawing room (*in Paris*)
Burgonde *m.* Burgundian
buste *m.* bust
but *m.* goal, object, purpose
butin *m.* booty, spoils
byzantin Byzantine (*characteristic of art and architecture of Constantinople*)

C

çà here; **— et là** here and there
ça (*contraction of* cela) that
cabaret *m.* cabaret, tavern
cabinet *m.* office, study
cacher to hide, conceal; **se —** to hide
cachet: lettre de — *arbitrary warrant of imprisonment without trial*
cadavre *m.* corpse, dead body
cadet, -te *adj.* younger
cadet *n.m.* younger brother, youngest son; **un — de famille** younger son of good family
cadre *m.* frame, framework, setting
cage *f.* cage, frame
cahier *m.* notebook; memorial (*statement of conditions and petition for reforms, addressed to government by provincial councils before meeting of the States-General, 1789*)
calcaire calcareous (*containing calcium or calcium carbonate*), of limestone
calcul *m.* calculation; calculus
calculateur *m.* calculator
calculer to calculate, compute
calèche *f.* carriage, barouche
calendrier *m.* calendar
calme *m.* calm, calmness, quietness
calvaire *m.* Calvary
calvinisme *m.* Calvinism
calviniste *adj.* Calvinistic; *n.m.* Calvinist (*follower of John Calvin*)
camarade *m.* comrade
camaraderie *f.* companionship, intimacy
Cambodge *m.* Cambodia (*in Asia*)
camée *m.* cameo
camélia *m.* camellia (*a flower*)
camisole *f.* camisole, jacket
camp *m.* camp; **changer de —** to change sides
campagne *f.* country, campaign; **à la —** in *or* to the country; **en pleine —** in the open country, out in the country; **maison de —** country house; **les —s** country districts
canaille *f.* mob, rabble
candidature *f.* candidature, candidacy; *see also* **poser**
canne *f.* cane; **— de jonc** Malacca cane
cap *m.* cape
capacité *f.* capacity, capability
capétien, -ne Capetian
Capétien *n.m.* Capetian (*of the Capetian dynasty*)
capitaine *m.* captain
capital *adj.* capital, of great importance; *n.m.* capital
capitale *f.* capital, chief city
capituler to capitulate, surrender
caporal *m.* corporal
captivité *f.* captivity

capuchon *m.* hood

car for

caractère *m.* character, characteristic, quality

caractériser to characterize, describe; **se —** to be characterized

caractéristique *adj. and n.f.* characteristic

caravane *f.* caravan, band, troop

caricaturiste *m.* caricaturist

carolingien, -e Carolingian

Carolingien *m.* Carolingian (*king of the Carolingian dynasty*)

carré square

carrefour *m.* crossroad, intersection; **aux —s des rues** where streets cross

carrière *f.* career

carrosse *m.* carriage, coach

carte *f.* card, map

cas *m.* case, circumstance, occasion; **en tout (tous) —** at all events; **le — échéant** if the occasion should occur, if the occasion requires it

casserole *f.* casserole, saucepan

catégorie *f.* category

Catharisme *m.* Catharism (*heresy of the Albigenses, southern France, 12th century*)

cathédrale *f.* cathedral

catholique *adj. and n.m. and f.* Catholic

cause *f.* cause; **à — de** on account of; **être — de** to be the cause of

causer to cause

causeur *m.* talker

cavalerie *f.* cavalry

cave *f.* cellar

ceci this

céder to yield

ceindre to gird, surround; **ceint de** wearing

ceinture *f.* belt

célébration *f.* celebration, solemnization

célèbre celebrated, famous

célébrer to solemnize

célébrité *f.* celebrity, fame

céleste celestial, heavenly, of heaven

célibataire *m.* bachelor

cellule *f.* cell

Celte *m.* Celt

celtique Celtic

celui, celle (*pl.* **ceux, celles**) this (these), that (those), the one(s), he (she), they; **celui-ci (ceux-ci)** the latter; **celui-là (ceux-là)** the former

cendres *f.pl.* ashes

cent hundred; **pour —** per cent

centaine *f.* hundred

centième hundredth

centralisation *f.* centralization

centraliser to centralize

centre *m.* center

cependant however, nevertheless, in the meantime

céréales *f.pl.* cereal, grains

cérémonie *f.* ceremony

cerf *m.* deer, stag

certain *adj.* certain; *pl.* some

certains *m.pl.* certain ones

certificat *m.* certificate

certitude *f.* certainty

cerveau *m.* brain

César Caesar

cesser to cease, stop

césure *f.* caesura (*pause within line of poetry*)

chacun each

chaîne *f.* chain

chair *f.* flesh, meat

chaise *f.* chair; **— (à porteurs)** sedan chair

chaleur *f.* heat

chaleureusement warmly, cordially

chambellan *m.* chamberlain (*court officer*)

chambre *f.* chamber, bedroom, room; **— à coucher** bedroom;

(*govt.*) chamber, house (*of deputies or representatives*)

champ *m.* field; **— de bataille** battlefield, battleground; **laisser le — libre à quelqu'un** to let someone have things his own way

champenois *adj.* of Champagne (*province*); *n.m.* champenois (*dialect of province of Champagne*)

Champenois *m. native of Champagne*

champêtre rural, rustic

chance *f.* fortune, luck

chancelier *m.* chancellor

chandelle *f.* candle

changeant changing, variable, unsettled

changement *m.* change

changer to change

changeur *m.* money-changer

chanson *f.* song

chansonnier *m.* song-writer

chant *m.* song

chantefable *f.* chantefable (*work partly in prose, partly in verse*)

chanter to sing, praise, celebrate, sing of

chaotique chaotic

chapeau *m.* hat

chapelle *f.* chapel

chapiteau *m.* capital (*of column*)

chapitre *m.* chapter

chaque each, every

charbon *m.* coal; (*disease*) anthrax

charge *f.* burden, charge, office, post

charger to burden, load, commission

charité *f.* charity, benevolence

charmant charming

charme *m.* charm

charte *f.* charter, document, constitution

chartreuse *f.* monastery, convent

chasse *f.* hunt, hunting; **pavillon de —** hunting lodge; **rendez-vous de —** hunting lodge, hunting headquarters

chasser to drive, drive out, expel; hunt

chasseur *m.* hunter

château *m.* chateau, castle; **—-fort** castle

châtiment *m.* punishment

chaud hot, warm

chauffage *m.* heating

chauffer to heat, warm

chaume *m.* thatch; **à toit de —** with a thatched roof

chausser to put on (*shoes, stockings, etc.*)

chaussure *f.* boots, shoes, *etc.*; footwear

chauve bald

chaux *f.* lime

chef *m.* chief, leader

chef-d'œuvre *m.* masterpiece

chemin *m.* road, way; **— de fer** railroad, railway; **à mi-—** halfway, midway

cheminée *f.* chimney, fireplace

chemise *f.* shirt

chêne *m.* oak, oak tree

ch-er, -ère dear; **cher** *adv.* dearly

chercher to seek, look for; endeavor, try

chercheur *m.* seeker, researcher, investigator

chéti-f, -ve puny, sickly, thin

cheval *m.* horse; **— de course** race horse

chevaleresque chivalrous, knightly

chevalerie *f.* chivalry, knighthood

chevalier *m.* knight, chevalier (*title of nobility*)

cheveu *m.* hair; **—x** hair

chez at, to, *or* in the house of, among, in, with; **— eux** at home, in their own country

chicane *f.* chicanery, quibbling, quarrelsomeness

chien *m.* dog
chiffon *m.* rag
chiffre *m.* figure, number
chimérique chimerical, fantastic
chimie *f.* chemistry
chimique chemical
chimiste *m.* chemist
Chine *f.* China
chirurgien *m.* surgeon
chlorure *m.* chloride (*chemistry*)
chœur *m.* choir
choisir to choose
choix *m.* choice
choléra *m.* cholera (*a disease*)
chômage *m.* unemployment
chômeur *m.* unemployed person
choquant shocking, offensive
choquer to shock, offend, be offensive
chose *f.* thing; **peu de —** little, not much; **quelque —** something
chrétien, -ne Christian
Chrétien *m.* Christian
Chrétienté *f.* Christendom
Christianisme *m.* Christianity
chronique *f.* chronicle
chroniqueur *m.* chronicler
chute *f.* fall, downfall, failure
cidre *m.* cider
ciel (*pl.* **cieux**) *m.* heaven, sky
ciment *m.* cement
cimetière *m.* cemetery
cinéma, cinématographe *m.* moving picture(s)
cinématographique *adj.* moving picture, "movie"
cinq five
cinquante fifty; **—-quatre** fifty-four
cinquième fifth
circonstance *f.* circumstance
ciseler to carve, chase (*metals*)
citadelle *f.* citadel
citation *f.* quotation
cité *f.* city
Cité *name of island in Seine at Paris*

citer to cite, quote, mention, name
citoyen *m.* citizen
civil civil
civilisation *f.* civilization
civilisé civilized
clair clear, bright; (*of color*) light
clairement clearly, distinctly
clairière *f.* clearing, glade
clair-obscur *m.* light and shade, chiaroscuro
clan *m.* clan
clarté *f.* clearness
classe *f.* class, classroom, rank
classer to class
classique *adj. and n.m.* classic, classical
clef *f.* key
clerc *m.* clerk, scholar
clergé *m.* clergy
Clermontois *m.* native *or* inhabitant of Clermont-Ferrand
client *m.* client, customer
clientèle *f.* patronage, customers
climat *m.* climate
clin d'œil *m.* twinkling of an eye, trice
cloche *f.* bell
clocher *m.* bell tower, belfry
cloître *m.* cloister
clore to close, conclude, end
se coaliser to form a coalition, combine
coalition *f.* coalition, union
Cochinchine *f.* Cochin China
cœur *m.* heart; **le — léger** light-heartedly; **Richard —-de-lion** Richard the Lion-Hearted (*King of England, 1189–1199*)
coffre *m.* coffer, box, chest
coffret *m.* chest, box
coiffer to put on one's head, do one's hair; **coiffée à l'antique** having one's hair done in the style of antiquity, with a classic hair-do
coin *m.* corner
coïncider to coincide

collaborer to collaborate

collecti-f, -ve collective

collège *m.* college (*secondary school*); (*of electors*) assembly

collègue *m.* colleague

coller to cling, stick

colline *f.* hill

Colomb Columbus

colombe *f.* dove

colombier *m.* dovecot (*house for doves or pigeons*)

colon *m.* colonist

colonie *f.* colony

colonisateur *m.* colonizer, colonist, settler

colonisation *f.* colonization

coloniser to colonize, settle

colonnade *f.* colonnade

colonne *f.* column, pillar

colorer to color; **coloré** colorful

coloris *m.* (*painting*) coloring

combat *m.* combat, battle

combattant *m.* combatant, fighter

combattre to fight, fight against

comble *m.* height, highest degree; **de fond en —** from top to bottom

comédie *f.* comedy

comique comic

comité *m.* committee

commander to command, order, lead, overlook

comme as, like, as it were, almost, nearly

commencement *m.* commencement, beginning

commencer to commence, begin

comment how

commentaire *m.* commentary; **les —s de César** Caesar's Commentaries (*chronicle of his conquest of Gaul*)

commenter to comment on

commerçant *adj.* commercial, mercantile, trading

commerçant *m.* trader, businessman

commettre to commit

commun common, ordinary

commun *m.:* **de —, en —** in common

communal communal, municipal

Communard *m.* Communard (*supporter of the Commune, 1871*)

communauté *f.* community, society

commune *f.* commune, municipality

communication *f.* communication

communiquer to communicate, impart, produce

communiste communistic

compacte compact

compagne *f.* companion

compagnie *f.* company

compagnon *m.* companion; journeyman

comparaison *f.* comparison

comparativement comparatively

compatriote *m.* compatriot, fellow countryman

compl-et, -ète complete

complètement completely, entirely, fully, wholly

compléter to complete

complexe complex, complicated

complexité *f.* complexity

compliqué complicated

complot *m.* plot

composer to compose, constitute, compound; **se —** to be composed, be made up

compositeur *m.* composer

compréhension *f.* comprehension, understanding

comprendre to understand, comprehend, comprise, include

compromettre to compromise, injure

compromis *m.* compromise

comptabilité *f.* bookkeeping

compte *m.* account; **en fin de —** in the end, at last, everything considered, when all is said and done; **se rendre — de** to realize, understand

compter to comprise, include; count, reckon, be counted, be numbered, have power *or* influence, be important *or* significant

comptoir *m.* branch, outlet

comte *m.* count (*title of nobility, equivalent to English earl*)

comté *m.* earldom

comtesse *f.* countess

se concentrer to be concentrated, center

conception *f.* conception, idea

concerner to concern, regard

concert *m.* concert; (*of nations*) setup, organization

concevoir to conceive

conciergerie *f.* prison

concis concise

conclure to conclude

concordat *m.* concordat (*agreement between pope and sovereign*)

concours *m.* competitive (*entrance*) examination

concurrence *f.* competition; **faire — à** to compete with

condamnation *f.* condemnation

condamner to condemn

condition *f.* condition; **à — que** on condition that, provided that

conduire to conduct, lead, take

conduite *f.* direction, guidance, leadership

confédération *f.* confederation, confederacy

conférence *f.* lecture

conférer to confer, bestow, grant, give

confiance *f.* confidence

confier to confide, entrust

confisquer to confiscate

conflit *m.* conflict

confluent *m.* confluence, junction

confondre to blend, confuse, mingle

conformité *f.* conformity

confort *m.* comfort

confortable comfortable

congé *m.* vacation

congrès *m.* congress

conique conic; **sections —s** conic sections

connaissance *f.* knowledge; *pl.* knowledge, information, learning

connaître to know, be acquainted with

connu known

connurent, connut *past def. of* **connaître**

conquérant *m.* conqueror

conquérir to conquer, gain, obtain

conquête *f.* conquest

consacrer to consecrate, devote, sanction, make complete *or* final; **consacré** consecrated, devoted, established

conscience *f.* conscience, consciousness, conscientiousness; **avoir — de** to be conscious of, be aware of; **liberté de —** freedom of religious belief; **prendre — de** to become aware of, become conscious of

consciencieu-x, -se conscientious

conscient conscious

consécration *f.* consecration, recognition

conseil *m.* advice, council; **— de guerre** court-martial; **Président du —** President of the Council of Ministers (*Third Republic; equivalent to Prime Minister*)

conseiller *m.* counselor, adviser

conséquent: par — consequently, therefore

conserva-teur, -trice *adj. and n.m. and f.* conservative

conservation *f.* preservation

conservatisme *m.* conservatism

conserver to preserve, keep, maintain

considérable considerable, important

considérer to consider, look upon, regard

consistent consistent, coherent

consolider to consolidate, strengthen; **se —** to become consolidated

consommer to consummate, accomplish, complete

conspiration *f.* conspiracy, plot

conspirer to conspire, plot

constamment constantly

Constituante *f.* Constituent Assembly (*during French Revolution*)

constituer to constitute, establish

constitutionnel, -le constitutional

construction *f.* construction, building; edifice, structure

construire to construct, build, erect, put together

consulat *m.* consulate

conte *m.* story, short story

contempler to contemplate, gaze at, view

contemporain *adj. and n.m.* contemporary

contenir to contain, include

content content, contented, satisfied (**de** with)

se contenter to content oneself, be contented, be satisfied

contester to contest, call into question

conteur *m.* narrator, storyteller

continu continued, continuous

continuel, -le continual

continuellement continually

continuer to continue, carry on

contour *m.* contour, outline

contradictoire contradictory

contraindre to constrain, compel, force

contrainte *f.* constraint

contraire *adj.* contrary, adverse, unfavorable

contraire *m.* contrary; **au —** on the contrary

contraste *m.* contrast

contrat *m.* contract

contre against, in opposition to; **par —** by way of compensation, on the other hand

contrée *f.* country, region

contrefort *m.* chain, spur (*of mountains*)

contre-révolution *f.* counterrevolution

contribuer to contribute

contrôle *m.* control

contrôler to control, examine, superintend, watch over

convaincre to convince; **convaincu** convinced

convenable proper, suitable, fitting

convenir to be proper, right, fitting, advisable; **— à** to suit

convention *f.* convention, agreement, condition

Convention *f. name of the constitutional and legislative assembly which governed France from Sept. 20, 1792, to Oct. 26, 1795*

conventionnel, -le conventional

se convertir to be converted

convoiter to covet, desire

copie *f.* copy

copier to copy, imitate

coquet, -te coquettish

cor *m.* horn

corbeau *m.* crow, vulture

corbeille *f.* basket

cordial cordial

cordon *m.:* **— bleu** blue ribbon (*worn by knight of the "Ordre du Saint-Esprit"*)

cordonnier *m.* shoemaker

coreligionnaire *m.* coreligionist

Cornouaille *f.* Cornwall (*southwestern England*)

corporation *f.* corporation, guild

corps *m.* body, part; — à — hand to hand *or* face to face fight

correspondre to correspond

corriger to correct

corrompu corrupt

Corse *f.* Corsica (*island in Mediterranean*)

Corse *m.* Corsican (*native or inhabitant of Corsica*)

cortège *m.* procession, train; **faire** — à to accompany, serve as retinue *or* attendants

corvée *f.* corvee (*unpaid labor due from a vassal or serf to his lord*)

cosmopolite cosmopolitan

costume *m.* costume, dress

côte *f.* coast

côté *m.* side; à — de by the side of, beside; de — sidewise, sideways, aside; de chaque — de on each side of; des deux —s on both sides; de tous —s on all sides, on every side; de l'autre — on the other side; d'un autre — in another direction; d'un — on the one hand; du — de toward, in the direction of, on the side of; de son — for his part, as far as he is concerned; sur les deux —s at each side; «Du Côté de chez Swann» *Swann's Way*

coteau *m.* hillock, hillside

coton *m.* cotton

cotonnade *f.* cotton cloth

cotonni-er, -ère *adj.* cotton

côtoyer to be at the side of, "rub elbows with"

cou *m.* neck

couche *f.* couch, bed

coucher to pass the night

coucher *m.* setting; — du soleil sunset

coulant flowing

couler to flow, run

couleur *f.* color

coup *m.* blow; — d'œil look, glance; — d'état *see* état; à —s de by dint of, by means of, with; tout à — suddenly

coupable *adj.* guilty; *n.m.* guilty person, culprit

couper to cut, interrupt

cour *f.* yard, courtyard, court; de — *adj.* court

courageu-x, -se courageous

couramment currently, regularly, fluently

courant *m.* current; se tenir au — de to keep oneself informed about

courir to run

couronne *f.* crown

couronnement *m.* coronation

couronner to crown

cours *m.* course; — d'eau river; suivre un — to take a course

course *f.* race; cheval de — race horse; — aux armements armament race

court *adj.* short; *adv.* short; tout — simply, only

courtisan *m.* courtier

courtois courteous

coûter to cost

coutume *f.* custom

couvent *m.* convent, monastery

couvert (*p.p. of* couvrir) covered

couvrir to cover

craie *f.* chalk

craindre to fear, be afraid

crainte *f.* fear, dread

crainti-f, -ve fearful, timid

cravate *f.* cravat, necktie

créateur *m.* creator

créa-teur, -trice creative

création *f.* creation, production

créer to create

créole *f.* Creole, West Indian (*a person of French or Spanish descent born in the West Indies; Josephine, first wife of Napoleon I, was born on the island of Martinique*)

creuset *m.* crucible, melting pot

creu-x, -se hollow, empty

Crimée *f.* Crimea (*a peninsula of southern Russia extending into the Black Sea*); **guerre de —** Crimean War

crise *f.* crisis

cristal *m.* crystal

critique *adj.* critical; *n.m.* critic (*a person*); *n.f.* criticism; **un ouvrage de —** a critical work, a work of literary criticism

critiquer to criticize

croire to believe

croisade *f.* crusade

croisé *m.* Crusader

croiser to cross; **se —** to cross each other

croissant growing, increasing

croix *f.* cross

crouler to fall, collapse

croyance *f.* belief

croyant *pres. p. of* **croire: profondément —** having profound faith

cru *p.p. of* **croire;** *adj.* crude, raw, harsh

cruauté *f.* cruelty

cruel, -le cruel

crut, crurent *past def. of* **croire**

crypte *f.* crypt (*underground vault in church*)

cubisme *m.* cubism (*in art*)

cubiste *m.* cubist (*in art*)

cueillir to gather, pick

cuir *m.* leather

cuirasse *f.* breastplate

cuire to be cooked

culminant culminating, highest

culpabilité *f.* guilt

culte *m.* worship, religion

cultiver to cultivate, train

culture *f.* culture, cultivation; *pl.* crops

culturel, -le cultural

cupidité *f.* cupidity, covetousness, greed

curieusement curiously, carefully

curieu-x, -se curious, strange

curiosité *f.* curiosity

cuvier *m.* tub, wash tub

cynique cynical

cyprès *m.* cypress tree

Cythère *f.* Cythera (*in Watteau's painting, the Island of Love*)

D

dactylographie *f.* typewriting

dadaïsme *m.* dadaism (*in art*)

dague *f.* dagger

dais *m.* canopy

dalle *f.* flagstone, slab

dame *f.* lady

Danemark *m.* Denmark

dangereu-x, -se dangerous

Danois *m.* Dane

danse *f.* dance; **— macabre** dance of death

danseur *m.* dancer

danseuse *f.* dancer

dauphin *m.* dauphin, crown prince

davantage more

dé *m.* die (*pl.* dice)

débâcle *f.* downfall, disaster, collapse

débarquer to land, unload

se débarrasser (de) to rid oneself (of), take (off)

débauche *f.* debauch, dissoluteness

débauché *adj.* debauched, dissolute, dissipated; *n.m.* debauched, dissolute *or* dissipated man

débouché *m.* outlet, market, opening

début *m.* beginning

débuter to begin, commence

décembre *m.* December

déception *f.* disappointment, disillusionment

décerner to award, bestow

déchaîner to unchain, loosen, let loose, exasperate

décharge *f.* discharge; **à sa —** in its favor, in its defense
déchirer to tear
déchoir to fall
déchu (*p.p. of* **déchoir**) fallen
décider to decide, persuade; **se —** to be decided, be determined, be settled
décimer to decimate, destroy
décisi-f, -ve decisive
décision *f.* decision, judgment
déclarer to declare, find (*guilty or not guilty*)
déclin *m.* decline
décomposer to decompose
déconcertant disconcerting, confusing
se déconsidérer to fall into discredit, disrepute, *or* disgrace, injure one's reputation
décor *m.* scenery, setting
décorateur *m.* decorator, decorative painter
décorati-f, -ve decorative, ornamental
décoration *f.* decoration, embellishment, ornamentation
décorer to decorate, adorn
découler to flow, proceed, spring
découper to carve, cut up; **se —** (**sur**) to stand out (against), be silhouetted (against), show up (against)
décourager to discourage; **se —** to be *or* become discouraged *or* disheartened
décousu *m.* unconnectedness, looseness
découvert *p.p. of* **découvrir**
découverte *f.* discovery
découvrir to discover
décréter to decree
décrire to describe
dédaigner to disdain, scorn
dédaigneu-x, -se disdainful, scornful
dédain *m.* disdain, scorn

dédier to dedicate
déesse *f.* goddess
défaite *f.* defeat
défaitisme *m.* "defeatism," despair
défaut *m.* defect, fault; **à leur —** in their absence; **au — de ceux-ci** in the absence of the latter
défavorable unfavorable
défection *f.* defection, disloyalty
défendre to defend; forbid, prohibit
défenseur *m.* defender, counsel
défi *m.* defiance, challenge
déficit *m.* deficit
définir to define, determine
définiti-f, -ve definitive, final, decisive
définitivement definitively, decisively
déformer to deform, distort
défricher to clear (*ground for farming*)
dégager to disengage, disentangle, detach
dégénérer to degenerate
degré *m.* degree
déguisement *m.* disguise
dehors *adv.* outside; **en — de** outside of; *n.m.* exterior, outside; **au — outside, abroad
déiste *m.* deist
déjà already
déjeuner *m.* breakfast, lunch; **le — sur l'herbe** the picnic
delà: au — de beyond
délicat delicate, fastidious
délicatesse *f.* delicacy
délicieu-x, -se delicious, delightful
délimiter to fix *or* settle the limits *or* boundaries of
délivrance *f.* deliverance, delivery
délivrer to deliver, free
demande *f.* request
demander to ask, ask for, want, wish

démanteler to dismantle
démembrer to dismember, break up
demeure *f.* residence
demeurer to live, dwell, remain
demi half; **à — half; à —-primitif** half primitive
demi-aventurier *m.* half adventurer, semi-adventurer
demi-folie *f.* half madness
demi-fou (demi-folle) half insane
demi-monde *m.* corrupt society; **Le Demi-monde** *title of play by Alexandre Dumas fils, which portrays the corrupt society of Paris*
demi-siècle *m.* half a century, fifty years
démission *f.* resignation; **donner sa —** to resign
démocratie *f.* democracy
démodé old-fashioned, antiquated
se démoder to get out of style
démontrer to demonstrate, prove
dénoncer to denounce
dentelle *f.* lace
départ *m.* departure
département *m.* department
dépasser to pass, go beyond, exceed, surpass
dépêche *f.* dispatch, telegram
dépeindre to depict, describe, portray
dépens *m.* expense; **aux — de** at the expense *or* cost of
dépense *f.* expense; **—s** *pl.* expenditures
dépenser to spend
dépensi-er, -ère extravagant
dépister to track, hunt out
déplacé misplaced, improper, unbecoming, out of place, out of character
déplacer to displace, move
déplaire to displease
se déployer to spread, extend, stretch
déporter to deport, exile

dépouiller to deprive, strip
depuis *prep.* since, for; *adv.* since, ever since; **— que** *conj.* since
député *m.* deputy, representative
dérèglement *m.* irregularity, dissoluteness, licentiousness, moral misdeed
dérision *f.* derision, mockery
dériver to derive
derni-er, -ère last, latter, latest
déroger to lose caste
derrière *prep.* behind; *adv.* behind; **de —** from behind; **de —** *adj.* hind, back
dès from, as early as; **— que** as soon as
désaccord *m.* disagreement
désagréable disagreeable
désarmement *m.* disarmament
désastre *m.* disaster
désastreu-x, -se disastrous
descendre to descend, come down, dismount, slope
descente *f.* descent, landing
descripti-f, -ve descriptive
désenchantement *m.* disenchantment
désert *m.* desert
déserter to desert
désespéré desperate, hopeless, discouraging, disheartening; **bataille —e** battle fought in desperation
désespoir *m.* despair
désigner to designate, appoint, choose
désintéressé disinterested, unselfish
désoler to afflict, distress, trouble
désordre *m.* disorder
désormais henceforth, henceforward
despote *m.* despot, tyrant
dessécher to dry
dessein *m.* design, project, purpose, scheme

dessin *m.* design, drawing, outline, plan

dessinateur *m.* draftsman

dessiner to design, draw; **se —** to be formed, take shape, stand out

dessus: au- — **de** above, over, upon

destin *m.* destinv, fate

destinée *f.* destiny, fate, career

destiner to destine, fate, doom, design, intend; **se —** to be destined, be intended

se détacher (**de**) to abandon, withdraw support (from), break (with)

déterminer to determine; **déterminé** *p.p.* determined, resolute

détroit *m.* strait

détrôner to dethrone

détruire to destroy

dette *f.* debt; **faire des —s** to run into debt, incur debts

deux two; **tous —, tous les —** both

deuxième second

devant before, in front of, in the presence of

dévaster to devastate, lay waste

développement *m.* development, growth

développer to develop, enlarge, expand; **se —** to expand, grow, unfold

devenir to become

se dévêtir to undress

devint *past def. of* **devenir**

devise *f.* device, motto

dévoiler to unveil, uncover, disclose

devoir to owe, ought, should, must, be obliged to, have to, be to; (*imperf.*) was to, was destined to; (*past def.*) had to; (*cond. perf.*) should have, ought to have

devoir *m.* duty; (*school*) task, assignment, exercise; **croire qu'il**

est du — de quelqu'un de to deem it a duty to, think it incumbent upon one to; **rendre ses —s à** to wait upon

dévôt devout, pious

dévouement *m.* devotion, devotedness

diable *m.* devil

diamant *m.* diamond

dictateur *m.* dictator

dictature *f.* dictatorship

dicter to dictate, order

dictionnaire *m.* dictionary

dicton *m.* saying

Dieu *m.* God

dieu *m.* god, deity, divinity

différencier to differentiate, distinguish

différer to differ, be different

difficile difficult, hard

difficilement with difficulty; **plus —** with less patience

digne worthy

dignité *f.* dignity

Dijonnais *m. inhabitant of Dijon*

dilatation *f.* expansion

dilettante *m.* dilettante

diligence *f.* stagecoach

dimanche *m.* Sunday

diminuer to diminish, decrease

diminution *f.* decrease, lowering

diplomate *m.* diplomat

diplomatie *f.* diplomacy

diplôme *m.* diploma

dire to say, tell, relate, state; **à vrai —** to tell the truth; **vouloir —** to mean, signify; **c'est-à- —** that is to say, that is; **pour ainsi —** so to speak, as it were

directeur *m.* director, manager

Directoire *m.* Directory

dirigeable *m.* dirigible, airship

dirigeant *adj.* directing; *n.m.* director, leader

diriger to direct; **se —** to proceed, direct one's steps

disciple *m.* disciple, follower

discourir to discourse, make speeches

discours *m.* discourse, speech, essay, treatise

discréditer to discredit, bring into discredit *or* disrepute

discr-et, -ète discreet, judicious

discuter to discuss

disgracié out of favor

disparaître to disappear, vanish

disparu *p.p. of* **disparaître**

dispersé dispersed, scattered

se disperser to disperse, scatter

disposer to dispose; — **de** to have at one's disposal, at one's command, for one's use

dispute *f.* dispute, quarrel

disputer to contend for, contest; **se** — to dispute, contend for, strive for

dissension *f.* dissension, disagreement

disséquer to dissect

dissiper to dissipate, disperse, squander, waste

dissoudre to dissolve; **se** — to dissolve, be dissolved

dissous *p.p. of* **dissoudre**

distincti-f, -ve distinctive

distingué distinguished, eminent

distinguer to distinguish

distraction *f.* distraction, diversion, amusement, recreation

dit (*p.p. of* **dire**) called, surnamed

divagation *f.* rambling, wandering

divers diverse, varied

divertissement *m.* amusement, recreation, entertainment

divin divine

diviser to divide

dix ten; **dixième** tenth

dix-huit eighteen; **dix-huitième** eighteenth

dix-neuf nineteen; **dix-neuvième** nineteenth

dix-sept seventeen; **dix-septième** seventeenth

docteur *m.* doctor; — **en théologie** doctor of theology

doctrinaire *m.* theorist

document *m.* document, fact

documentaire documentary, factual

dogme *m.* dogma, principle

domaine *m.* domain, estate

domestique domestic, homelike

domination *f.* domination, dominion, government

dominer to dominate, command, rule (over), prevail

dommage *m.* damage

don *m.* gift, present, donation; knack

donc then, therefore, consequently

donjon *m.* donjon, dungeon, castle

donner to give, bear, produce, yield

dont whose, of *or* from whom, of *or* from which

Dordogne *f. formerly a region, now a department, of southwestern France*

dorer to gild; **doré** *p.p.* golden

dormir to sleep

dortoir *m.* dormitory

dorure *f.* gilding

douane *f.* customhouse

douanier *m.* customs officer

douani-er, -ère of customs; **ville douanière** town where customs (taxes) are paid

doubler to double, line (**de** with)

doucement gently, smoothly

douceur *f.* gentleness, sweetness, agreeableness, pleasure

doué endowed

douleur *f.* sorrow, suffering

douloureu-x, -se painful, grievous, woeful

doute *m.* doubt; **sans** — probably; **sans aucun** — doubtless, without doubt, without a question; **mettre en** — to doubt, question, call in question

douter to doubt; **se —** (**de**) to suspect

dou-x, -ce gentle, soft, sweet, mild, pleasant

douzaine *f.* dozen

douze twelve; **douzième** twelfth

dramatique dramatic; **auteur —** dramatist, playwright

dramaturge *m.* dramatist, playwright

drame *m.* drama

drap *m.* cloth

drapeau *m.* flag

drapier *m.* cloth merchant

drastique drastic

dresser to erect, raise; **se —** to stand, arise, rise up

Dreyfusard *m.* Dreyfus partisan, supporter of Dreyfus

droit *adj.* straight, right; *n.m.* right, claim, law

dû (*f.* **due**) *p.p. of* **devoir;** due

duc *m.* duke

duché *m.* duchy

duchesse *f.* duchess

duperie *f.* dupery, trickery

dur *adj.* hard, harsh; *adv.* hard

durable durable, lasting

durée *f.* duration

durement hard, with difficulty

durent (*past. def. of* **devoir**) had to, were obliged to

durer to endure, last

dut (*past def. of* **devoir**) had to, was obliged to

dynamique dynamic

dynastie *f.* dynasty, family line (*of kings*)

E

eau *f.* water; **cours d'—** river, stream; **pièce d'—** sheet of water, artificial lake

ébauche *f.* rough draft, drawing, sketch

ébéniste *m.* cabinetmaker, woodworker

éblouissant dazzling, brilliant

ébranler to shake, unsettle

écart *m.* spread; **à l'—** apart, aside

écarter to turn away, keep away, separate

ecclésiastique *adj.* ecclesiastical; *n.m.* ecclesiastic, clergyman

échafaud *m.* scaffold

échange *m.* exchange; **en — de** in exchange for, in return for

échanger (**contre**) exchange (for)

échapper to escape; **s'—** to escape, make one's escape

échéant *see* **échoir**

échec *m.* check, defeat, failure

échoir to become due; **le cas échéant** if the occasion should occur, if the occasion should require it

échouer to fail

éclairage *m.* lighting

éclairé enlightened

éclairer to give light to, illuminate, hold a light, throw light

éclat *m.* burst, outburst, explosion, rupture, brilliancy, brightness, splendor

éclatant brilliant, dazzling, striking

éclater to break out, break forth

école *f.* school

écolier *m.* pupil, student

économe economical, thrifty

économie *f.* economy

économique economic

économiquement economically

économiste *m.* economist

écossais Scotch

Écossaise *f.* Scotswoman

Écosse *f.* Scotland

s'écouler to elapse, pass (*of time*)

écouter to listen to, attend to

s'écrier to exclaim, cry out

écrin *m.* jewel box, setting

écrire to write

écrivain *m.* writer

s'écrouler to fall to pieces, collapse

écueil *m.* rock, reef

édifiant edifying

édifice *m.* edifice, building

édit *m.* edict, decree

Édouard Edward

éducateur *m.* educator

effacer to erase, obliterate, blot out; **s'—** to become obliterated, die out

effectuer to carry into effect, execute, bring about

effet *m.* effect; **à cet —** for this (that) purpose; **en —** in effect, indeed, in fact

efficace efficient

efficacement efficiently

efficacité *f.* efficiency

s'efforcer (de) to endeavor, try, make an effort, strive

effrayé frightened, afraid

effrayer to frighten; **s'—** to be frightened

effréné unrestrained, ungovernable

effroi *m.* fright, dismay

égal (*m.pl.* **égaux**) *adj.* equal; *n.m.* equal

également equally, also, likewise

égaler to equal, be the equal of, come up to, measure up to

égalitaire based on equality *or* on equal rights

égalité *f.* equality

égard *m.* regard; **à cet —** in this (that) respect; **à beaucoup d'—s, à bien des —s** in many respects; **à certains —s** in certain respects

église *f.* church; **homme d'—** churchman, clergyman, cleric; **l'Église** the Church (*Catholic*)

égoïsme *m.* egoism, selfishness

égoïste egoistic, selfish

Égypte *f.* Egypt

égyptien, -ne Egyptian

élaborer to elaborate, work out

élan *m.* enthusiasm (**pour** toward, in regard to)

s'élancer to dash, rush, spring forward, rise, soar

élargir to enlarge, widen

électeur *m.* elector, voter

électi-f, -ve elective

élégant elegant, fashionable

élégie *f.* elegy

élémentaire elementary

élevage *m.* cattle-raising

élève *m.* pupil, student

élevé high

élever to raise, build, erect, bring up; **s'—** to rise, spring up, be started

élire to elect

élite *f.* elite, select few

éloge *m.* praise

éloigné distant, far, remote, away; **peu — de** not far from

s'éloigner to withdraw, turn away (from), dislike

élu (*p.p. of* **élire**) elected; *n.m.* person elected

émail (*pl.* **émaux**) *m.* enamel

embarquement *m.* embarkation

embellir to embellish, beautify; **s'—** to become, get, *or* grow beautiful

emblème *m.* emblem

émettre to emit, give out, send forth

émeute *f.* riot

émigrant *m.* emigrant

émigré *m.* emigrant; émigré (*royalist fugitive*)

émigrer to emigrate

éminent eminent, distinguished

emmener to take away

émouvant moving, stirring

émouvoir to move, stir, touch; **s'—** to be excited, roused, stirred up

s'emparer (de) to take possession of, seize

empêcher to prevent, hinder; **s'—** to keep from, help

empereur *m.* emperor

empiler to pile, pile up

empire *m.* empire; **Saint Empire Romain** Holy Roman Empire

emplacement *m.* site, situation

emploi *m.* employment, use

employé *m.* employee

employer to employ, use

empoisonner to poison

emporter to carry away, take away; **l'— (sur)** to prevail, be victorious, win (over), triumph (over)

emprisonnement *m.* imprisonment

emprisonner to imprison

emprunt *m.* borrowing

emprunter to borrow

émulation *f.* emulation, rivalry

émut *p. def. of* **émouvoir**

en *prep.* in, while, by

encadrer to frame, encircle

encercler to encircle

enchanter to enchant, charm, delight

encombrer to encumber, clutter up

encore still, again, yet, even; **— de** more

encyclopédie *f.* encyclopedia

endosser to put on

endroit *m.* place

Énée *m.* Aeneas (*hero of Virgil's Aeneid*)

énergie *f.* energy, strength

énergique energetic

enfance *f.* childhood

enfant *m. and f.* child; **— trouvé** foundling; **Molière —** Molière as a *or* when a child

enfer *m.* hell

enfermer to shut up, confine, imprison

enfin at last, finally

enfoncer to plunge, sink, thrust

enfouir to bury

s'enfuir to flee, run away, run off

engager to engage, induce; **s'—** to begin, commence

englober to unite (*form into one*)

engrais *m.* fertilizer

s'enivrer to be *or* get intoxicated

enjeu *m.* stake

enlèvement *m.* abduction, kidnaping, capture, carrying away

enlever to raise, lift, take away, rescue (**à** from)

ennemi *adj.* enemy, hostile; *n.m.* enemy

ennoblir to ennoble, dignify

ennui *m.* boredom, tediousness, weariness

ennuyeu-x, -se boring, boresome, tedious, tiresome

énoncer to express, state, set forth

s'enorgueillir to be proud of

énorme enormous, huge

enragé (*of animals*) rabid, mad

enrichir to enrich, adorn, embellish; **s'—** to enrich oneself, get *or* grow rich, thrive

enrichissement *m.* enrichment

ensanglanter to make bloody, stain with blood

enseigne *f.* ensign, flag, sign, signboard

enseignement *m.* instruction, teaching, education

enseigner to teach

ensemble *adv.* together; *n.m.* ensemble, whole

ensevelir to bury, inter

ensoleillé sunny

ensuite next, afterwards, then

entendre to hear, listen to, understand

entendu *p.p. of* **entendre: bien —** of course

entente *f.* understanding, agreement

enterrement *m.* burial

enterrer to bury

enthousiasme *m.* enthusiasm

enthousiasmer to render enthusiastic, enrapture

enthousiaste enthusiastic

ent-ier, -ière entire

entièrement entirely, wholly

entourer to surround

entraîner to carry away, drag down, involve

entraver to hinder, impede

entraves *f.pl.* obstacle

entre among, between

entrecouper to interrupt, break

entrée *f.* entrance

entreprendre to undertake

entreprise *f.* undertaking, enterprise

entrer to enter; — en guerre to go to war

entretenir to maintain, support, keep up

s'entre-tuer to kill each other *or* one another

énumérer to enumerate

envahir to invade

envahisseur *m.* invader

envelopper to envelop, wrap up

envers toward

enviable enviable, to be envied

envier to envy

environ about

environnant surrounding

environs: aux — de about, in the neighborhood of

envisager to regard, look upon, consider

envoi *m.* sending

envolée *f.* flight, ascent

envoyé *m.* envoy

envoyer to send

épais, -se thick

épaisseur *f.* thickness; avoir (2) mètres d'— to be (2) meters thick

s'épanouir to bloom

épargner to save, spare

épars dispersed, scattered

épée *f.* sword

éperdu distracted, desperate

épice *f.* spice; *pl.* judges' fees

épingle *f.* pin; tête d'— pinhead

épique epic

épopée *f.* epic (*poem*)

époque *f.* epoch, period

épouse *f.* wife

épouser to marry

épouvantable dreadful, frightful

épouvanter to frighten

s'éprendre (de) to fall in love (with); *p.p.* épris fond (of), infatuated (with), in love (with)

épreuve *f.* proof, test, trial, ordeal; à toute — faithful, unshaken, lasting, overcoming all difficulties

épris *p.p. of* éprendre

éprouver to test

épuiser to exhaust

équatorial equatorial

équilibre *m.* equilibrium, balance of power

équitable equitable, fair, just

équité *f.* equity, fairness, justice

Érasme Erasmus (*1466–1536, Dutch scholar, the greatest humanist of the Renaissance*)

ère *f.* era, epoch, age

errant wandering

erreur *f.* error, mistake

érudit *adj.* erudite, learned; *n.m.* scholar

érudition *f.* erudition, learning

escalier *m.* staircase

esclavage *m.* slavery

esclave *m. and f.* slave

espace *m.* space

Espagne *f.* Spain

espagnol *adj.* Spanish; *n.m.* Spanish (*language*)

Espagnol *m.* Spaniard

espèce *f.* species

espérance *f.* hope

espérer to hope

espion *m.* spy

espoir *m.* hope
esprit *m.* spirit, mind, wit
esquisse *f.* sketch
esquisser to sketch
essai *m.* essay; attempt
essayer to try
essence *f.* gasoline
essentiel, -le essential
essentiellement essentially
essor *m.* soaring; **donner — à** to give wings to, give an impulse to, start, launch
est *m.* east
estampe *f.* print, engraving
estime *f.* esteem
estimer to esteem, consider, think
estrade *f.* platform, stage
établir to establish; **s'—** to be established, fix one's residence, settle
établissement *m.* establishment, institution
étaler to display, show
étang *m.* pond
état *m.* state, condition, position, business; **homme d'—** statesman; **coup d'—** coup d'état (*sudden change in government by force*); **tiers —** third estate (*common people as distinguished from clergy and nobility*); **les —s =** États-Généraux
état-major *m.* staff
États-Généraux *m.pl.* States-General (*assembly of representatives of clergy, nobility, and common people*)
États-Unis *m.pl.* United States
été *m.* summer
s'éteindre to go out, die away, die out, become extinct
étendre to stretch, spread; **s'—** to extend, stretch, spread
étendu extensive
étendue *f.* extent
éternité *f.* eternity
étincelant glittering, sparkling

étincelle *f.* spark
étiquette *f.* etiquette
étoffe *f.* cloth, fabric
étoile *f.* star
étonnant astonishing
étonner to astonish, be astonishing, amaze; **s'—** to be astonished, be amazed
étouffer to choke, smother, hush up, quell, suppress
étrange strange
étrang-er, -ère foreign
étranger *m.* stranger, foreigner; foreign country; **à l'—** abroad; **de l'—** from abroad
être to be, exist; **s'en —** to go away, go off; **il en est ainsi** so it is, it is so
être *m.* being, person; *pl.* people
étroit narrow, close
étroitement narrowly, closely
étroitesse *f.* narrowness
étrusque Etruscan
étude *f.* study; **faire ses —s** to carry on *or* pursue studies, be a student, study
étudiant *m.* student
étudier to study
eu *p.p. of* **avoir**
euphuïsme *m.* euphuism (*artificial elegance of language*)
Euripide Euripides (*Greek writer of tragedies, 484–407 B.C.*)
européen, -ne European; *n.m.* European
évacuer to evacuate
Ève Eve
éveil: en — awake, alert
éveiller to awake, rouse; **s'—** to wake up, awake
événement *m.* event
évêque *m.* bishop
évidemment evidently, obviously
éviter to avoid
évocat-eur, -rice evocative
évocation *f.* evocation, vision
évoluer to evolve, be transformed

évoquer to evoke, conjure up

exactitude *f.* exactness, accuracy, correctness

exagération *f.* exaggeration

exagéré exaggerated

exagérer to exaggerate

exalter to exalt, extol, glorify

examen *m.* examination

examiner to examine, inspect

exaspérer to exasperate

excellence *f.* excellence; **par —** predominant, preeminent

exceller to excel

exception *f.* exception; **à l'— de** with the exception of, except, excepting; **loi d'—** special law, emergency law

exceptionnel, -le exceptional

excès *m.* excess

excitation *f.* excitement

exclure to exclude

exclusivement exclusively

exécuter to execute, accomplish, fulfill, make

exécuti-f, -ve executive

exemple *m.* example; **par —** for example, for instance

exercer to exercise; *p.p.* **exercé** experienced; **s'—** to exercise, practice

exercice *m.* exercise

exigence *f.* exigency, demand

exiger to demand, require

exil *m.* exile

exilé *m.* exile

exiler to exile

exister to exist

exotique exotic

expédier to dispatch, forward, send

expérience *f.* experience, experiment

expérimentateur *m.* experimenter

explication *f.* explanation

expliquer to explain

exploit *m.* exploit, deed, achievement

exploitation *f.* exploitation, cultivation, improvement

exploiter to exploit, take advantage of, work

explorateur *m.* explorer

exposé *m.* account

exposer to expose, exhibit, explain, expound, set forth; (*of the dead*) to lay in state; **s'—** to expose oneself

exprimer to express; **s'—** to express oneself, be expressed

exquis exquisite

extase *f.* ecstasy, rapture

extérieur *adj.* exterior, foreign; *n.m.* exterior, outside; **à l'—** on the outside, abroad

externe *m.* day student

extraire to extract, dig

extraordinaire extraordinary

extraordinairement extraordinarily

extrême *adj. and n.m.* extreme; **à l'—** to an extreme, extremely

extrémiste *m.* extremist

extrémité *f.* extremity, end, extreme, excess

F

fabliau *m.* fabliau (*story in verse*)

fabrication *f.* manufacture

fabriquer to manufacture

fabuliste *m.* fabulist, writer of fables

façade *f.* façade, front

face *f.* face; **en — de** opposite; **in** opposition to, confronting

fâcheu-x, -se grievous, disagreeable, unpleasant, regrettable, unfavorable

facile easy

facilement easily

facilité *f.* facility, fluency, ease

faciliter to facilitate, make *or* render easy

façon *f.* manner, way, fashion; **à sa —** in one's own way; **de**

telle — que in such a manner that

facteur *m.* factor

faculté *f.* faculty, ability, power; (*of a university*) school, division

faible feeble, weak

faiblesse *f.* feebleness, weakness

faillite *f.* bankruptcy; **faire —** to be bankrupt, fail

faire to do, make, cause, have; **— le roi** to act like a king; **se —** to be done, become, be carried on; **comment fait-elle** how does she act, what does she do

fait *m.* fact, deed; **de —** in fact, indeed; **en —** in fact, indeed; **de ce —** in this way, by so doing; **— accompli** accomplished fact

fait-divers *m.* incident, occurrence, happening, news item

falaise *f.* cliff

falloir to be necessary, must, need, require; **il lui faut** he needs, he must have; **il ne faut pas** one must not, one should not

falsifier to falsify, alter

fameu-x, -se famous

familial family

se familiariser to become, get, *or* grow familiar

famili-er, -ère familiar, homelike

famille *f.* family

fanatique *adj. and n.m.* fanatic

fanatisme *m.* fanaticism

fantaisie *f.* fancy, imagination

fantastique fantastic

fardeau *m.* burden, load

farouche fierce, wild

faste *m.* pomp, magnificence, pageantry

fatal fatal, inevitable

fatalement fatally, inevitably

fatalité *f.* fatality, fate, destiny

fatigant fatiguing, tiresome, wearisome

fatigué tired

fatiguer to tire, weary; **se — de** to become tired of

faubourg *m.* quarter, suburb

faucon *m.* falcon

faussement falsely

fausser to bend, pervert, warp

faute *f.* fault, error, mistake

fauteuil *m.* armchair

fauve *adj.* tawny; *n.m.* wild animal

fau-x, -sse false

faveur *f.* favor

favori, -te *adj.* favorite; *n.m. and f.* favorite

favoriser to favor, aid, assist

fée *f.* fairy

féliciter to congratulate

femelle *f.* female

femme *f.* woman, wife; **— -auteur** woman writer

fenêtre *f.* window

féodal feudal

féodalité *f.* feudalism

fer *m.* iron

ferme *adj.* firm

ferme *n.f.* farm, farmhouse

fermer to close, shut

fermeté *f.* firmness, steadiness

fermier *m.* farmer, tenant; **— général** farmer general (*tax collector*)

ferré: voie —e *f.* railroad

ferveur *f.* fervor

feston *m.* festoon

fête *f.* fete, entertainment, celebration, party, social affair

feu *adj.* late, deceased

feu *m.* fire

feuille *f.* leaf, sheet, newspaper, journal

feuillée *f.* arbor, bower

février *m.* February

ficti-f, -ve fictitious

fidèle *adj.* faithful, loyal, true

fidèle *m.* adherent, follower

fidélité *f.* fidelity, faithfulness

fief *m.* fief (*feudal estate*)

fi-er, -ère proud

fierté *f.* pride

fièvre *f.* fever

fiévreu-x, -se feverish

figure *f.* figure, personage; **faire piètre —** (**de**) to make a poor *or* sorry appearance

figurer to appear, stand

fil *m.* thread, wire

fille *f.* girl, daughter; **jeune —** girl

fils *m.* son; **— de France** royal son, prince

fin *adj.* fine, delicate, keen, penetrating, shrewd

fin *f.* end, close, conclusion; **en — de compte** *see* **compte**; **sans —** endless, endlessly; **mettre — à** to put an end to

finalement finally

finances *f.pl.* finances, revenues

financi-er, -ère financial

financier *m.* financier

finement finely, delicately, subtly

finesse *f.* acuteness, sharpness, keenness, shrewdness, cunning

finir to finish; **— par** to do (*something*) finally, in the end

fixement fixedly

fixer to fix, arrange, determine, settle, set down, give form *or* stability to

flamand Flemish

Flamand *m.* Fleming

flambeau *m.* torch

Flandre(**s**) *f.s. or pl.* Flanders

flanquer to flank

flatter to flatter, charm, delight, please

flatteu-r, -se flattering

flatteur *m.* flatterer

fléau *m.* scourge

fleur *f.* flower; **en —** in bloom

fleurir to bloom, blossom; flourish

fleuve *m.* river

Florence *f. city in Italy*

florentin Florentine (*pertaining to city of Florence*)

Floride *f.* Florida

florissant flourishing

flot *m.* wave

flottant floating, flowing

flotte *f.* fleet

flotter to float

fluor *m.* fluorine (*chemistry*)

foi *f.* faith

foie *m.* liver

foire *f.* fair

fois *f.* time; **une —** once; **à la —** at the same time

fol *see* **fou**

folie *f.* folly, madness, foolishness, mania, passion

fomenter to foment, stir up

fonction *f.* function; *pl.* functions, duties, office

fonctionnaire *m.* officer, office-holder

fonctionner to operate, run, work

fond *m.* back, bottom, end, depth, matter, background, subject; **au —** at bottom, in the main, all in all; **de — en comble** from top to bottom

fondamental fundamental

fondamentalement fundamentally

fondateur *m.* founder

fondation *f.* foundation, creation, establishment

fonder to found, establish, institute

se fondre to blend

fonds *m.* fund; *pl.* funds, cash, money

fontaine *f.* fountain, spring

force *f.* force, strength; **à bout de —** exhausted; **tour de —** accomplishment, achievement

forcer to force, compel, oblige

forêt *f.* forest

formation *f.* formation, character

forme *f.* form, shape

former to form, constitute, make, mold, compose, train; **se —** to be formed

formule *f.* formula

formuler to formulate, draw up

fort *adj.* strong; *adv.* much, very, greatly, a great deal

fortement strongly, greatly, very much, vigorously

forteresse *f.* fortress

fortifier to fortify, strengthen, confirm

fossé *m.* ditch, moat

fossile *m.* fossil

fou (fol), folle foolish, crazy, insane, senseless, extravagant, passionate; — **de** fond of

foudre *f.* lightning

fouiller to excavate, dig

foule *f.* crowd; **en** — in a crowd, in crowds

four *m.* oven

Fouriérisme *m. system of the socialist Fourier*

fournir to furnish, provide, supply

fourrure *f.* fur

foyer *m.* hearth, home, center

fraction *f.* fraction, part, portion

fraîcheur *f.* freshness, brilliancy

frais, fraîche fresh, cool

frais *m.pl.* expense, cost, expenses

franc *m.* franc (*unit of French money; before 1920, worth about 20 cents, later stabilized at 4 cents*)

Franc *m.* Frank

français French; **à la** —**e** in French style

français *m.* French (*language*)

Français *m.* Frenchman

franchement frankly, sincerely

franchise *f.* frankness, sincerity

francien *m. dialect of the Île-de-France*

franco-italien Franco-Italian, French and Italian

franco-normand Franco-Norman

franco-prussien Franco-Prussian

franco-russe French and Russian

frappant striking, impressive

frapper to strike, impress, make an impression

fraternité *f.* fraternity

fratricide fratricidal

frayeur *f.* fright, fear, terror

Frédéric Frederick

frein *m.* check, curb, control, restraint

frêle frail, delicate

frémir to shudder

fréquenter to frequent, attend, associate with; **lieu fréquenté** frequented *or* popular place *or* spot; **lieu fort fréquenté** place *or* spot very much frequented, very popular place

frère *m.* brother

fresque *f.* fresco

frisson *m.* shudder, thrill

frivole frivolous

froid *adj.* cold; *n.m.* cold; **faire** — to be cold (*of temperature*)

froidement coldly

frontière *f.* frontier, border

fronton *m.* pediment

fructueu-x, -se fruitful, fertile

fruiti-er, -ère fruit; **arbre fruitier** fruit tree

fuchsien, -ne Fuchsian

fugiti-f, -ve fugitive, fleeting, transitory

fugitif *m.* fugitive

fuir to flee, take flight, pass away; flee from, avoid, shun

fuite *f.* flight

fumée *f.* smoke

funèbre funeral

furent *past def. of* **être**

furieu-x, -se furious

fusil *m.* gun

fusiller to shoot

fusion *f.* fusion, blending

fut *past def. of* **être**

futile futile, trivial

futur future

G

gagner to gain, earn, get

gai gay, cheerful, pleasant

gaieté *f.* gaiety, cheerfulness, liveliness

gaîté *same as* **gaieté**

gala *m.* gala; *see also* **habit**

galamment gallantly

galant gallant

galères *f.pl.* galleys (*formerly punishment for criminals*)

galerie *f.* gallery, hall, arcade

Galles: le pays de — Wales

gallium *m.* gallium (*an element*)

gallo-romain Gallo-Roman

gant *m.* glove

garantie *f.* guarantee

garantir to guarantee

garçon *m.* boy

garde *f.* guard; **prendre — (à)** to be careful (of), beware (of), pay attention (to)

garder to guard, keep, watch, tend; *see also* **rancune**

garde-robe *f.* wardrobe; **maître de —** master of the wardrobe; **valet de —** valet of the wardrobe

Garonne *f.* *river in southwestern France*

gâter to spoil; **se —** to become *or* get spoiled

gauche *adj.* left; *n.f.* left hand, left side, left; **de —** left wing, radical

Gaule *f.* Gaul

gaulois Gallic

Gaulois *m.* Gaul

gaz *m.* gas

gazon *m.* grass, turf

géant *m.* giant; *adj.* gigantic

gelée *f.* frost

geler to freeze

gendarme *m.* gendarme (*policeman*)

gendre *m.* son-in-law

gêne *f.* trouble, embarrassment; **sans —** unconstrained, unrestrained, unceremonious, free and easy

général *adj.* general; *n.m.* general;

en — in general, generally, on the whole

généralissime *m.* generalissimo, commander-in-chief

généreu-x, -se generous, noble

générosité *f.* generosity, liberality

Gênes Genoa (*city in Italy*)

Genève Geneva (*city in Switzerland*)

genevois *adj.* of Geneva

Genevois *m.* *native of Geneva*

génie *m.* genius; engineering

genre *m.* kind, sort, species, style; (*literature*) type

gens *m. or f. pl.* people; **jeunes —** young people, young persons, young men; **petites —** humble people, humble folk

gentilhomme *m.* nobleman

gentilhommière *f.* country seat, country residence (*of a nobleman*)

géographie *f.* geography

géographique geographical

géologiquement geologically

géométrie *f.* geometry

géométrique geometrical

Germanie *f.* Germany

germanique Germanic

germaniser to Germanize

germe *m.* germ

geste *m.* gesture, action, deed; *f.* deed, exploit; **chanson de —** epic poem

gibier *m.* game (*animals*)

Gironde *f.* Gironde (*political party in French Revolution*)

girondin *m.* Girondist, Girondin (*member of the Gironde*)

gisant *m.* reclining figure (*statuary*)

glace *f.* mirror

glacial frigid, cold, icy

gladiateur *m.* gladiator

gloire *f.* glory; **faire la — de** to be the glory of

glorieu-x, -se glorious, conceited, proud, vainglorious; **les Trois Glorieuses** *the three days of the Revolution of 1830, July 28, 29, 30*

glorifier to glorify
gothique Gothic
goût *m.* taste, liking
gouvernement *m.* government
gouverner to govern, rule
gouverneur *m.* governor
Graal *m.* Grail
grâce *f.* grace, gracefulness; — **à** thanks to, due to; **sans** — graceless, ungraceful
gracieu-x, -se graceful
graduel, -le gradual
graduellement gradually
grammaire *f.* grammar
grand *adj.* great, large, big, main; *n.m.* grandee, nobleman; **en** — on a large scale
Grande-Bretagne *f.* Great Britain
grandeur *f.* grandeur, greatness, importance
grandiose grand
grandir to grow, increase, grow up, spring up, grow large
grand-père *m.* grandfather
grand-prêtre *m.* high priest
granit *m.* granite
gras, -se fat; **corps** — *m.pl.* fats
gratuit free, free of cost
grave grave, serious
graver to engrave
gravité *f.* gravity, seriousness, sedateness
gravure *f.* engraving
gré *m.* will; **de son plein** — of one's free will, willingly
grec, -que Greek; *n.m.* Greek (*language*)
Grèce *f.* Greece
gréco-romain Greco-Roman
grenadier *m.* grenadier (*soldier*)
grenier *m.* granary, attic
grève *f.* strike (*of workmen*), striking
grille *f.* grating; — **de jardin** garden fence
grimace *f.* grimace, affectation
gris *adj. and n.m.* gray
gros, -se large, great, fat

grossi-er, -ère coarse, crude, indecent, rough
grossir to become, get, *or* grow large
grotesque *adj. and n.m.* grotesque
grotte *f.* grotto, cave
groupe *m.* group
groupement *m.* grouping
grouper to group; **se** — to form a group, cluster
guère: ne . . . — scarcely, hardly
guérilla *f.* guerrilla (*small army*); **guerre de** — guerrilla warfare (*waged by small scattered bodies of troops*)
guérir to cure
guérison *f.* cure
guerre *f.* war; **entrer en** — to go to war; **la première** — **mondiale** the First World War (1914–1918)
guerri-er, -ère warlike, martial
guerrier *m.* warrior, soldier
guetteur *m.* watcher, lookout, sentinel
guider to guide, lead
guilde *f.* guild
Guillaume William
guillotine *f.* guillotine
guillotiner to guillotine
guillotineur *m.* guillotiner
Guyenne *f.* Guienne (*province in southwestern France*)

H

habile clever, skillful
habilement cleverly, skillfully
habileté *f.* cleverness, skill
habillement *m.* clothing, attire
habiller to clothe, dress; **s'** — to dress
habit *m.* garment, suit; — **de gala** full dress, court dress
habitable inhabitable
habitant *m.* inhabitant
habiter to inhabit, dwell (in), reside (in)

habitude *f.* habit
habitué *m.* frequenter
habituer to accustom, habituate
haine *f.* hatred
haïr to hate
hâlé sunburned, tanned, swarthy
halle *f.* market
Hambourg Hamburg (*city in Germany*)
hardi bold
harmonie *f.* harmony
harmonieu-x, -se harmonious, musical
s'harmoniser to harmonize, be in harmony (with)
hasard *m.* hazard, chance; **par —** by chance; **au — de quelques promenades** by a few haphazard (random) walks (drives); **au — des rues** at random through the streets
hâtivement hastily
haut *adj.* high, tall, upper, eminent; *n.m.* height, top; **avoir (100) mètres de —** to be (100) meters high (tall); **tout en — de** at the very summit (top) of; **le — moyen âge** the early Middle Ages, the Dark Ages (*7th to 10th centuries inclusive*)
hautain haughty
hautement highly
hauteur *f.* height
hébreu *m.* Hebrew (*language*)
hécatombe *f.* hecatomb, slaughter
hectare *m.* hectare (*2 acres*)
hégémonie *f.* hegemony, control, leadership, rule
herbe *f.* grass
Hercule Hercules
héréditaire hereditary
hérédité *f.* heredity, inheritance, hereditary transmission
hérétique *adj.* heretical; *n.m.* heretic
héritage *m.* inheritance
hériter to inherit

héritier *m.* heir
héritière *f.* heiress
hermine *f.* ermine (*fur*)
hermite *m.* hermit
héroïne *f.* heroine
héroïque heroic
héros *m.* hero
hésitant hesitating, undecided
hésiter to hesitate
heure *f.* hour; **à toute —** at all hours, at all times; **de bonne —** early, soon
heureusement happily, fortunately
heureu-x, -se happy, glad, fortunate, lucky, favorable, excellent
hiatus *m.* hiatus (*pause between two separately pronounced vowels*)
hindou Hindu
Hippocrate Hippocrates (*Greek doctor of 5th century* B.C., *called the "Father of Medicine"*)
histoire *f.* history, story
historien *m.* historian
historique historical
historiquement historically
hiver *m.* winter
hollandais Dutch
Hollande *f.* Holland
holocauste *m.* holocaust, sacrifice
homme *m.* man; **— du monde** man of the world
honnête honest
honneur *m.* honor; **dame d'—** maid of honor; **être à l'—** to be in favor, have an honorable place, hold a distinguished place
honorer to honor
honorifique honorary
honte *f.* shame; **avoir — (de)** to be ashamed (of)
honteusement shamefully, scandalously
hôpital *m.* hospital
Horace Horace (*Latin poet, writer of satires, odes, and epistles 65–8* B.C.*); also title of play by Corneille*

horreur *f.* horror
hors de out of
hostile hostile, inimical
hostilité *f.* hostility, enmity
hôtel *m.* mansion, house (*large*), residence; — **de ville** city hall
huile *f.* oil
huissier *m.* usher
huit eight
huitième eighth
humain human
s'humaniser to become humanized, become softened
humanisme *m.* humanism
humaniste *m.* humanist
humanitaire humanitarian
humanité *f.* humanity, mankind
humide damp, wet
humilier to humiliate; **s'—** to humble oneself
humoristique facetious
humour *m.* good humor
hurler to howl
hutte *f.* hut
hydraulique hydraulic
hypocrisie *f.* hypocrisy
hypocrite hypocritical
hypothèse *f.* hypothesis
hystérie *f.* hysteria

I

Ibère *m.* Iberian
idée *f.* idea; **se faire une —** to have *or* form an idea
idole *f.* idol
Iéna Jena (*city in Germany; site of one of Napoleon's great victories*)
ignorer to be ignorant of, not to know; ignore
île *f.* island
Île de la Cité *name of island in Seine at Paris*
illégitime illegitimate, unlawful, unjust
illettré illiterate
illimité unlimited, unbounded

illustre illustrious
image *f.* image, picture
imagé figurative, full of imagery
imagier *m.* image-maker, sculptor
imaginer to imagine
imitateur *m.* imitator
imiter to imitate
immatériel, -le immaterial
immédiat immediate, easily apparent
immédiatement immediately
immeuble *m.* business building, business structure
immoraliste *m.* immoralist
immoralité *f.* immorality
immortaliser to immortalize
immortel, -le immortal
impartialité *f.* impartiality
impasse *f.* impasse (*place with no outlet*)
impassible impassive, unmoved
s'impatienter to become, get, *or* grow impatient
impeccable impeccable, perfect, flawless
impératrice *f.* empress
impersonnalité *f.* impersonality
impersonnel, -le impersonal
impitoyable pitiless, merciless, unsparing
implorer to implore, beseech, entreat
impopulaire unpopular
imposant imposing, impressive
imposer to impose, force (**à** on, upon)
impôt *m.* tax
imprécis obscure
imprenable impregnable
impressionnisme *m.* impressionism
impressionniste *m.* impressionist
impressionniste *adj.* impressionistic
imprévu unforeseen, unexpected
imprimer to print
imprimerie *f.* printing
imprimeur *m.* printer

improvisateur *m.* improviser, extemporizer

improvisé improvised, extemporary

improviste: à l'— unexpectedly, suddenly

impuissant impotent, powerless

impulsi-f, -ve impulsive

impulsion *f.* impulse

inattendu unexpected

incapable incapable, unable

incendie *f.* fire

incident *m.* incident, occurrence, episode, affair

incohérent incoherent

incommode inconvenient

incompatible incompatible, inconsistent

incompl-et, -ète incomplete

incompréhension *f.* lack of comprehension

incompris not understood

inconnu unknown

inconscient *adj.* unconscious; *n.m.* subconsciousness

inconsolable inconsolable, disconsolate

incontesté uncontested, unquestioned

incorporer to incorporate

inculquer to inculcate, instill, implant

inculte uncultivated

Inde *f.* India; **—s** (*pl.*) India

indécence *f.* indecency

indécent indecent, improper

indéfiniment indefinitely

indemnité *f.* indemnity

Indes *see* **Inde**

indication *f.* indication, information

Indien *m.* Indian

indigène *adj. and n. m. and f.* native

indigne unworthy

s'indigner to be indignant

indiquer to indicate, state

indirectement indirectly

indiscipliné undisciplined

individu *m.* individual

individualiste individualistic

Indochine *f.* Indo-China

indo-chinois Indo-Chinese

indolent indolent, sluggish

indulgent indulgent, easygoing, mild

industrie *f.* industry, manufacturing; skill

industriel, -le industrial, manufacturing

industriel *m.* manufacturer

industrieu-x, -se industrial, manufacturing

inégal unequal, uneven

inerte inert, inactive

inévitable inevitable, unavoidable

inexcusable inexcusable, indefensible

inexprimable inexpressible

infaillibilité *f.* infallibility

infâme infamous

infanterie *f.* infantry

inférieur inferior

infester to infest, overrun

infini infinite

infiniment infinitely

infinitésimal infinitesimal

infirme infirm, feeble, weak

infliger to inflict

influent influential

informe shapeless

ingénieur *m.* engineer

inhabitable uninhabitable

inique iniquitous

iniquité *f.* iniquity, evilness

injuste unjust

inné innate

innombrable innumerable, numberless

inorganique inorganic

inouï unheard of

inqui-et, -ète anxious, restless, uneasy, worried

inquiétant disquieting

inquiéter to annoy, disturb, molest, make *or* render uneasy; **s'—** to be *or* become anxious *or* worried

inquiétude *f.* uneasiness

insensé senseless, foolish, unwise

insensible imperceptible

insérer to insert

insignifiant insignificant

insister to insist, lay stress

insouciant careless, unconcerned

insoupçonné unsuspected

inspirateur *m.* inspirer

inspirer to inspire; **s'— de** to be inspired by, follow, imitate

institut *m.* institute

instruire to instruct, teach

instruit (*p.p. of* **instruire**) educated, well informed

insuccès *m.* failure

insultant insulting

insupportable insupportable, unbearable

insurmontable insurmountable

intact intact, unimpaired, untouched

intégral entire, total, whole; (*math.*) integral

intellectuel, -le intellectual; *n.m.* intellectual

intelligemment intelligently

intelligence *f.* intelligence, intellect

intendant *m.* steward; (*government official*) intendant

interallié interallied

interdiction *f.* prohibition

interdire to forbid, prohibit

intéresser to interest; **s'— à** to be interested in

intérêt *f.* interest, self-interest, selfishness

intérieur *adj.* interior, internal, domestic; *n.m.* interior, inside; **à l'—** inside

intermédiaire *adj.* intermediary; *n.m.* medium; **par l'— de** by *or* through the medium of

interne *n.m.* boarder (*student who remains at school both night and day*)

interner to intern

interroger to question, examine

intervenir to intervene

intime intimate

intimité *f.* intimacy

intituler to entitle, name

intrépide intrepid, fearless

intrigue *f.* intrigue, plot

introduire to introduce

inutile useless

inutilement uselessly, in vain

invalide *m.* veteran

inventeur *m.* inventor

invincible invincible, unconquerable, insuperable

invinciblement invincibly

inviter to invite, engage

invoquer to invoke

invraisemblable unlikely, improbable

ironie *f.* irony

ironique ironical

ironiquement ironically

irréconciliable irreconcilable

irréguli-er, -ère irregular

irréprochable irreproachable, blameless

irrésistiblement irresistibly

irrésolu irresolute

irrévérencieu-x, -se disrespectful

irrévocablement irrevocably

Islande *f.* Iceland

isolationniste isolationist

isolement *m.* isolation

isoler to isolate; **isolé** isolated, detached

israélite Israelitish, Hebrew, Jewish

italianisant *m.* Italianizer, imitator of Italy

italianiser to Italianize

Italie *f.* Italy

italien, -ne Italian; **à l'italienne** in the Italian manner, in Italian style

Italien *m.* Italian

ivoire *m.* ivory

ivre intoxicated

ivresse *f.* intoxication, drunkenness

ivrognerie *f.* drunkenness

J

Jacobin *m.* Jacobin (*member of extremely radical party*)

jaillir to spring forth, out, *or* up

jalousie *f.* jealousy

jalou-x, -se jealous

jamais ever, never; **à —** forever

Jansénisme *m.* Jansenism

Janséniste *m.* Jansenist

Japon *m.* Japan

japonais Japanese

jardin *m.* garden, park

jaune yellow

Jean John

Jeanne Joan

jeter to throw, throw out, send forth, cast; **se —** to throw oneself, attack, fall upon, (*of rivers*) empty

jeu *m.* play, game, diversion, exercise

jeune young; **—s gens** young people, young men

jeunesse *f.* youth

Joconde *f. famous painting by Leonardo da Vinci; often called Mona Lisa*

joie *f.* joy

joindre to join; **se —** to be joined, be added

jonc *m.* reed; **canne de —** Malacca cane

jongleur *m.* minstrel, bard (*the early jongleurs sang or recited the chansons de geste and other narrative poems; later ones were acrobats, jugglers, etc.*)

jouer to play, act, perform; **se —** to be played, be performed, be at stake

joug *m.* yoke

jouir to enjoy, possess

jour *m.* day; **de — en —** from day to day; **de nos —s** in our days, today; **du — au lendemain** overnight

journal *m.* newspaper

journali-er, -ère daily

journée *f.* day

joyau *m.* jewel

joyeu-x, -se joyous, joyful

judiciaire judicial

juge *m.* judge

jugement *m.* judgment, sentence, trial

juger to judge, believe, consider, deem, esteem, think; (*in court*) to try; **chose jugée** final judgment

juillet *m.* July

juin *m.* June

Jules Julius

jurer to swear

jusqu'à as far as, up to; **jusqu'ici** so far, thus far

justaucorps *m.* coat (*close-fitting*)

juste just, correct, accurate; **à — titre** justly, appropriately, deservedly

justement justly, with reason

justesse *f.* justness, accuracy

justice *f.* justice; **rendre la —** to administer justice

justifier to justify

K

kilogramme *m.* kilogram (*about $2\frac{1}{5}$ lbs.*)

kilomètre *m.* kilometer (*1000 meters, about $\frac{5}{8}$ of a mile*)

L

là there; **ce fut —** that was

laboratoire *m.* laboratory

laborieu-x, -se laborious, industrious, painstaking
labourer to plow
lac *m.* lake
lâche cowardly
laid homely, plain, ugly
laideur *f.* homeliness, ugliness
laine *f.* wool
laïque *adj.* lay, secular, non-clerical; *n.m.* layman
laisser to leave, let, allow, permit
lait *m.* milk
lambeau *m.* fragment, rag, shred, tatter
lame *f.* blade
lamentable lamentable, pitiful
lampe *f.* lamp
lance *f.* lance, spear
lancer to throw
lande *f.* heath, moor
langage *m.* speech, style
langue *f.* language
lanterne *f.* lantern
lapin *m.* rabbit
large wide, broad
largement abundantly, largely
largeur *f.* breadth, width
larmoyant tearful, pathetic, weeping
las, -se tired, weary
latin *adj.* Latin; *n.m.* Latin (*language*)
Laure Laura (*famous as the woman loved and sung of by the Italian poet Petrarch*)
lave *f.* lava
laver to wash
leçon *f.* lesson
lecteur *m.* reader
lecture *f.* reading
légendaire legendary
lég-er, -ère light, frivolous, thoughtless; **le cœur léger** lightheartedly
légèreté *f.* lightness
Législative *f.* = **l'Assemblée législative** (*during French Revolution*)

légiste *m.* legist
légitime legitimate
légume *m.* vegetable
lendemain *m.* following day, next day, day after; **du jour au —** overnight
lent slow
lentement slowly
lenteur *f.* slowness
Léon Leo
lequel (laquelle, lesquels, lesquelles) who, whom, which
lettre *f.* letter; **homme de —s** man of letters, literary man
lettré *m.* literary man, cultivated person, scholar
lever to raise, levy; **se — to rise.** arise, stand up
lever *m.* rising
liaison *f.* connection, linking, joining
libéralisme *m.* liberalism, liberality
libéralité *f.* liberality, generosity
libérer to liberate, free
liberté *f.* liberty, freedom
libertin *m.* libertine, debauchee, irreligious person, freethinker
librairie *f.* bookstore; (*formerly* library)
libre free; *see also* **champ**
librement freely
lien *m.* bond
lier to bind, fasten, connect, join, unite
lieu *m.* place; **— commun** commonplace; **—x saints** Holy Land; **au — de** instead of; **avoir —** to take place, occur
ligne *f.* line
ligue *f.* league
se liguer to combine, unite
Ligure *m.* Ligurian
limite *f.* limit, boundary
limiter to limit, bound
limon *m.* slime, sediment, ooze
linge *m.* linen, cloth, clothes

lire to read
liste *f.* list
lit *m.* bed
littéraire literary
littéralement literally
littérature *f.* literature
littoral *m.* coast, shore
liturgie *f.* liturgy
liturgique liturgical
livide livid
livre *m.* book
livre *f.* pound; franc
livrer to deliver up, abandon, surrender, give over *or* up; (*a battle*) fight; **se —** (*of a battle*) to be fought
local *adj.* local; *n.m.* place, premises
loger to dwell, reside, live
logique *adj.* logical; *n.f.* logic
logiquement logically
logis *m.* habitation, house, building
loi *f.* law
loin far, distant, remote; **au —** far away, at a distance; **de —** from afar; **voyant —** farsighted
lointain distant
loisir *m.* leisure; **à —** at leisure
Lombardie *f.* Lombardy (*in northern Italy*)
Londres London
long, -ue *adj.* long; *n.m.* length; **avoir (2) mètres de —** to be (2) meters long; **le — de** along
longtemps a long time
longuement at length, at great length
lopin *m.* bit, piece
lorrain *adj.* of Lorraine
Lorrain *m. native of Lorraine*
Lorraine *f. native of Lorraine*
lors then; **dès —** thenceforth; **— de** at the time of
lorsque when
louer to praise
loup *m.* wolf
lourd heavy

lourdeur *f.* heaviness
lu *p.p. of* **lire**
lucide lucid, clear
lucidité *f.* clearness, insight
lumière *f.* light
lumineu-x, -se luminous, well lighted; **ondes lumineuses** light waves
luminosité *f.* luminosity, brightness
lundi *m.* Monday
Lutèce *f.* Lutetia (*early name of Paris*)
luthérien, -ne Lutheran, of Luther
lutte *f.* struggle, contest; **— de classe** class struggle
lutter to struggle, fight
lutteur *m.* struggler, contestant, opponent
luxe *m.* luxury; **de —** luxurious, fancy
luxueu-x, -se luxurious
lycée *m.* lycée (*secondary school*)
lycéen *m.* student at boys' lycée
lycéenne *f.* student at girls' lycée
Lyon *m.* Lyons
lyonnais Lyonnese, of Lyons
Lyonnais *m. native or inhabitant of Lyons*
lyrique lyrical
lyrisme *m.* lyricism

M

macabre: danse — dance of death, death's dance
maçon *m.* mason
magasin *m.* store
mage: les Rois —s the three Wise Men of the East
magique magic
magistral masterly
magnanimité *f.* magnanimity
magnétisme *m.* magnetism
magnifique magnificent
magnifiquement magnificently

mai *m.* May
maigre meager
main *f.* hand
maintenant now
maintenir to maintain, preserve
maintien *m.* maintenance, keeping, staying
maire *m.* mayor
mais but
maison *f.* house
maître *m.* master, teacher
maîtresse *f.* mistress, ruler
majestueu-x, -se majestic
majeur of age
mal *m.* evil, harm, malady, disease, sickness, illness; **dire du — de** to speak ill of
mal *adv.* ill, badly, poorly; **de — en pis** worse and worse
malade *adj.* sick, ill; *n.m.* invalid, sick person, patient
maladie *f.* disease, illness, sickness
maladi-f, -ve sickly, unhealthy
mâle *adj.* male; *n.m.* male
malédiction *f.* curse
malgré in spite of
malheur *m.* misfortune, unhappiness; **— à** woe to
malheureusement unfortunately
malheureu-x, -se unfortunate, unhappy, unlucky, miserable, wretched; *n.m.* wretched (*person*)
malsain unhealthy
Manche *f.* English Channel
mander to inform, send word
manger to eat
manier to handle
manière *f.* manner, way; **d'une — à** in such a way as to, so as to; **à leur —** in their manner
manifeste *adj.* manifest, apparent
manifeste *m.* manifesto
se manifester to appear, be made manifest
manoir *m.* manor, manor house
manque *m.* lack
manquer to fail, miss, miscarry,

lack, be wanting; **il leur manquait** they lacked
manteau *m.* cloak, mantle
manuel, -le manual
manuscrit *m.* manuscript
marais *m.* marsh, swamp; **le Marais** *name of district in Paris*
marbre *m.* marble
marchand *m.* merchant, tradesman
marchande *f.* tradeswoman; **— des quatre-saisons** vegetable vendor (*in streets of Paris*)
marchandise *f.* merchandise, goods
marché *m.* market; **bon —** cheap
marcher to march, walk
mare *f.* pool; **La — au diable** *The Devil's Pool* (*novel by George Sand*)
maréchal *m.* marshal
mariage *m.* marriage
mariée *f.* bride
marier to marry; **se —** to marry, get married
marin *adj.* marine; *n.m.* sailor
marine *f.* navy
maritime maritime, on the sea
Maroc *m.* Morocco
marque *f.* mark, evidence
marquer to denote, determine, appoint, fix
mars *m.* March
Marseille Marseilles
marteau *m.* hammer; **—-pilon** steam hammer
Martinique *f. name of one of the islands of the West Indies*
martyre *m. and f.* martyr
martyre *m.* martyrdom
martyriser to martyrize
masque *m.* mask
massacrer to massacre, slaughter, murder
masse *f.* mass
massi-f, -ve massive, heavy
Massif Central *mountain range in south-central France*

matériel, -le *adj.* material; *n.m.* equipment
mathématique *adj.* mathematical
mathématiques *f.pl.* mathematics
Mathieu Matthew
matière *f.* material, matter, subject, subject matter
matin *m.* morning
maturité *f.* maturity
maudit cursed, accursed
maussade disagreeable, sullen, unpleasant
mauvais bad, evil
maxime *f.* maxim
méandre *m.* meander, winding
mécanique *f.* mechanics
méchant bad, wicked
méconnaissable unrecognizable
méconnaître not to recognize, fail to recognize
méconnu unrecognized, unappreciated
mécontentement *m.* discontent, dissatisfaction
mécontenter to dissatisfy, displease
médecin *m.* doctor, physician
médecine *f.* medicine
médiateur *m.* mediator
médiéval medieval
médiocre mediocre, ordinary
méditer to meditate
Méditerranée *f.* Mediterranean Sea
Méditerranéen, -ne Mediterranean
méfiance *f.* mistrust, distrust
se méfier (de) to mistrust, distrust
meilleur better; **le —** best
mélancolie *f.* melancholy
mélancolique melancholy
mélange *m.* mixture, mingling
mélanger to mix
mêler to mix, mingle, intermingle; **se — (à)** to mix, be mingled, blend (with)
mélodieu-x, -se melodious

mélodrame *m.* melodrama
membre *m.* member
même *adj. and adv.* same, very; even; **de —** so, even so, likewise; **de — que** as, the same as, in the same manner as; **il en est de — avec (pour)** it is the same way with, it is true also of
même *m.* same
mémoire *f.* memory
mémoire *m.* article; *pl.* memoirs
menace *f.* threat
menacer to threaten
ménager to spare
ménag-er, -ère domestic
ménagère *f.* housewife
mendier to beg, implore
mener to conduct, lead, take
mentionner to mention, make mention of
mentir to lie, tell a lie
mépriser to despise, scorn
mer *f.* sea; **— du nord** North Sea
mercenaire *m.* mercenary
merci *f.* mercy
mercier *m.* mercer, haberdasher
mercredi *m.* Wednesday
mère *f.* mother
méridional *adj.* southern, of the south; *n.m.* Southerner
mérite *m.* merit
mériter to deserve
mérovingien, -ne *adj.* Merovingian; *n.m.* Merovingian
merveille *f.* marvel, wonder; **à —** marvelously, wonderfully well
merveilleusement marvelously, wonderfully
merveilleu-x, -se *adj.* marvelous, wonderful; *n.m.* marvelousness
messe *f.* mass
mesure *f.* measure, moderation; (*verse*) meter; **à — que** in proportion as; **outre —** too much, excessively
mesurer to measure

métallurgique metallurgic; **usine** — steel mill

méthode *f.* method

méthodiquement methodically

métier *m.* trade, profession, business, handicraft; — **à tisser** loom (*for weaving*)

mètre *m.* meter (*about 39 inches*)

métrique metrical

métropole *f.* mother country

mettre to put, place; — **fin à** to put an end to; **se** — **à** to begin; **se** — **au travail** to set to work

meuble *m.* piece of furniture; *pl.* furniture, furnishings

meurtre *m.* murder

meurtrier *m.* murderer

meurtri-er, -ère murderous, bloody

Mexique *m.* Mexico

mi half; **à** —**-chemin** halfway

Michel Michael; —**-Ange** Michelangelo (*great artist of the Renaissance; lived in Florence, Italy, 1475–1564*)

midi *m.* noon

Midi *m.* South (*of France*)

midinette *f.* working girl

mieux *adv.* better; **le** — best; **aimer** — to prefer, like better; *n.m.* **de son** — to the best of one's ability, as well as one can (could)

Milanais *m.* Milanese (*region in northern Italy, of which Milan is the principal city*)

milieu *m.* middle, midst, environment; **au** — **de** in the midst of; **le juste** — the golden mean, the "middle of the road"

militaire military, naval

mille thousand

milliard *m.* billion

millier *n.m.* thousand

mince slender, thin

minerai *m.* (*mineral*) ore

ministère *m.* ministry, cabinet

ministre *m.* minister (*of government*)

minnesinger *m.* German lyric poet of the Middle Ages

minutieu-x, -se minute, detailed, circumstantial

miraculeu-x, -se miraculous

miroir *m.* mirror

misanthrope *m.* misanthropist (*hater of mankind*)

mise: — **en scène** *f.* stage-setting, staging

misère *f.* misery, poverty, wretchedness

mobile variable

mobilité *f.* mobility

mode *f.* fashion; **à la** — fashionable, in style; **à la** — **de** in the manner of

mode *m.* mode, form

modèle *m.* model, pattern

modérat-eur, -rice *adj.* moderating, restraining; *n.m.* moderator, restraining influence

modéré *adj. and n.m.* moderate

moderniser to modernize

modifier to modify; **se** — to be *or* become modified

mœurs *f.pl.* manners

moi *pron.* I, me; *n.m.* self, ego

moindre less, lesser; **le** — least

moine *m.* monk

moins less, fewer; **au** — at least; **du** — at least, at any rate; **il n'en reste pas** — **que . . .** it is nevertheless true that . . ., the fact nevertheless remains that . . .

mois *m.* month

moitié *f.* half

mol, -le *see* **mou**

moliéresque of Molière

moment *m.* moment; **au** — **où** at the time when; **au bon** — at the proper time, appropriately; **le** — **venu** the opportune time having arrived

momentané momentary

monarchique monarchical
monarchiste *adj.* monarchical;
  n.m. monarchist
monarque *m.* monarch
monastère *m.* monastery, convent
monastique monastic
mondain *adj.* worldly, social; *n.m.*
  member of high society; *pl.*
  society people
monde *m.* world, society; **tout le**
  — everyone, everybody
mondial *adj.* world; **première**
  Guerre —e First World War
monnaie *f.* money; **fausse —**
  counterfeit money
monopole *m.* monopoly
monotone monotonous
monstre *m.* monster
monstrueu-x, -se monstrous
mont *m.* mount, mountain
montagne *f.* mountain
monter to ascend, go up; (*a horse*)
  ride
montre *f.* show, exhibition; **faire**
  — de to show, exhibit
montrer to show; **se —** to appear
monument *m.* monument, memorial; public building, edifice,
  structure
se moquer (de) to make fun (of),
  laugh (at)
moquerie *f.* mockery
moqueu-r, -se mocking, scoffing
morale *f.* ethics, moral philosophy,
  moralization
moralement morally
moralisat-eur, -rice moralizing,
  edifying, uplifting
moraliste *m.* moralist, moral philosopher
morceau *m.* piece
mordant biting, sarcastic, sharp
mordre to bite
mort *f.* death; **à —** to death
mort (*p.p. of* **mourir**) dead; *n.m.*
  dead person; **les —s** the dead
mortel, -le mortal, deadly

mortellement mortally
morue *f.* cod
mosaïque *f.* mosaic, mosaic work
mosquée *f.* mosque
mot *m.* word
moteur *m.* motor; **— à explosion**
  internal combustion engine
motif *m.* motive
mou, mol, -le soft
mouchoir *m.* handkerchief
moulin *m.* mill
mourir to die, end, dwindle away
mousquetaire *m.* musketeer
mousse *f.* moss
mouton *m.* sheep
mouvement *m.* movement
moyen, -ne *adj.* middle; **le — âge**
  the Middle Ages
moyen *n.m.* means, manner; **au —**
  de by means of
mule *f.* slipper
mulet *m.* mule
multiple multiple, manifold
se multiplier to multiply, increase
munir (de) to provide, supply
  (with)
mur *m.* wall
muraille *f.* wall
mûrir to mature, ripen
musée *m.* museum
musique *f.* music
musulman *adj.* Mohammedan;
  n.m. Mussulman, Saracen, Arab
mutuel, -le mutual, reciprocal
mystère *m.* mystery; (*medieval
  theater*) mystery (*religious drama
  based upon the Bible, chiefly on the
  life and death of Christ*)
mystérieu-x, -se mysterious
mysticisme *m.* mysticism (*theory
  that direct knowledge of God is possible through intuition or insight*);
  deep *or* fervent religious faith
mystique mystic, mystical (*see*
  mysticisme); deeply *or* fervently
  religious
mythologique mythological

N

naï-f, -ve naïve, ingenuous

nain *m.*, **naine** *f.* dwarf

naissance *f.* birth; **de —** by birth

naître to be born, have one's origin

naïvement naïvely, ingenuously, simply

napoléonien, -ne Napoleonic

napolitain *adj.* Neapolitan (*pertaining to Naples, in Italy*); *n.m.* Neapolitan

naquit *past def. of* **naître**

narrateur *m.* narrator

natal native

natif *m.* native

nationaliste nationalistic

naturalisme *m.* naturalism (*literary school or movement*)

naturaliste *adj.* naturalistic; *n.m.* naturalist

nature *f.* nature; **— morte** (*painting*) still life

naturellement naturally, of course

naufrage *m.* shipwreck

navigateur *m.* navigator, seaman, sailor

né *p.p. of* **naître**

néanmoins nevertheless, however

nécessité *f.* necessity, need; **par —** from necessity

nef *f.* nave

néfaste harmful, injurious

négliger to neglect

négocier to negotiate

nègre *adj. and n.m.* Negro

neige *f.* snow

néologisme *m.* neologism (*newly invented word*)

nerf *m.* nerve

nerveu-x, -se nervous, sinewy, vigorous

nervure *f.* (*architecture*) rib

neuf nine

neu-f, -ve new

neutre neutral

neveu *m.* nephew

ni neither, nor

nièce *f.* niece

nihilisme *m.* nihilism

nitrate *m.* nitrate (*chemical substance*)

nivellement *m.* leveling

noble *adj.* noble; *n.m.* noble, nobleman

noblesse *f.* nobility, nobleness

Noël *m.* Christmas

noir black

noircir to blacken

nom *m.* name

nombre *m.* number, quantity; **sans —** numberless

nombreu-x, -se numerous

nommer to appoint, elect

nonne *f.* nun

nord *m.* north; **du —** northern; **—-est** northeast

nordique Nordic

normand *adj.* Norman; *n.m.* Norman (*dialect of Normandy*)

Normand *m.* Norman

notable notable, considerable

notaire *m.* notary

notamment especially, particularly

noter to note, note down, set down, notice, remark

nourrir to feed, maintain, support, educate, nurture

nourriture *f.* food

nouveau, nouvel, -lle *new*; **à nouveau, de nouveau** again

nouveauté *f.* newness, innovation

nouvelle *adj. see* **nouveau**; *n.f.* news, tale

Nouvelle-Angleterre *f.* New England

Nouvelle-Calédonie *f.* New Caledonia (*island in South Pacific*)

nouvellement newly, recently

novateur *m.* innovator

novembre *m.* November

nu naked, bare, plain, unornamented

nuance *f.* shade

nudité *f.* nudity, bareness

nuire to harm, injure

nuisible harmful, injurious, detrimental, pernicious, prejudicial

nuit *f.* night; **la —** at night

nul, -le no, not any

O

obéir to obey

obéissance *f.* obedience

objectivité *f.* objectivity, impersonality

objet *m.* object; **—s** articles; **— d'art** objet d'art (*article of artistic worth*)

obligatoire obligatory, compulsory

obliger to oblige, force, compel

obscur obscure, dark

observer to observe, follow, obey

obtenir to obtain

obus *m.* shell

occasion *f.* occasion, opportunity

occident *m.* west

occidental western

occulte occult, secret, mysterious

occupé occupied, busy, engaged

occuper to occupy; **s'—** to occupy oneself, be concerned *or* occupied

Océanie *f.* Oceania

octroyer to grant

ode *f.* ode (*a poem*)

odieu-x, -se odious, hateful, loathsome, disgusting

odyssée *f.* Odyssey, travels

œil (*pl.* **yeux**) *m.* eye; **coup d'—** glance, look; **en un clin d'—** in the twinkling of an eye, in a trice

œuvre *f.* work

officier *m.* officer

offrir to offer

ogive *f.* pointed arch; **en —** ogival, pointed

oindre to anoint

oint *p.p. of* **oindre**

oiseau *m.* bird

oisi-f, -ve idle

oisiveté *f.* idleness

olivier *m.* olive tree

Olympe *m.* Olympus (*mountain in Greece, reputed to be the home of gods and goddesses*)

ombragé shaded

ombre *f.* shade, shadow

on one, they, people, we

ondes *f.pl.* waves; **— lumineuses** light waves

onéreu-x, -se burdensome

onze eleven; **onzième** eleventh

opéra *m.* opera

opiniâtreté *f.* obstinacy, stubbornness

opposé opposite, contrary, contrasting

opposer to oppose (to), compare (with); **s'— à** to be opposed to, oppose

opprimant oppressive

optimiste optimistic

opulent opulent, wealthy, rich

or *conj.* now, well

or *m.* gold; **âge d'—** golden age

orage *m.* storm, tempest

oraison *f.* funeral oration, prayer

oranger *m.* orange tree

orateur *m.* orator

ordonnance *f.* order, arrangement, disposition

ordonner to order, decree

ordre *m.* order; **— du jour** order of the day

oreille *f.* ear; **faire la sourde —** (à) to turn a deaf ear (to)

orfèvrerie *f.* articles of gold *or* silver, jewelry

organe *m.* organ, medium, spokesman

organique organic

organisateur *m.* organizer

organisation *f.* organization
organiser to organize; **s'—** to be, become, *or* get organized
organisme *m.* organism
orgueil *m.* pride
orgueilleu-x, -se proud
orient *m.* east; **d'—** oriental, eastern
oriental oriental, eastern
origine *f.* origin; **à l'—** originally, first; **à l'— de** at the origin of
Orléanais *m. province of which Orléans is the capital*
ornement *m.* ornament
ornementation *f.* ornamentation, adornment
orner to ornament, adorn
orphelin *m.* orphan
os *m.* bone
oser to dare
otage *m.* hostage
ôter to remove, take off
ou *conj.* or; **— bien** or else, or indeed
où *adv.* where, when; **d'—** whence
oubli *m.* oblivion, forgetting, forgetfulness
oublier to forget
ouest *m.* west
ours *m.* bear
outillage *m.* tools
outre beyond, besides; **— mer** beyond the seas, overseas
outré exaggerated
ouvert *p.p. of* ouvrir
ouvertement openly
ouverture *f.* opening
ouvrage *m.* work; **un — de critique** a critical work, a work of literary criticism
ouvrier *m.* workman, laborer, artisan, journeyman; *pl.* workers, laborers, wage earners
ouvri-er, -ère *adj.* working, labor
ouvrir to open; **s'—** to open
oxygène *m.* oxygen

P

pacificateur *m.* pacifier
pacification *f.* pacification, pacifying
pacifier to pacify
pacifique *adj.* pacific, peaceful; *n.* Pacific (*ocean*)
pacte *m.* pact, treaty
page *m.* page (*person*)
païen, -ne pagan; *n.m.* pagan
paille *f.* straw
pain *m.* bread
pair *m.* peer; **aller de — avec** to be on a par, on an equality, on an equal footing, with
paisible peaceful, quiet
paix *f.* peace
palais *m.* palace
palazzo *m.* (*Italian*) palace
pâle pale
paléontologie *f.* paleontology
pâlir to pale, grow pale, grow dim
paludisme *m.* paludism (*malarial disease*)
pâmer to faint, swoon
panache *m.* plume
panser to dress (*a wound*), bind up
pantoufle *f.* slipper
pape *m.* pope
papier *m.* paper; **—-monnaie** paper money
paquebot *m.* steamboat, steamer
Pâques *m.* Easter
par by, through
paradis *m.* paradise; **— terrestre** Garden of Eden
paraître to appear, seem; (*of books*) to be published
parc *m.* park
parce que because
pardonner to pardon, forgive
pareil, -le similar, such
parent *m.* relative
paresse *f.* idleness, indolence, inactivity
paresseu-x, -se lazy, sluggish

parfait perfect

parfaitement perfectly

parfois at times, sometimes, occasionally

parfum *m.* perfume, odor, fragrance

parisien, -ne Parisian

parlement *m.* court, Supreme Court (*the Parlement de Paris was the highest court in France*); parliament (*union of Senate and Chamber of Deputies during Third Republic*)

parlementaire parliamentary

parler to speak, talk; **à proprement** — properly speaking

parmi among

Parnasse *m.* Parnassus (*mountain in Greece sacred to the Muses*)

parnassien, -ne Parnassian; *n.m.* Parnassian (*member of school or group of poets*)

parodie *f.* parody

parole *f.* word; **tenir** — to keep one's word

part *f.* part, share; **nulle** — nowhere, not anywhere; **à** — apart; **de toutes** —**s** on all sides, on every side; **de la** — **de** on the part of, on behalf of, from; **prendre** — **à** to take part in, participate in

partager to divide, share, share in, participate in; **se** — to divide

parti *m.* party; **prendre** — to take sides; **tirer** — **de** to derive advantage from, turn to account, make use of

partial partial, biased, unfair

participer to participate, take part

particule *f.* particle

particuli-er, -ère particular, special, private, own; *n.m.* individual, private individual

particulièrement particularly

partie *f.* part, party (*person*), contracting party; game; **en** —

partly, in part; **en grande** — in large measure, to a large extent, to a great extent; **faire** — **de** to be *or* form a part of, belong to

partir to leave, depart, set out, proceed; **à** — **de** from (*of time*)

partisan *m.* partisan; **être** — **de** to favor

partout everywhere

parure *f.* adornment, ornament; (*Maupassant's story*) necklace

parvenir to attain, reach, come down to

pas not, no, not any

passage *m.* passage, passing

passag-er, -ère passing, transitory

passant *m.* passer-by

passé *adj.* past; *n.m.* past

passer to pass, spend (*time*); (*clothing*) put on, slip on; **se** — to pass, happen, take place; **se** — **de** to do without, get along without

passion *f.* passion; **drame de la** — Passion play

passionnant exciting, thrilling

passionné impassioned; — **de** passionately *or* ardently fond of

passionner to impassion, delight, thrill

pastel *m.* pastel (*drawing made with crayons*)

pasteurisation *f.* pasteurization

pastorale *f.* pastoral (*literary work dealing with shepherds and shepherdesses*)

pâté *m.* meat pie

patient patient; *n.m.* patient

patois *m.* dialect

patriarcal patriarchal

patrie *f.* native country, fatherland

patriote *adj.* patriotic; *n.m. and f.* patriot

patron *m.* patron, master, employer, boss

patronne *f.* patroness (*saint*)

patte *f.* paw

pâturage *m.* pasture

pauvre *adj.* poor; *n.m.* poor person; *pl.* poor people

pauvreté *f.* poverty

pavé paved

pavillon *m.* pavilion, wing (*of a building*), summer house; — **de chasse** hunting lodge

payer to pay, pay for

pays *m.* country

paysage *m.* landscape

paysagiste *m.* landscape painter

paysan *m.* peasant

paysanne *f.* peasant woman, peasant girl

Pays-Bas *m.pl.* Low Countries, Netherlands

peau *f.* skin; — **d'âne** ass's skin, parchment; — **d'agneau** lambskin, vellum

pêche *f.* fishing

pécheur *m.* sinner

pêcheur *m.* fisherman

pédantisme *m.* pedantry

peindre to paint, depict, portray

peine *f.* pain, penalty, punishment, trouble, toil, labor; **à —** hardly, scarcely; **à grand' —** with great difficulty; **valoir la — de** to be worth the trouble to, be worth while to

peintre *m.* painter

peinture *f.* painting

pèlerin *m.* pilgrim

pèlerinage *m.* pilgrimage

pencher to incline, tilt

pendant during; — **que** while

pendre to hang

pendu *m.* man who has been hanged

pénétrer to penetrate, pervade; **se — de** to impress oneself with, possess oneself of

pénible painful

péninsule *f.* peninsula

pénitentiaire penitentiary

pensant: bien — right-minded

pensée *f.* thought, thinking, idea

penser to think

penseur *m.* thinker

pente *f.* slope

percer to pierce, cut through, open

perdre to lose, waste; **se —** to be *or* become lost, disappear

père *m.* father

perfectionnement *m.* improvement

se perfectionner to perfect oneself, improve oneself

perfide perfidious, treacherous

perfidie *f.* perfidy, treacherousness

Périclès Pericles (*Athenian statesman*, c. *490–429* B.C.)

période *f.* period, epoch

périr to perish

permanent permanent; **d'une façon —e** permanently

permettre to permit, allow

Pérou *m.* Peru

perruque *f.* wig

persan Persian

Persan *m.* Persian (*native or inhabitant of Persia, now called Iran*)

persévérant persevering

personnage *m.* personage, character

personnalité *f.* personality

personne *f.* person

personne *m.* no one, nobody

personnifier to personify

perspective *f.* perspective, vista

perspicace perspicacious, penetrating, keen

perspicacité *f.* perspicacity

perte *f.* loss, ruin

pesanteur *f.* weight, gravity

peser to weigh

pessimiste pessimistic

peste *f.* plague

petit little, small, minor, petty

petit-fils *m.* grandson; — **de France** royal grandson

Pétrarque Petrarch (*Italian poet and humanist, writer of love poems, 1304–1374*)

pétrifié petrified, turned to stone

peu little, few, not very; — à — little by little, by degrees, gradually

peuple *m.* people, common people, nation; **le petit** — the common people

peuplé (*p.p. used as adj.*) inhabited, well populated; **être plus** — to have more inhabitants

peupler to populate, people, inhabit

peur *f.* fear; **avoir** — to be afraid; **prendre** — to become frightened

peut-être perhaps

phare *m.* lighthouse, beacon

phénix *m.* phenix

phénomène *m.* phenomenon

philo *abbrev.* of **Philosophie**, *last year in lycée or collège*

philosophe *m.* philosopher; *adj.* philosophical

philosophique philosophical

Phocéens *m.pl.* Phocaeans (*inhabitants of Phocaea, ancient Greek city on western coast of Asia Minor*)

phonographe *m.* phonograph

phosphate *m.* phosphate (*chemical substance*)

phrase *f.* phrase, sentence

physicien *m.* physicist

physiologie *f.* physiology

physiologique physiological

physique *f.* physics; *adj.* physical

physiquement physically

picard *m. dialect of Picardy*

Picardie *f.* Picardy

pièce *f.* room; play; — **d'eau** sheet of water, artificial lake

pied *m.* foot

piédestal *m.* pedestal

piège *m.* snare, trap; **tendre un** — to lay a snare, set a trap

pierre *f.* stone

Pierre Peter

pierreries *f.pl.* precious stones, gems

piété *f.* piety

piètre poor, sorry; *see also* **figure**

pieusement piously

pilastre *m.* pilaster (*rectangular shaft or column*)

pilier *m.* pillar

pillage *m.* pillage, plunder

pin *m.* pine tree

Pindare *Greek poet, writer of odes in honor of victors in Olympic games,* c. *522–443* B.C.

pionnier *m.* pioneer

se piquer de to be proud of, take pride in, be much concerned about

pire *adj.* worse; **le** — worst

pis *adv.* worse; **le** — worst; **de** — **en** — worse and worse

Pise Pisa (*city in Italy*)

piste *f.* trace, track

pitié *f.* pity

pitoyable pitiful, pitiable

pittoresque *adj.* picturesque; *n.m.* picturesqueness

placard *m.* placard, poster

place *f.* place, room, position, square; — **forte** fortified town; **sur la Grand'Place** in the public square; **faire** — à to make way for, give way to; **prendre** — to take place

placer to place, put, locate

plafond *m.* ceiling

plaideur *m.* litigant

plaindre to pity; **se** — to complain

plaine *f.* plain

plainte *f.* complaint

plaire to please

plaisance *f.* pleasure

plaisanterie *f.* jesting, joking, joke, derision

plaisir *m.* pleasure

plan *m.* plan; (*of city*) map; **premier** — foreground; **au second** — in (into) second place, in (into) the background

plancher *m.* floor, flooring

plantureu-x, -se abundant, copious

plastique plastic

plat flat, level

platane *m.* plane tree

plébéien, -ne plebeian

plébiscite *m.* plebiscite (*referendum vote*)

plein full; **en — air** in the open air

pleurant *m.* weeping figure

pleurer to weep, mourn

plupart *f.* most, greater part; **pour la —** for the most part, in general, in the main

plus more; **le —** most; **ne . . . —** no longer, no more; **de —** in addition, besides, furthermore, moreover; **de — en —** more and more; **en —** in addition, besides; **non —** either, neither; **tout au —** at most, at the utmost

plusieurs several

Plutarque Plutarch (*Greek author of lives of famous men, c. 46–120 A.D.*)

plutôt rather

pluvieu-x, -se rainy

poème *m.* poem

poésie *f.* poetry; *pl.* poems

poète *m.* poet

poétique poetic

poétiser to poetize, idealize

poids *m.* weight

poignard *m.* dagger

poignée *f.* handful

poing *m.* fist

point *m.* point, aspect; (*of day*) break, dawn; **à un tel —** to such a point, to such a degree

pointe *f.* point

pointu pointed, peaked

poissonnier *m.* fishmonger

polémique *f.* polemics, dispute, quarrel

poli polished, refined; *n.m.* polish

polir to polish

politesse *f.* politeness

politique *adj.* political; *n.f.* policy, politics; **— étrangère** foreign policy

politiquement politically

Pologne *f.* Poland

polonais *adj.* Polish

Polonais *m.* Pole

Polytechnique *adj.* polytechnic; *n.f.* School *or* Institute of Technology

pommier *m.* apple tree

pompe *f.* pomp, splendor

pont *m.* bridge

populariser to popularize

porcelaine *f.* porcelain

porche *m.* porch

port *m.* port, harbor, seaport

portail *m.* portal, doorway

porte *f.* door, doorway, gate, gateway; **— cochère** carriage entrance

portée *f.* reach, bearing, import, significance

porte-parole *m.* spokesman

porter to carry, bear, bring, direct, give

portrait *m.* portrait, picture

pose *f.* laying

poser to place, lay; **se —** to be set, be put; **— sa candidature** to announce one's candidacy, become a candidate (**à** for)

positiviste positivist (*describes Auguste Comte's philosophy, based upon positive facts*)

posséder to possess, have

poste *f.* post, mail

potable: eau — drinking water, water fit to drink

poterie *f.* pottery, earthenware

pouce *m.* thumb; inch
poudre *f.* powder
poudrer to powder
poule *f.* hen, fowl, chicken
pour for, on account of, in order to
pourquoi why
pourrir to rot
poursuivre to pursue, follow; **se — ** to follow one another, continue, go on
pourtant however, nevertheless
pourvoir to provide (**à** for); (*expenses*) meet
pousser to push, push on *or* along, carry, incite, urge
pouvoir to be able, can, may; **il se peut que** it may be that, it is possible that
pouvoir *n.m.* power
pratique *adj.* practical; *n.f.* practice; **mettre en — ** to practice, put in *or* into practice, carry out
pratiquer to practice, exercise
pré *m.* meadow
précédent preceding
précéder to precede
précepte *m.* precept
prêcher to preach
précieuse *f.* affected lady
précieu-x, -se precious, valuable, costly; affected, overrefined
préciosité *f.* refinement, overrefinement, affectation
se précipiter to rush, rush on, hurry on, rush forward
précis precise, exact
précisément precisely, exactly
précoce precocious
prédécesseur *m.* predecessor
prédicateur *m.* preacher
prédire to foretell, predict
prédominer to predominate, prevail
préférer to prefer, favor
préfet *m.* prefect (*governor of a department*)
préhistorique prehistoric

préjugé *m.* prejudice
prélude *m.* prelude
premi-er, -ère first; (*of ministers of state*) prime
Première *f.* first form (*next to last year in lycée or collège*)
prendre to take, assume; **— place** to take place; **— conscience de** to become conscious *or* aware of
préoccuper to preoccupy; **se — de** to be concerned with
préparer to prepare; **se — ** to be prepared; **qui se prépare** which is being prepared, which is coming, which is brewing
préromantisme *m.* pre-romanticism
près *adv.* near, close; **de — ** closely, nearly, almost; **à peu — ** nearly
près de *prep.* near, close to
prescrire to prescribe, direct, order
présent *m.* present, gift
présenter to present, offer; **se — ** to present oneself, appear
préserver to preserve
présidence *f.* presidency
présider to preside, preside over, direct
presque almost
presse *f.* press
pressé hurried, in a hurry
presser to press, squeeze, crowd; **se — ** to press, crowd
pression *f.* pressure
prêt ready (**à** to, for)
prétendre to claim, affirm, assert, pretend
prétention *f.* pretension
prêter to lend
prétexte *m.* pretext, excuse
prêtre *m.* priest
preuve *f.* proof, evidence; **faire — de** to prove, show evidence of; **faire ses —s** to give proof of one's ability, show one's mettle
prévoir to foresee, provide for

prévoyance *f.* foresight; **fonds de — ** old age security fund

prier to pray, pray to

prière *f.* prayer

primaire primary, elementary

primiti-f, -ve *adj.* primitive, original *n.m.* primitive

primordial primordial, fundamental, of first importance, of great importance

prince *m.* prince; **— du sang** royal prince

princesse *f.* princess; **— du sang** royal princess

principe *m.* principle

printemps *m.* spring

prise *f.* taking, capture

prisonnier *m.* prisoner; **en —** like *or* as a prisoner

prisonnière *f.* prisoner

privé private

priver to deprive

privilège *m.* privilege, monopoly

privilégié *m.* privileged person

prix *m.* price; **à bas —** at a low price; **à tout —** at any price

procédé *m.* procedure, process, operation

procéder to proceed, arise, originate, spring (*from*)

procès *m.* lawsuit, trial; **—-verbal** written record (*legal*)

prochain next, approaching

proche near

proclamer to proclaim

se procurer to procure, obtain, get

prodigieu-x, -se prodigious, wonderful

prodigue prodigal, lavish

produire to produce; **se —** to occur, take place

produit *m.* product

profaner to profane, violate (*a sacred thing*)

professeur *m.* professor

professionnel, -le professional

profit *m.* profit, advantage, benefit; **au — de** to the advantage of, for the benefit of; **tirer — de** to derive profit from, profit by

profiter to profit, gain, benefit, take advantage, make the most (**de** of, by)

profond profound, deep

profondément profoundly, deeply

profondeur *f.* depth

programme *m.* program

progrès *m.* progress

progressivement progressively

proie *f.* prey; **en — à** a prey to, the victim of, suffering from

projet *m.* project, plan

prolétariat *m.* proletariat, common people

prolifique prolific

prolonger to prolong, lengthen

promenade *f.* walk, ride

se promener to walk, ride, take a walk *or* ride

promesse *f.* promise

promettre to promise

prononcer to pronounce, utter; **se —** to declare oneself, make *or* announce a decision

propagation *f.* propagation, diffusion, spreading

propager to propagate, spread; **se —** to be propagated, spread

prophétesse *f.* prophetess

propice propitious, favorable

propos: à — de in reference to, with regard to

proposition *f.* proposition, affirmation, statement

propre very, own, clean; **— à** appropriate to, adapted to, suited to, peculiar to

proprement properly, rightly; **— dit** properly called; **à — parler** properly speaking

propriétaire *m.* owner, landlord

propriété *f.* property, ownership

prosaïque prosaic
prosateur *m.* prose writer
prospère prosperous
prospérer to prosper, thrive
protecteur *m.* protector, patron
protectionisme *m.* protectionism
protectorat *m.* protectorate
protégé *m.* protégé
protéger to protect, patronize, favor, support
protestant *m.* Protestant
protestantisme *m.* Protestantism
prouesse *f.* prowess, feat of prowess
prouver to prove
provençal *adj.* Provençal (*pertaining to Provence or the Midi*); *n.m.* Provençal (*native or inhabitant of Provence*)
Provence *f. name of province in southeastern France*
province *f.* province (*used of a particular province or of all of France outside of Paris*); **de —** provincial, country; **—-frontière** frontier province, border province
proviseur *m.* headmaster, principal
provisoire provisional
provoquer to provoke, call forth, instigate, stir up, promote; **— en duel** to challenge to a duel
proximité *f.* proximity, nearness
prudemment prudently, cautiously
Prusse *f.* Prussia
prussien, -ne Prussian
psaume *m.* psalm
pseudo pseudo, false
psychologie *f.* psychology
psychologique psychological
psychologue *m.* psychologist
pu *p.p. of* **pouvoir**
publi-c, -que *adj.* public *n.m.* public
publier to publish
publiquement publicly

puéril puerile, childish
puis next, afterwards, then
puisque since
puissamment powerfully
puissance *f.* power (*ability*); power (*sovereign state*)
puissant powerful
punir to punish
punition *f.* punishment
pur pure, clean
purement purely
purent *past def. of* **pouvoir**
pureté *f.* purity, pureness
purifier to purify
put *past def. of* **pouvoir**
putréfaction *f.* putrefaction, decay
Pyrénées *f.pl.* Pyrenees

Q

quai *m.* quay, wharf
qualifié qualified, trained
qualité *f.* quality, virtue
quand when
quant (à) regarding, as (to), as (for), with respect (to)
quarantaine *f.* about forty
quarante forty; **—-cinq** forty-five
quartier *m.* quarter, district
quatorze fourteen; **quatorzième** fourteenth
quatre four; **quatrième** *adj. and n.m.* fourth
quatre-vingt(s) eighty; **—-dix** ninety; **—-treize** ninety-three; **—-seize** ninety-six
que *conj.* that, than; (*in exclamations*) how; **— de** how many; **ne ... —** only; *rel. pron.* whom, which, that; *interrog. pron.* what
quel, -le what
quelconque whatever, any; **un (une) ... —** any ... whatsoever
quelque *adj.* some; *pl.* a few; *adv.* some, about
quelquefois sometimes

quelqu'un someone; (*pl.* **quelques-uns, quelques-unes**) some

qu'en-dira-t-on *m.* what people say, public talk, gossip

querelle *f.* quarrel

question *f.* question; **mettre en —** to question, call into question; **il est — de** it is a question of, it is a matter of

qui *rel. pron.* who, whom, which, that; *interrog. pron.* who, whom

quiconque whoever

quint fifth; **Charles Quint** Charles the Fifth (*used of the emperor of the Holy Roman Empire, not of kings*)

quinze fifteen; **quinzième** fifteenth

quitter to leave, abandon, lay down

quoi which, that; **de —** something; **— qu'il en soit** whatever it may be, however it may be

quoique although

quotidien, -ne daily

R

rabaisser to lower, humble

rabelaisien, -ne Rabelaisian

raccourci *m.* foreshortening

racine *f.* root

raconter to relate, tell of, narrate

rade *f.* roadstead, harbor

radical *adj. and n.m.* radical; **—-socialiste** radical socialist

radicalisme *m.* radicalism

radio-activité *f.* radioactivity

raffiné refined

raffinement *m.* refinement

rage *f.* rabies, hydrophobia

raide stiff

railler to jest at, laugh at, jeer at, mock

raison *f.* reason; **— d'être** reason for existence; **avoir —** to be right; **avoir — de** to get the better of; **donner — à** to decide in someone's favor, justify, prove right; **à juste —** with good reason, rightly, correctly; **avec —** rightly, correctly; **en — de** by reason of, on account of

raisonnable reasonable, sober-minded

raisonnement *m.* reasoning

ralentir to retard, slacken

se rallier to rally

rallumer to rekindle

ramener to bring back

ramper to crawl, creep

rançon *f.* ransom

rancune *f.* rancor, ill will; **garder — à** to bear rancor toward, bear ill will toward, have a grudge against

rang *m.* rank, number

rangée *f.* row

ranger to arrange; **faire —** to make stand back, make stand in place

ranimer to reanimate, restore, revive

rapide rapid, swift

rapidement rapidly, swiftly

rappeler to recall, call again, call back, call to mind; **se —** to remember

rapport *m.* report, account, statement, contact, relation; **par — à** in reference to, with regard to, in relation to

rapporter to bring back, bring in, produce, yield

rapprochement *m.* bringing together, drawing together, reconciliation

rapprocher to bring together, unite; **se —** to come *or* draw nearer, approach, be allied (to), be close (to), be like, resemble

rare rare, scarce; *pl.* rare, few

rarement rarely, seldom

rationalisme *m.* rationalism

rationaliste rationalistic

rattacher to connect, join, tie; **se — à** to be connected with, be joined to

ravage *m.* ravage, destruction

ravager to ravage, lay waste

rayon *m.* ray

rayonner to radiate

réactionnaire *adj. and n.m.* reactionary

réagir to react

réalisable realizable, capable of execution *or* accomplishment

réaliser to realize, make real, accomplish, attain; **se —** to be realized, be accomplished

réaliste realistic

réalité *f.* reality, realism; **en —** in reality

réarmement *m.* rearming

rebâtir to rebuild

rebours: à — backwards

recevoir to receive

rechange *m.* exchange, spare

recherche *f.* search, inquiry, investigation, research; **à la — de** in search of, in quest of, in pursuit of

rechercher to seek

récit *m.* recital, narration, account, story

réclamer to claim, demand

récolte *f.* crop, harvest

recommencer to begin again

récompenser to reward

réconcilier to reconcile

réconfort *m.* comfort

reconnaissance *f.* recognition, gratitude

reconnaissant grateful

reconnaître to recognize, acknowledge, submit to

reconquérir to reconquer

se reconstituer to be reconstituted, reestablished, formed again, *or* set up again

reconstitution *f.* reconstitution, representation

reconstruire to reconstruct, rebuild

recopier to recopy, copy again, copy over again

recourir to have recourse

recours *m.:* **avoir — à** to have recourse to, resort to

recouvert (*p.p. of* **recouvrir**) covered

recouvrir to cover, cover over, conceal

recruter to recruit, choose, select

reçu (*p.p. of* **recevoir**) received; **être —** (**à un examen**) to pass (an examination)

recueil *m.* collection

recueillement *m.* contemplation, meditation

recueillir to collect, gather, reap; **se —** to collect oneself, get itself together

rédacteur *m.:* **— en chef** editor-in-chief

redécorer to redecorate

redécouvrir to rediscover

redevenir to become again

rédiger to draw up, compose, write

redoubler to redouble

redoutable redoubtable, formidable

redoute *f.* redoubt, fort

réduire to reduce, diminish, restrict

réel, -le real, actual

refaire to remake, do again, do over again, rebuild

réfectoire *m.* refectory, dining room

réfléchir to reflect, consider, ponder, think

reflet *m.* reflection

refléter to reflect; **se —** to be reflected

réflexion *f.* reflection, considera-
tion, thought

réformateur *m.* reformer

réforme *f.* reform, reformation

réformé *m.* reformer (*early Protestant*)

réformer to reform; **religion réformée** *see* **religion**

refuge *m.* refuge, shelter

réfugié *m.* refugee

se réfugier to take refuge

refuser to refuse, deny; **être refusé
(à un examen)** to fail (an examination)

regagner to regain, win back

regarder to look at

régence *f.* regency

régénérer to regenerate, reform

régent *m.* regent

régente *f.* regent

régime *m.* form of government;
ancien — *term used to denote
French monarchical government up
to the Revolution*

régir to govern, rule

règle *f.* rule

règlement *m.* regulation

régler to rule, settle

régnant reigning

règne *m.* reign

régner to reign, rule, prevail

réguli-er, -ère regular

reine *f.* queen

reine-mère *f.* queen mother
(*mother of reigning king*)

réintégrer to reinstate

réintroduire to introduce again

rejeter to reject

rejoindre to join, rejoin

relati-f, -ve relative, compara-
tive

relation *f.* relation; *pl.* relations,
connection

relativement relatively

relèvement *m.* reconstruction, restoration

relever to raise again, raise up

again, elevate; **se —** to rise
again

relier to connect, join

religieu-x, -se religious

religion *f.* religion; **— réformée**
reformed religion, Protestant
religion, Protestantism

relique *f.* relic

reliure *f.* binding, book binding

remarquable remarkable

remarquer to remark, notice, observe

remettre to bring back, put back,
give back, restore, deliver, hand
to; **se — à** to begin again to

Rémois *m. inhabitant of Rheims*

remonter to reascend, ascend, go
back (*in time*), go as far back
(as), return

remords *m.* remorse

rempart *m.* rampart, walls (*of
city*)

remplacer to replace, take the
place of

remplir to fill, fulfill, accomplish,
perform; **se —** to fill, become
full

remporter to carry away; **— (une
victoire)** to gain, win, obtain
(*a victory*)

remuer to move, stir up

renaissance *f.* revival, renewal;
Renaissance

renaître to be born again, rise
again, spring up again

renard *m.* fox

rencontre *f.* meeting, conjunction,
coming together; **endroit de —**
meeting-place

rencontrer to meet, encounter,
find; **se —** to meet

rendez-vous *m.* meeting-place; **—
de chasse** hunting lodge, hunting headquarters

rendre to render, give back, restore, make; **— la justice** to
administer justice; **se —** to

render *or* make oneself, go, proceed, surrender; **se — compte de** to realize

renfermer to comprise, contain, hold

renforcer to reinforce, strengthen

renne *m.* reindeer

renommé renowned, famous, famed

renommée *f.* renown, fame

renoncer (à) to renounce, give up

renouveler to renew

renouvellement *m.* renewal

renseignement *m.* information (*usually used in plural*)

rentier *m.* bondholder, stockholder, person living on income from investments

rentrer to return, come back, re-enter, reappear

renverser to overthrow

renvoyer to send back, dismiss

réorganiser to reorganize

répandre to diffuse, scatter, spread; **se —** to spread, be spread *or* diffused

reparaître to reappear

réparation *f.* reparation

réparer to repair, mend, redeem, make up for

répartir to divide, distribute

repas *m.* repast, meal

répercussion *f.* repercussion, reverberation, echo

répertoire *m.* repertory

répéter to repeat

repolir to repolish

répondre to respond, answer, reply; agree (*with*), correspond (*with*)

réponse *f.* answer, reply

reporter to carry forward *or* over, transfer

repos *m.* rest

reposer to rest, lie; **se —** to rest

repousser to repel, repulse, beat back, drive back

reprendre to take again, take up again, take back, take away, recover, regain, begin again, resume

représentant *m.* representative

représentation *f.* representation, performance

représenter to represent, act, perform, play; **se —** to picture to oneself, imagine

réprimer to repress, check, curb, put down

reprise: à plusieurs —s several times

reproche *f.* reproach, fault

reprocher to reproach

reproduire to reproduce

républicain *adj. and n.m.* republican

république *f.* republic

répudier to repudiate, reject

réserver to reserve

résidence *f.* residence, dwelling

résident *m.* resident (*government official*)

résider to reside, dwell, live

résister to resist, hold out

résolu resolute, determined

résoudre to resolve, solve; **se —** to resolve, determine, bring oneself (*to do something*)

respiration *f.* respiration, breathing

respirer to breathe

responsabilité *f.* responsibility

responsable responsible; **— devant** responsible to

ressemblance *f.* resemblance

ressembler to resemble, be like

ressentir to feel

resserrer to confine, tighten, crowd, press

ressource *f.* resource

ressusciter to rise from the dead be alive again, come to life

restauration *f.* restoration

restaurer to restore, reestablish

reste *m.* remainder, remains

rester to remain; **il ne reste plus à Napoléon qu'à ...** there is nothing left for Napoleon to do but to ...

restituer to restore

restreindre to restrict, limit

résultat *m.* result

résulter to result, be the result, be the consequence

résumé *m.* summary, short account

résumer to sum up; **se —** to be summed up

rétablir to reestablish, restore

rétablissement *m.* reestablishment, restoration

retardataire late, behindhand

retarder to delay, slow up

retenir to retain, hold, keep, hold back

retenue *f.* detention, keeping-in

retirer to withdraw; **se —** to withdraw

retomber to fall down again, fall back

retour *m.* return; **en —** in return

retourner to return, go back

retracer to recount, relate

retraite *f.* retreat; **pension de —** retirement pension, retirement allowance

retrouver to find again, recover, regain, meet, meet again; **se —** to be found again

réunion *f.* union, meeting, session

réunir to unite, join, assemble, collect; **se —** to assemble, come together, gather, meet

réussir to succeed

réussite *f.* success

revanche *f.* revenge

rêve *m.* dream, fancy; **de —** dreamlike, fanciful

réveil *m.* awaking, awakening

réveiller to awake

révéler to reveal

revendication *f.* claim, demand

revendre to sell again

revenir to return, come back, recur

revenu *m.* revenue, income

rêver to dream, dream of

rêverie *f.* revery, daydream

revers *m.* reverse, misfortune

revivre to live again, live through again

révocation *f.* revocation, repeal

revoir to see again, behold again, review

révolte *f.* revolt, rebellion

révolté *m.* rebel

se révolter to revolt, rebel

révolution *f.* revolution; **la Révolution** the French Revolution

révolutionnaire revolutionary, of the Revolution

révolutionner to revolutionize, change completely

révoquer to revoke, repeal

revue *f.* magazine; *(military)* review; **passer en —** to review

rhétorique *f.* rhetoric

Rhin *m.* Rhine

Rhône *m.* Rhone

riant smiling, agreeable, cheerful, pleasant

richement richly

richesse *f.* riches, wealth, richness

ridicule ridiculous

rien *m.* nothing, not anything; **il n'en fut —** nothing of the sort happened

rime *f.* rhyme

rire to laugh

rite *m.* rite, ceremony

rivage *m.* shore

rival *adj. and n.m.* rival

rivaliser to rival, compete

rivalité *f.* rivalry

rive *f.* bank, shore

rivière *f.* river

riz *m.* rice

robe *f.* dress; **— de chambre** dressing gown

robuste robust, sturdy

roc *m.* rock

roche *f.* rock

roi *m.* king; **Roi-Soleil** Sun-King (*Louis XIV*); **faire le —** to act like a king, be kingly

rôle *m.* role, part

Rollon Rollo

romain *adj.* Roman

Romain *m.* Roman

roman *m.* novel, romance; romance (*language*)

roman *adj.* Romanesque

romancé fictional

romancier *m.* novelist

romanesque *m.* romantic

romantique *adj.* romantic (*pertaining to the romantic movement in art and literature*); *n.m.* romanticist

romantisme *m.* romanticism

rond round

rondeau *m.* rondeau (*poem of 13 lines in 3 unequal stanzas*)

rose *f.* rose, rose window

rosé rosy, rose-colored

rosse malicious, satirical, cruel

rossignol *m.* nightingale

rôtisserie *f.* cook shop

roturier *m.* plebeian, commoner

rouge *adj. and n.m.* red

rougir to redden

Roumanie *f.* Rumania

rousseauiste Rousseauistic, of Rousseau

route *f.* road, route; **en —** on one's way

rouvrir to open again; **se —** to open again, reopen

royaliste *m.* royalist

royaume *m.* kingdom

royauté *f.* royalty

Rubens *Flemish painter, 1577–1640*

rubis *m.* ruby

rude rough

rudesse *f.* roughness, ruggedness, fierceness, uncouthness

rue *f.* street

ruelle *f.* bedside (*literally, space between bed and wall where callers, received by ladies reclining in bed, were seated; word also used freely of social gatherings*)

ruiner to ruin

ruisseau *m.* stream

ruse *f.* deceit, cunning, trick

rusé deceitful, cunning, crafty, sly

russe Russian

Russie *f.* Russia

rustique rustic, rural

rythme *m.* rhythm

rythmique rhythmical

S

Sabine *f.* Sabine woman (*according to legend, the Romans, needing wives, stole women from the neighboring Sabines*)

sable *m.* sand

sablonneu-x, -se sandy

sacre *m.* coronation

sacré sacred

sacrer to crown, consecrate

sagacité *f.* sagacity, shrewdness

sage wise

sagement wisely

sagesse *f.* wisdom

saigner to bleed

sain healthy, sound, wholesome, sane

saint *adj.* holy, sacred; *n.m. and f.* saint

Saint Barthélemy Saint Bartholomew; **la fête de —** Saint Bartholomew's Day (*August 24*)

Saint Empire Romain Holy Roman Empire

Saint-Laurent *m.* Saint Lawrence (*river*)

saisir to seize, grasp, embrace

saison *f.* season

salaire *m.* pay, wages

salamandre *f.* salamander (*mythical animal able to live in fire; also* *an actual animal which resembles a lizard*)

salarié *m.* wage earner

sale dirty

salique Salic; **loi —** Salic law (*a 5th-century compilation of the laws of Germanic tribes; especially the law excluding women from inheriting royal power or rights*)

salle *f.* hall, room; **grand'—** great hall, main room; **— de concert** concert hall

salon *m.* drawing room, salon; **— — d'attente** waiting room, antechamber

saltimbanque *m.* mountebank, buffoon

salut *m.* safety

samedi *m.* Saturday

sang *m.* blood; **prince, princesse du —** royal prince, royal princess

sanglant bloody

sanglier *m.* wild boar

sans without, but for, had it not been for; **— gêne** *see* **gêne**; **— que** *conj.* without

Saône *f. name of a river, a tributary of the Rhone*

Sarrasin *m.* Saracen

satirique satirical

satisfaire to satisfy

sauf except

saule *m.* willow, willow tree

sauter to jump, leap

sauvage savage, wild, uncivilized, barbarous, fierce, inhuman

sauvegarder to protect, maintain

sauver to save

savant *adj.* learned, skillful; *n.m.* learned man, scholar, scientist

Savoie *f.* Savoy

savoir to know, know how, be able; **on ne saurait** one cannot

savoir *m.* knowledge, learning

savon *m.* soap

scandale *m.* scandal; **faire —** to

cause a scandal; **succès de —** success based upon scandal

scandaliser to scandalize, shock

scandinave Scandinavian

sceller to seal

scène *f.* scene, stage; **en —** upon the stage; **mise en —** *f.* stage setting, staging

scepticisme *m.* skepticism

sceptique *m.* skeptic

science *f.* science, knowledge, learning

scintiller to scintillate, glisten, sparkle

scolaire academic

scrupule *m.* scruple, scrupulousness

sculpter to sculpture, carve, cut

sculpteur *m.* sculptor

sec, sèche dry, insensible

sécher to dry

secondaire secondary

secours *m.* help; **fonds de —** relief funds, reserve funds

secr-et, -ète secret

secrétaire *m.* secretary

secrètement secretly

secte *f.* sect

sédentaire sedentary

seigneur *m.* lord, nobleman

seigneurial seignorial, belonging to the nobility

seigneurie *f.* lordship, domain

seize sixteen; **seizième** sixteenth

séjour *m.* stay, sojourn

séjourner to remain, stay

sel *m.* salt

selon according to

semaine *f.* week

semblable *adj.* similar, like; *n.m.* like, fellow

sembler to seem, appear

semelle *f.* sole

semer to sow, spread

sénat *m.* senate

sénateur *m.* senator

sénatorial senatorial

sénéchal *m.* seneschal

Sénégal *m.* Senegal

Sénèque Seneca (*Latin philosopher*, c. *4* B.C.–*65* A.D.)

sens *m.* sense, meaning; **bon —** common sense

sensibilité *f.* sensibility, sensitiveness, feeling

sensible sensitive, perceptible, considerable

sensiblement perceptibly, greatly, much

sensualité *f.* sensuality

sensuel, -le sensual, voluptuous

sentiment *m.* sentiment, feeling, consciousness

sentir to feel; **se faire —** to make itself felt

séparer to separate; **se —** to separate, part

sept seven; **septième** seventh

septembre *m.* September

sépulcre *m.* sepulcher; **le saint —** the holy sepulcher

serbe Serbian

Serbie *f.* Serbia

serein serene

sérénité *f.* serenity, sereneness

serf *m.* serf

série *f.* series

sérieusement seriously

sérieu-x, -se serious; *n.m.* seriousness

serment *m.* oath

serrer to press, crowd, squeeze, put close together

sérum *m.* serum

servante *f.* servant

service *m.* service; **rendre un — à** to do *or* render a service to

serviette *f.* napkin

servile servile, slavish

servir to serve, be employed (**de** as); **se — de** to use, make use of

serviteur *m.* servant

seul alone, only, single; **à lui —** by itself

seulement only

sévère severe, austere

sexe *m.* sex

si *conj.* if, whether; *adv.* so; **— ... que** (+ *subj.*) however

siècle *m.* century

siège *m.* seat; (*military*) siege

siéger to sit

sien: le —, la —ne his, hers, its

signaler to distinguish, point out

signe *m.* sign

signer to sign

significati-f, -ve significant

signification *f.* signification, meaning

silence *m.* silence; **sous —** unmentioned, unsaid

simplement simply

simplifier to simplify

sincèrement sincerely

sine qua non (*Latin*) essential, indispensable

singer to mimic

singuli-er, -ère singular, strange, peculiar

sinistre sinister

sinon if not

sire *m.* lord

situer to situate, place

six six; **sixième** sixth

sobre sober

sobriété *f.* sobriety, moderation

socialiste *adj. and n.m.* socialist

société *f.* society, group; **vie de —** social life; **— des Nations** League of Nations

sœur *f.* sister

soie *f.* silk

soient *pres. subj.* of **être**

soierie *f.* silk; *pl.* silk goods, silks

soif *f.* thirst (**de** for)

soigné elaborate, carefully written

soigneusement carefully

soigneu-x, -se careful

soin *m.* care

soir *m.* evening

soirée *f.* evening

soit *pres. subj. of* **être**; *adv.* either;
— ... — either ... or
soixante sixty; —**-cinq** sixty-five;
—**-dix** seventy; —**-treize** seventy-three
sol *m.* soil, ground, floor
soldat *m.* soldier
solde *f.* pay; **à la** — **de** in the pay of
soleil *m.* sun; **jaune de** — sun-yellow; **Roi-Soleil** Sun-King (*Louis XIV*)
solennel, -le solemn
solide solid, strong, substantial
solidement solidly, firmly
solidité *f.* solidity
solitaire solitary
sombre dark, gloomy; **faire** — to be dark
sombrer to founder, sink
somme *f.* sum, total; — **toute** on the whole, after all; **en** — on the whole, in short
sommeil *m.* sleep; **maladie du** — sleeping sickness
sommet *m.* summit
somptueu-x, -se sumptuous, rich
son *m.* sound
songer to dream, think, consider
sonner to sound, blow
sonore sonorous
sonorité *f.* sonorousness, sound
sorcellerie *f.* witchcraft
sorcière *f.* sorceress, witch
sordide sordid
sort *m.* fate, destiny, condition, lot, state
sorte *f.* sort, kind, manner; **de** — **que** so that; **de telle** — **que** in such a manner that, to such a degree that; **en quelque** — in some measure, in some degree, in a way
sortir to go out, come out, leave
sortir *m.* coming out; **au** — **de** on coming out from, on recovering from, after

sot *m.* fool
sou *m.* cent
souci *m.* care, anxiety, concern
se soucier de to care about, care for, be concerned about, be anxious about
soucieu-x, -se anxious
soucoupe *f.* saucer
Soudan *m.* Sudan
souffrance *f.* suffering
souffrir to suffer
souhaiter to wish, desire
soulagement *m.* relief
soulèvement *m.* rising, revolt, insurrection
soulever to raise, stir up; **se** — to rise, rebel, revolt
soulier *m.* shoe
soumettre to subdue, subjugate, overcome; **se** — to submit, yield
soumis (*p.p. of* **soumettre**) submissive, in subjection to, controlled by
soumission *f.* submission, subjection, demonstration of respect
souple supple, flexible
souplesse *f.* suppleness, flexibility
source *f.* spring (*of water*)
sourire to smile
sournois cunning, sly
sous under
sous-préfet *m.* subprefect
soutenir to sustain, support, maintain, uphold
soutien *m.* support
souvenir *m.* memory
se souvenir de to remember, recollect
souvent often
souverain *adj. and n.m.* sovereign
souveraineté *f.* sovereignty
spacieu-x, -se spacious, roomy, broad, wide
spécialisé specialized
se spécialiser to specialize
spécieu-x -se specious, plausible

spectateur *m.* spectator; *pl.* (*of theaters*) audience

spéculateur *m.* speculator

spéculati-f, -ve speculative

spirale *f.* spiral

spirituel, -le spiritual, witty

spontané spontaneous

spontanéité *f.* spontaneity, spontaneousness

spontanément spontaneously

sport *m.* sport; **faire du —** to engage in sports *or* athletics

se stabiliser to become stabilized, become stationary, become settled

station *f.:* **— balnéaire** seaside resort, bathing beach

statique static

statuaire *m.* sculptor

stigmatiser to stigmatize, brand

stimuler to stimulate

stoïque stoic, stoical

strict strict, rigid

subir to undergo, endure

subitement suddenly

subordonné subordinate

suborner to bribe

subsistance *f.* subsistence, livelihood

subsister to be extant, remain in existence

substituer to substitute

subtil subtle, refined, delicate, fine, expert

subtilité *f.* subtleness

subvenir to provide (**à** for), meet

succédané *m.* by-product

succéder to succeed, take the place of, follow; **se —** to follow each other *or* one another

successeur *m.* successor

succession *f.* succession; **prendre la — de** to take the place of

sud *m.* south; **—-ouest** southwest

Suède *f.* Sweden

suffire to suffice, be sufficient, be enough

suggérer to suggest

se suicider to commit suicide

Suisse *f.* Switzerland

suisse Swiss

suite *f.* succession, rest; **par —** as a consequence, consequently, therefore; **par — de** in consequence of, as a result of; **par la —** afterwards, later; **tout de —** immediately, at once

suivant *prep.* following, according to, in accordance with, proportionate to

suivre to follow; (*a course of study*) attend, take; **suivi** (*p.p.*) uninterrupted, regular; **se —** to follow each other *or* one another

sujet, -te *adj.* subject; *n.m.* subject, matter

sulfurique sulphuric

superficiel, -le superficial, shallow

supérieur superior, higher, upper; **école —e** high school

superposer to superimpose

superstitieu-x, -se superstitious

supplice *m.* punishment, torture

supplicier to execute

supporter to support, endure

supprimer to suppress, abolish, do away with

suprématie *f.* supremacy

sur on, upon, about, concerning, with regard to, as to

sûr sure, certain, safe

surélever to raise higher

surent *past def. of* **savoir**

surhumain superhuman

surmenage *m.* overwork, excessive work

surnaturel *m.* supernatural

surpasser to surpass, exceed

surtout *adv.* especially, above all

surtout *m.* wrapper

surveiller to watch over, survey

survenir to happen, occur

survivance *f.* survival

survivre to survive

susceptibilité *f.* susceptibility, sensitiveness, touchiness

susciter to raise up, give rise to, create, call forth

suspect *adj.* suspicious; *n.m.* suspicious person, person to be suspected

suspendre to suspend

sut *past def. of* **savoir**

sût *imperf. subj. of* **savoir**

suzerain *m.* suzerain, feudal lord, overlord

svelte slender

syllabe *f.* syllable

symbole *m.* symbol

symbolique symbolical

symboliquement symbolically

symboliser to symbolize, be a symbol of

symbolisme *m.* symbolism

symboliste *adj. and n.m.* symbolist

symétrie *f.* symmetry

symétrique symmetrical

sympathique sympathetic

syndicat *m.* syndicate, union

synonyme synonymous

syntaxe *f.* syntax

synthèse *f.* synthesis

T

tableau *m.* picture, painting

tache *f.* spot

tâche *f.* task

taciturne taciturn, uncommunicative, habitually silent

tactique *f.* tactics

taffetas *m.* taffeta

Tahiti *m. island in the South Pacific*

tailler to cut, hew, carve

tailleur *m.* tailor

tambour *m.* drum; (*person*) drummer

tandis que whereas, while

tanière *f.* den

tant so much, so many; (*of time*) so long, as long (**que** as)

tante *f.* aunt

tantôt: — ... — sometimes ... sometimes, now ... now

tapis *m.* rug, carpet

tapisserie *f.* tapestry

tard late; **plus** — later, afterwards

tarder to delay, be long

tarte *f.* tart

taudis *m.* hovel; *pl.* slums

taverne *f.* tavern

taxe *f.* tax

Tchécoslovaquie *f.* Czechoslovakia

technicien *m.* technician

technique *adj.* technical; *n.f.* technique

techniquement technically

tel, -le such, like

télégraphie *f.* telegraphy; — **sans fil** wireless telegraphy

téméraire bold, rash

témérité *f.* temerity, boldness, rashness

témoignage *m.* testimony, evidence

témoigner to show; — **de** to testify to, bear witness to

tempérament *m.* temperament, disposition

tempéré temperate, mild

temple *m.* temple, church (*Protestant*); *name of a prison in Paris during the Revolution*

temporel, -le temporal

temps *m.* time, age; **de son** — in one's day; **du** — **de** at *or* in the time of; **en même** — at the same time; **pour un** — for a time, for a while

tenace tenacious, persistent, obstinate

ténacité *f.* tenacity

tendance *f.* tendency

tendre *adj.* tender, soft

tendre to stretch, stretch out, hold out; tend, lead; (*tapestry*) hang; *see also* **piège**

Téniers *Flemish artist, 1610–1690*

tenir to hold, keep, occupy; **se —** to be held, take place; **se — au courant de** to keep informed about *or* of; **— à** to care about, cherish; be anxious to, desire to; be connected with; **— de** to be of the nature of, be akin to, be like; *see also* **parole**

tentative *f.* attempt

tente *f.* tent, pavilion

tenter to attempt, try; tempt

terme *m.* term, expression, word

terminer to finish, end; **se —** to end, come to an end

terne dull

terrain *m.* ground, soil

terrasse *f.* terrace

terre *f.* earth, ground, land, dominion, territory; **— sainte** Holy Land; **sur —** on the earth

Terre-Neuve *m.* Newfoundland dog

terrestre terrestrial, earthly; **Paradis —** Garden of Eden

terreur *f.* terror; **la Terreur** the Reign of Terror

territoire *m.* territory

tête *f.* head

thé *m.* tea

théâtral theatrical

théâtre *m.* theater; **coup de —** unexpected event

Thèbes *f.* Thebes (*city in Greece*)

thème *m.* theme

théologien *m.* theologian

théoricien *m.* theorist

théorique theoretical

théoriquement theoretically

thermes *m.pl.* thermal baths, hot-water baths

thèse *f.* thesis, theme; **pièce à —** thesis play

ti-ers, -erce third; **— État** *see* **État**; *n.m.* third, third part; *abbrev. of* **Tiers État**

tirer to draw, derive; **— à sa fin** to draw to its close; *see also* **parti**

tisser to weave; *see also* **métier**

tisserand *m.* weaver

Titien Titian (*Italian painter, one of the greatest artists of the Venetian school, c. 1477–1576*)

titre *m.* title, claim; **à — de** by way of, as; **à juste —** justly, appropriately, deservedly

toile *f.* cloth, canvas

toilette *f.* toilet, dress, dressing

toit *m.* roof

toiture *f.* roofing

tolérance *f.* toleration

tolérer to tolerate

tombe *f.* tomb

tombeau *m.* tomb, grave, tombstone

tomber to fall, fall in

ton *m.* tone; **donner le —** to give the tone, set the fashion

tonne *f.* ton

tort *m.* wrong; **à —** wrongly; **avoir —** to be wrong

tôt soon, early

touchant touching, affecting, moving, impressive

toucher to touch, affect, move; **— à** to meddle with

touffu bushy, thick

toujours always

tour *f.* tower

tour *m.* turn, tour, journey; **— à —** in turn, by turns; **faire le — du monde** to travel around the world; **— de force** accomplishment; **Tour de France** journey around France

tourelle *f.* turret, small tower

tourmenté tormented, uneasy

tourner to turn, revolve, whirl; **se —** to turn

tournoi *m.* tournament

tournure *f.* turn, construction

tout (*m.pl.* **tous**) *adj.* all, whole, every; *n.m.* all, everything; *adv.* wholly, entirely, quite, just; **— en** while

toutefois nevertheless, however

trace *f.* trace, mark

tracer to trace, outline, sketch, lay out

traditionnel, -le traditional

traducteur *m.* translator

traduire to translate, explain, interpret

tragédie *f.* tragedy

tragédien *m.* tragedian (*actor in tragedies*)

tragique tragic

trahir to betray

trahison *f.* treason, treachery

trait *m.* trait, feature, characteristic

traité *m.* treaty; treatise, dissertation

traiter to treat, negotiate

traître *m.* traitor

tranche *f.* slice

tranchée *f.* trench; **guerre de —** trench warfare

trancher to cut off

transformer to transform; **se —** to be transformed

transformisme *m.* transformism (*Lamarck's theory that animals change organs through use or disuse, that these changes are inherited, and that thereby species are in the course of time gradually transformed*)

transmettre to transmit, hand down

transmission *f.* transmission

transport: les —s *m.pl.* transportation

transporter to transport; **se —** to go, move

traquer to surround, encircle, hem in, track down

travail (*pl.* **travaux**) *m.* work, piece of work; **se mettre au —** to begin to work, set to work

travailler to work, labor

travailleur *m.* worker

travailleu-r, -se industrious, laborious

travers *m.* eccentricity, oddity, peculiarity; **à —** across, through, in the course of

traverser to cross, go, get, *or* pass through

treize thirteen; **treizième** thirteenth

trentaine *f.* about thirty

trente thirty; **—-cinq** thirty-five

très very

trésor *m.* treasure, treasury

trêve *f.* truce

tribu *f.* tribe

tribunal *m.* tribunal, court

tricolore tricolored, three-colored; **drapeau —** three-colored flag (*blue, white, red*)

trier to sort, choose, select, pick out

triomphal triumphant

triomphe *m.* triumph

triompher to triumph

Triplice *f.* Triple Alliance (*Germany, Austria-Hungary, and Italy*)

triste sad, deplorable, sorry, poor, dreary

tristesse *f.* sadness, dreariness

Troie *f.* Troy (*city in Asia Minor, scene of Trojan War*)

trois three; **troisième** third

tromper to deceive, betray; **se —** to be mistaken

trompeu-r, -se deceptive

trône *m.* throne

trop too, too much, too many

troubadour *m.* troubadour (*poet of the south of France*)

trouble *m.* trouble, disturbance; *pl.* troubles, disturbances, disorder

troubler to trouble, disturb, agitate

troupe *f.* troop

troupeau *m.* flock

trouver to find, think; **se —** to be,

be located, be situated; **enfant trouvé** foundling

trouvère *m.* trouvère (*medieval poet of the north of France*)

tsar *m.* czar

tuer to kill

tuile *f.* tile

Tuileries *f.pl.* name of palace in Paris, burned in 1871

Tunisie *f.* Tunisia (*in northern Africa*)

tunisien, -ne Tunisian

turbulent turbulent, troublesome, unruly, wild

Turc *m.* Turk

Turquie *f.* Turkey

tutelle *f.* tutelage, protectorship, guardianship, protection

typique typical

typiquement typically

tyrannie *f.* tyranny

U

un a, an, one; **les —s . . . les autres** some . . . others; **les —s des autres** of one another

unanime unanimous, unanimistic

unanimisme *m.* unanimism

unique unique, single

uniquement only, solely

unir to unite; **s'—** to unite

unité *f.* unity, unit

univers *m.* universe, world

usage *m.* usage, custom

usine *f.* factory

usurpateur *m.* usurper

utile useful; **peu —** of little use, of little service, unnecessary

utiliser to employ, make use of

utilité *f.* utility, usefulness, service, benefit

utopie *f.* utopia

V

vaccin *m.* vaccine

vache *f.* cow

vague *f.* wave; *adj.* vague

vaincre to conquer, defeat, overcome, subdue

vaincu *p.p. of* **vaincre**

vainqueur *m.* conqueror, victor; *adj.* victorious, triumphant

vainquit *past def. of* **vaincre**

vaisseau *m.* ship

val *m.* valley

valet *m.* valet; **— de chambre** body servant, footman

valeur *f.* value, worth, merit

vallée *f.* valley

vallon *m.* valley

valoir to be worth; **— mieux** to be better

Van Dyck *Flemish painter 1599–1641*

va-nu-pieds *m.pl.* barefoot men, ragged men

vapeur *f.* steam

varié varied, diverse

variété *f.* variety, diversity

vassal *adj. and n.m.* vassal

vasselage *m.* vassalage

vécurent, vécut *past def. of* **vivre**

veille *f.:* **à la — de** on *or* upon the eve of

veiller to watch, keep watch; **— à** to attend to, see to

velours *m.* velvet

vendange *f.* grape-gathering

vendre to sell

vénérer to revere, hold in veneration

venger to revenge, avenge

venir to come; **— de** to have just; **en — à** to come to the point of; **faire —** to cause to come, have (*something*) brought, bring

Venise Venice (*city in Italy*)

Vénitien *m.* Venetian

vent *m.* wind

ventre *m.* belly, stomach

ver *m.* worm; **— à soie** silkworm

verdure *f.* verdure, greenness

vérifier to verify, confirm, examine

véritable veritable, genuine, real

véritablement really, truly, in reality

vérité *f.* truth

vermeil *m.* silver-gilt

vernis *m.* varnish

Véronèse Paolo (Paul) Veronese, *Italian painter, important artist of the Venetian school in the 16th century*

verre *m.* glass

verrier *m.* glassmaker

verrière *f.* stained-glass window

vers *m.* verse, line (*of poetry*)

vers *prep.* toward(s); (*of time*) about

verser to pour, pay

vert *adj. and n.m.* green

vertige *m.* dizziness, giddiness

vertu *f.* virtue

verve *f.* animation, spirit

veste *f.* jacket

vêtir to dress

vêtu (*p.p. of* **vêtir**) dressed, clad

veuve *f.* widow

vice *m.* vice, defect, fault

victime *f.* victim

victoire *f.* victory

victorieusement victoriously, triumphantly

victorieu-x, -se victorious (**de** over)

vide *adj.* empty, open; *n.m.* void, gap, vacuum

vie *f.* life; **— de cour** court life; **— de société** social life

vieillard *m.* old man

vieillesse *f.* old age

vieillir to grow old

viennois Viennese, of Vienna

vierge *f.* virgin; **la Vierge** the Virgin Mary

vieux, vieil, -le old

vi-f, -ve alive, lively, vivid; (*of colors*) vivid, bright, brilliant

vigne *f.* vine, grapevine

vignoble *m.* vineyard

vigoureu-x, -se vigorous, powerful, strong

vigueur *f.* vigor; **en —** in vigor, in force

vilain *m.* peasant; *pl.* common people

ville *f.* city, town

vin *m.* wine; **esprit-de- —** spirits of wine, alcohol

vingt twenty; **—-quatre** twenty-four; **—-cinq** twenty-five; **—-six** twenty-six

vingtaine *f.* about twenty, score

vingtième twentieth

violemment violently, with violence

violer to violate

violet, -te *adj.* violet, violet colored; *n.m.* violet color

violon *m.* violin

virent *past def. of* **voir**

viril virile

virtuose *m.* virtuoso (*a person who has great technical skill in the practice of one of the fine arts*)

visage *m.* face, aspect

visible visible, evident

vision *f.* vision, sight

visite *f.* visit, call; **rendre —** to pay a visit, make a call

visiteur *m.* visitor

vitalité *f.* vitality

vite quickly

vitrail (*pl.* **vitraux**) *m.* stained-glass window

vivacité *f.* vivacity, animation, liveliness

vivant *adj.* living, alive; **langues —es** modern languages

vivant *n.m.:* **de son —** during one's life, while alive, while living

vivre to live

voici here is, here are, behold

voie *f.* way, road; **— ferrée** railroad

voilier *m.* sailing vessel

voir to see; **faire —** to show

voisin *adj.* neighboring; *n.m.* neighbor

voisinage *m.* neighborhood, vicinity

voiture *f.* carriage, cart, vehicle

voix *f.* voice; **à — basse** in a low voice; **à — haute** in a loud voice, aloud

vol *m.* stealing, robbery, theft

voler to fly

voleur *m.* thief, robber

volontaire *adj.* voluntary; *n.m.* volunteer

volonté *f.* will

volte-face *f.:* **faire —** to turn completely round

votant *m.* voter

vouloir to will, wish, desire; **— dire** to mean, signify; **en — à** to bear ill will toward, have a grudge against

voûte *f.* vault, arch

voyage *m.* trip, journey, travel, voyage

voyager to travel

voyageur *m.* traveler

vrai *adj.* true, real; *n.m.* truth; **à — dire** to tell the truth

vraiment truly, really, in truth

vraisemblance *f.* verisimilitude, lifelikeness

vue *f.* sight, view; **à première —** at first sight; **point de —** point of view

vulgaire vulgar, coarse, popular

Y

y there

yeux *pl. of* œil

Z

zoologie *f.* zoology

Index

337

DATE DUE